锅炉安全管理人员培训教程

张兆杰　乌新平　主编

黄河水利出版社

内 容 提 要

本书是针对锅炉安全管理人员编写的一本培训教材。主要内容有:锅炉基本知识,安全管理、安全监察综合基本知识,锅炉安全管理主要法规,锅炉房建造管理,锅炉购置、安装、登记、使用、检验管理等,并在书后附有与锅炉安全管理相关的法规、规程,以便于查阅和遵照执行。本书可作为锅炉管理人员或锅炉协管员的培训教材,也可供锅炉安装、操作、维修、检测等人员阅读参考。

图书在版编目(CIP)数据

锅炉安全管理人员培训教程. 张兆杰,乌新平主编.
郑州:黄河水利出版社,2007.1 (2013.7 重印)
ISBN 7 - 80734 - 121 - 1

Ⅰ.锅… Ⅱ.①张…②乌… Ⅲ.锅炉 - 安全管理 -
技术培训 - 教材 Ⅳ.TK288

中国版本图书馆 CIP 数据核字(2006)第 097058 号

组稿编辑:王路平 电话:0371 - 66022212 E-mail:hhslwlp@126.com

出 版 社:黄河水利出版社
　　　　地址:河南省郑州市顺河路黄委会综合楼 14 层 邮政编码:450003
发行单位:黄河水利出版社
　　　　发行部电话:0371 - 66026940、66020550、66028024、66022620(传真)
　　　　E-mail:hhslcbs@126.com
承印单位:黄河水利委员会印刷厂
开本:787 mm×1 092 mm 1/16
印张:17
字数:390 千字　　　　　　　　　　　　印数:3 601—4 600
版次:2007 年 1 月第 1 版　　　　　　　印次:2013 年 7 月第 2 次印刷

书号:ISBN 7 - 80734 - 121 - 1/TK·7　　　　　　定价:35.00 元

前　言

　　锅炉是承受高温高压的特种设备,广泛应用于工农业生产及人民生活的各个领域,为促进社会经济发展和提高人民生活质量发挥了重要作用。锅炉是具有爆炸危险性的设备,若管理、操作不当,极易引发各种安全事故,往往造成重大的财产损失和人员伤亡,产生恶劣的社会影响。

　　如何管理好锅炉这种特殊设备,更好地为人类服务,上百年来,无论是经济发达国家还是发展中国家,都十分重视该设备运行中的安全问题。

　　《锅炉安全管理人员培训教程》是根据《特种设备安全监察条例》第三十九条"锅炉、压力容器、电梯、起重机械、客运索道、大型游乐设施的作业人员及其相关管理人员(以下统称特种设备作业人员),应当按照国家有关规定经特种设备安全管理部门考核合格,取得国家统一格式的特种设备作业人员证书,方可从事相应的作业或管理工作",针对负责锅炉管理的业务经理、车间主任及专项主管锅炉安全的管理人员或锅炉协管员编写的实用教材。笔者在编写过程中结合本人从事锅炉检验与管理30余年的经验,以及长年从事对锅炉管理人员培训工作的实践,力求通俗、简明、实用的特点,一稿脱稿后,请教了从事锅炉安全监察与管理工作、既有丰富理论基础又有丰富工作实践经验的祝运恒、刘谦两位先生,听取他们的意见后,又修订了书稿部分内容,对此,笔者深表感谢。

　　当前世界科学发展日新月异,近几年国家颁发的规程、规范、标准更新速度加快,尽管编写中引用的均为最新规程、规范、标准,待书正式出版,难免又有不如意之处,望阅读此教程的同行,时刻关注国家颁发的更新版本的规程、规范、标准出台。

　　《锅炉安全管理人员培训教程》由张兆杰、乌新平担任主编,各章编写人员及分工如下:翟英俊编写第一章;韩红民、朱万钦编写第二章,刘贵东编写第三章;张兆山、张栓成编写第四章;张举州、高庆伟编写第五章;佟桁、吕连明编写第六章;孙新民编写第七章;周波、齐晓兵编写第八章;肖晖编写第九章。

　　由于编者水平有限,书中肯定存在缺点和不足,敬请同行批评指正,以便再版时改正。

作　者

2006 年 10 月

目　录

第一章 锅炉基本知识

本章扼要地介绍了锅炉的基本知识,为锅炉管理人员学好以后各章知识打下基础。

第一节 锅炉的基本参数及术语

一、容量

锅炉的容量又称锅炉出力,是锅炉的基本特性参数,蒸汽锅炉用蒸发量表示,热水锅炉用供热量表示。

(一)蒸发量

蒸汽锅炉长期连续运行时每小时所产生的蒸汽量,称为这台锅炉的蒸发量。用符号"D"表示,常用单位为吨/时(t/h)。

(二)供热量

热水锅炉长期连续运行,在额定回水温度、压力和规定循环水量下,每小时出水有效带热量,称为这台锅炉的额定供热量(出力)。用符号"Q"表示,单位是兆瓦(MW)。

二、压力

垂直均匀作用在单位面积上的力,称为压强,人们常把它称为压力,用符号"p"表示,单位是兆帕(MPa)。

三、温度

标志物体冷热程度的物理量,称为温度,用符号"t"表示,单位是摄氏度(℃)。

四、受热面

从放热介质中吸收热量并传递给受热介质的表面,称为受热面,如锅炉的炉胆、筒体、管子等。

五、辐射受热面

主要以辐射换热方式从放热介质吸收热量的受热面,一般指炉膛内能吸收辐射热(与火焰直接接触)的受热面,如水冷壁管、炉胆等。

六、对流受热面

主要以对流换热方式从高温烟气中吸收热量的受热面,一般是烟气冲刷的受热面,如烟管、对流管束等。

七、锅炉热效率

锅炉有效利用的热量与单位时间内所耗燃料输入热量的百分比即为锅炉热效率,用符号"η"表示,其公式为:

$$\eta = \frac{输出热量}{输入热量} \times 100\%$$

八、水管锅炉

烟气在受热面管子的外部流动、水在管子内部流动的锅炉称为水管锅炉。

九、卧式锅壳锅炉

锅筒纵向轴线平行于地面的锅炉称为卧式锅壳锅炉。它包括卧式外燃锅炉和卧式内燃锅炉,所谓卧式外燃锅炉是炉膛设在锅筒的外部,而卧式内燃锅炉则是炉膛设在锅筒内。

十、立式锅炉

锅筒纵向轴线垂直于地面的锅炉称为立式锅炉。它包括立式水管锅炉和立式火管锅炉,所谓立式水管锅炉就是烟气冲刷管子外部,将热量传导给管子内部的水,而立式火管锅炉则是烟气在管子内部流动,将热量传导给管子外部的水,管子外部的水是包在锅筒里面的。

十一、蒸汽锅炉

将水加热成蒸汽的锅炉称为蒸汽锅炉,一般为生产用锅炉。

十二、热水锅炉

将水加热到一定温度但没有达到汽化的锅炉称为热水锅炉,一般为采暖用锅炉。

十三、自然循环锅炉

依靠下降管中的水与上升管中的汽水混合物之间的重度差,使锅水进行循环的锅炉称为自然循环锅炉。

十四、强制循环锅炉

除了依靠水与汽水混合物之间重度差之外,主要靠循环水泵的压头进行锅水循环的锅炉称为强制循环锅炉。

十五、小型蒸汽锅炉

指水容积不超过50 L,且额定蒸汽压力不超过0.7 MPa的蒸汽锅炉。

十六、燃气燃油锅炉

指以可燃气体(简称燃气)或燃料油(简称燃油)作为燃料的锅炉。

十七、有机热载体气相炉

指以联苯混合物(联苯 26.5%,联苯醚 73.5%,常压沸点为 258 ℃,凝固点为 12.3 ℃,最高允许使用温度为370 ℃)为介质的炉。

第二节　燃料、燃烧及锅炉的构成与分类

一、燃料

锅炉用的燃料按物理状态可分为三大类,即:

(1)固体燃料,如煤、木柴、稻糠、甘蔗渣、油母页岩等。

(2)液体燃料,如重油。

(3)气体燃料,如天然气、煤气、液化石油气。

二、燃烧的基本条件

燃料中的可燃物质与空气中的氧,在一定的温度下进行剧烈的化学反应,发出光和热的过程称为燃烧。因此,燃烧的基本条件是可燃物质、空气(氧)和温度,三者缺一不可。

(一)可燃物质

燃料中可以燃烧的元素是碳、氢和一部分硫,这些元素称为可燃物质。

(二)空气

1 kg 燃料完全燃烧时所需空气量为理论空气量,但实际上燃料中的可燃物质不可能与空气中的氧充分均匀混合,燃烧条件也不可能达到设计的理想程度,因此在锅炉运行中,必须多供给一些空气,即实际空气量比理论计算空气量多,多的部分称为过剩空气。实际空气量与理论空气量的比值称为过剩空气系数。

(三)温度

保持燃烧的最低温度称为着火温度。煤的着火温度大致为:烟煤450 ℃,无烟煤700 ℃,褐煤350 ℃。重油的着火温度一般为 100～150 ℃。着火温度越高,燃烧反应越剧烈,对提高燃烧速度和热效率有很大的作用。

三、不同燃料的燃烧

(一)煤的燃烧

煤从进入炉膛到燃烧完毕,一般要经过加热干燥、逸出挥发分形成焦炭、挥发分着火燃烧、焦炭燃烧形成灰渣这四个阶段。

加热干燥阶段:煤进入炉膛加热,煤中水分开始汽化蒸发,当温度升到 100～150 ℃以后,蒸发完毕,煤被完全烘干。水分越多,干燥阶段延续越久。

逸出挥发分形成焦炭阶段：温度继续升高时，烘干的煤开始分解，放出可燃气体，称为挥发分逸出。不同的煤种，挥发分开始逸出的温度也不同，褐煤和高挥发分的烟煤为150～180℃，低挥发分的烟煤为180～250℃，贫煤和无烟煤为300～400℃。挥发分逸出后，剩下的固体物称为焦炭，它除了灰分以外几乎全部是碳，有时还有少量硫，也有把这部分碳和硫称为固定碳。

挥发分着火阶段：当挥发分逸出与空气混合达一定浓度时，挥发分开始着火燃烧，放出大量热，把焦炭加热，为焦炭燃烧创造条件。通常把挥发分着火燃烧的温度粗略地看做煤的着火温度。不同的燃料着火温度不同，烟煤为400～500℃，褐煤为250～450℃，贫煤为600～700℃，无烟煤在700℃以上。

焦炭燃烧形成灰渣阶段：挥发分接近烧完时，焦炭开始燃烧，它是固体燃料和空气中的氧之间进行的燃烧化学反应。焦炭燃烧的速度缓慢，燃尽时间较长，约占全部燃烧时间的90%，当焦炭外壳先燃掉的部分形成灰妨碍了氧扩散进焦炭中心时，燃烧就会终止，从而形成了灰渣。

(二)油的燃烧

油进入炉膛到燃烧要经过雾化、油滴的蒸发与化学反应、油与空气混合物的形成、可燃物的着火燃烧四个阶段。

雾化阶段：由于油本身的紊流扩散和气体对它的阻力造成油雾化，即液流在高压造成的高速流动下所具有的紊流扩散，使油喷成细雾。雾化质量越高，燃烧效果越好。雾化方法有两种：一种是蒸汽雾化，一种是机械雾化。雾化质量要求油滴尺寸和颗粒分布均匀。

油滴的蒸发与化学反应阶段：油滴受热后发生两个作用。一个是物理作用，即蒸发；一个是化学作用，即组成烷类、烯类等碳氢化合物，在受热后发生化学反应。油的蒸发与化学反应进行的快慢有关，与气体的扩散条件有关。气体扩散越强烈，蒸发和化学反应就越强烈，油滴的燃烧就越迅速。对于蒸发出来的低分子烃，燃烧比较容易完成，而高分子烃不容易燃尽，如果氧气供应不及时和不充分，高分子烃在缺氧受热的情况下，就会分解出碳黑，碳黑是直径小于1 μm的固体颗粒，它化合性不强，燃烧缓慢，如果炉内燃烧工况不良，就会使大量碳黑不能燃尽，烟囱冒黑烟。

油与空气混合物的形成阶段：油的燃烧需要一定量的空气，而选择适当的调风装置和选用合适的空气流速，可使风油混合强烈及时，产生可燃气混合物，使得油燃烧良好。

可燃物的着火燃烧阶段：可燃气混合物吸热升温，当达到油的燃点时，便开始着火燃烧直至燃尽。

(三)气体的燃烧

天然气的主要成分是甲烷。甲烷和重油中的烃一样，在受热着火燃烧过程中，可能产生碳黑，也可能不产生碳黑，视氧气供应充分与否而定。

四、锅炉的构成

锅炉是一种把燃料燃烧后释放的热能传递给容器内的水，使水达到所需要的温度(热水或蒸汽)的设备。它由炉、锅、附件仪表及附属设备构成一个完整体，以保证其正常安全运行。

(一)炉

炉是由燃烧设备、炉墙、炉拱和钢架等部分组成,使燃料进行燃烧产生灼热烟气的部分。烟气经过炉膛和各段烟道向锅炉受热面放热,最后从锅炉尾部进入烟囱排出。

(二)锅

锅即是锅炉本体部分,它包括锅筒(汽包)、水冷壁管、对流管束、烟管、下降管、集箱(联箱)、过滤器、省煤器等受压部件,由此而组成的盛装锅水和蒸汽的密闭受压部分。

1. 锅筒

锅筒的作用是汇集、贮存、净化蒸汽和补充给水。热水锅炉锅筒内盛装的全部是热水,而蒸汽锅炉锅筒盛装的是热水和蒸汽。单锅筒的蒸汽锅炉,锅筒下部全部是热水,锅筒上部为蒸汽空间;双锅筒的蒸汽锅炉,下锅筒全部是热水,上锅筒下部为热水,上部为蒸汽空间,蒸汽与热水分界的位置叫水位线。

2. 水冷壁

水冷壁是布置在炉膛四周的辐射受热面。它是锅炉的主要受热面,有些水冷壁管两侧焊有或带有翼片,又称鳍片。

3. 对流管束

对流管束是锅炉的对流受热面。它的作用是吸收高温烟气的热量,增加锅炉受热面,对流管束吸热情况与烟气流速、管子排列方式、烟气冲刷的方式都有关。

4. 烟管、火管

烟管是锅炉的对流受热管,它与对流管束作用相同,不同的是对流管束烟气流经管外,而烟管是烟气流经管内。

火管有两种情况:直径较大的火管一般称为炉胆,里面可以装置炉排,是立式锅炉和卧式内燃锅炉的主要辐射受热面;直径较小的火管又称为烟管。

5. 下降管

下降管的作用是把锅筒里的水输送到下集箱,使受热面管子有足够的循环水量,以保证可靠的运行。下降管必须采取绝热措施。

6. 集箱

集箱也称联箱,它的作用是汇集、分配锅水,保证各受热面管子可靠地供水或汇集各管子的水或汽水混合物。集箱一般不应受辐射热,以免内部水产生气泡冷却不好,过热烧坏。集箱按其布置的位置有上集箱、下集箱、左集箱、右集箱等之分。位于炉排两侧的下集箱俗称防焦箱。

7. 过热器

过热器是蒸汽锅炉的辅助受热面,它的作用是在压力不变的情况下,从锅筒中引出饱和蒸汽,再经加热,使饱和蒸汽中的水分蒸发并使蒸汽温度升高,以提高蒸汽品质,这种蒸汽称为过热蒸汽。

8. 省煤器

省煤器是布置在锅炉尾部烟道内,利用排烟的余热来提高给水温度的热交换器,作用是提高给水温度,减少排烟热损失,提高锅炉热效率。

(三)附件仪表

为保证锅炉的正常安全运行,锅炉上需装置一些附件仪表,有安全阀(包括水封式安全装置)、压力表、水位表(包括双色水位计、高低水位警报器、低地位水位计)、低水位连锁保护装置、温度仪表、超温警报器、流量仪表、排污装置、防爆门、常用阀门以及自动调节装置等。

(四)附属设备

附属设备是安装在锅炉本体之外的必备设备,它是供应燃料系统、通风系统、给水系统、除渣除尘系统等装置设备,如球磨机、运煤设备、水泵、水处理装置、鼓风机、引风机、除渣机、除尘器及吹灰装置等。

五、锅炉工作原理

锅炉运行时,燃料中的可燃物质在适当的温度下,与通风系统输送给炉膛内的空气混合燃烧,释放出热量,通过各受热面传递给锅水,水温不断升高,发生汽化,这时为饱和蒸汽,经过汽水分离进入主汽阀输出使用。如果对蒸汽品质要求较高,可将饱和蒸汽进入过热器中再进行加热成为过热蒸汽输出使用。对于热水锅炉,锅水温度始终在沸点温度以下,与用户的采暖供热网连通进行循环。

六、锅炉分类

锅炉的类型很多,分类方法也很多,归纳起来大致有以下几种分类:

按用途分类有:工业锅炉、电站锅炉。蒸汽主要用于工业生产和采暖的锅炉称为工业锅炉;用锅炉产生的蒸汽带动汽轮机发电用的锅炉称电站锅炉。

按介质分类有:蒸汽锅炉、热水锅炉、汽水两用锅炉。锅炉出口介质为饱和蒸汽或过热蒸汽的锅炉称蒸汽锅炉;出口介质为高温水(120℃以下)的锅炉称热水锅炉;汽水两用锅炉是既产生蒸汽又可用于热水的锅炉。

按燃烧室布置分类有:内燃式锅炉、外燃式锅炉。内燃式锅炉的燃烧室布置在锅筒(炉胆)内,外燃式锅炉的燃烧室布置在锅筒外。

按使用燃料分类有:燃煤锅炉、燃油锅炉、燃气锅炉。

按锅筒位置分类有:立式锅炉、卧式锅炉。

按锅炉本体式分类有:锅壳锅炉(火管锅炉)、水管锅炉。

按安装方式分类有:整装锅炉(快装锅炉)、散装锅炉、组装锅炉。锅炉在制造厂组装后,到使用单位只需接外管路阀门即可投入运行的锅炉称整装锅炉,也叫快装锅炉;锅炉主要受压部件散装出厂,到使用单位进行现场组装的锅炉称散装锅炉;锅炉在制造厂分炉和锅两部分进行制作和组装,到使用单位再进行锅和炉组装的锅炉称组装锅炉。

七、锅炉型号表示方法

为了区别锅炉结构型式、燃烧方式、设计参数、适应煤种等情况,用《工业锅炉型号》(JB/T1626—92)表示。工业锅炉型号由三部分组成,表示方法如下:

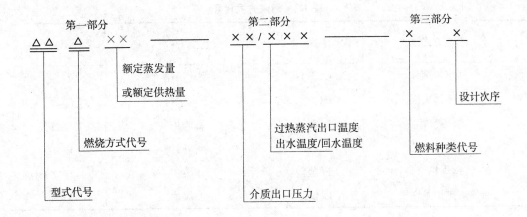

第一部分的型式代号、燃烧方式代号以及第三部分的燃料种类代号可通过表1-1～表1-4查出其所表明的内容。

表 1-1　锅壳锅炉代号

锅炉总体型式	代号
立式水管	LS(立水)
立式火管	LH(立火)
卧式外燃	WW(卧外)
卧式内燃	WN(卧内)

表 1-2　水管锅炉代号

锅炉总体型式	代号
单锅筒立式	DL(单立)
单锅筒纵置式	DZ(单纵)
单锅筒横置式	DH(单横)
双锅筒纵置式	SZ(双纵)
双锅筒横置式	SH(双横)
纵横锅筒式	ZH(纵横)
强制循环式	QX(强循)

表 1-3 燃烧方式代号

燃烧方式	代号	燃烧方式	代号
固定炉排	G(固)	振动炉排	Z(振)
活动手摇炉排	H(活)	下饲炉排	A(下)
链条炉排	L(链)	沸腾炉	F(沸)
往复推动炉排	W(往)	半沸腾炉	B(半)
抛煤机	P(抛)	室燃炉	S(室)
倒转炉排加抛煤机	D(倒)	旋风炉	X(旋)

表 1-4 燃料种类代号

燃烧种类	代号	燃烧种类	代号
Ⅰ类石煤、煤矸石	SⅠ	褐煤	H
Ⅱ类石煤、煤矸石	SⅡ	贫煤	P
Ⅲ类石煤、煤矸石	SⅢ	木柴	M
Ⅰ类无烟煤	WⅠ	稻糠	D
Ⅱ类无烟煤	WⅡ	甘蔗渣	G
Ⅲ类无烟煤	WⅢ	油	Y
Ⅰ类烟煤	AⅠ	气	Q
Ⅱ类烟煤	AⅡ	油母页岩	Y_M
Ⅲ类烟煤	AⅢ		

第三节 几种常见锅炉的结构

一、立式横水管锅炉

立式横水管锅炉的型号是 LSG(立水固),它分立式大横水管锅炉和立式多横水管锅炉,其结构见图 1-1、图 1-2。这两种锅炉除水管数量及直径不同之外,其他基本一样。主要由锅壳、炉胆、封头、炉胆顶、横水管、冲天管、下脚圈等部件组成。燃烧设备多为固定炉排,人工投煤。锅炉的容量及参数一般为蒸发量1 t/h,工作压力小于0.8 MPa。

二、立式双回程火管锅炉

立式双回程火管锅炉的型号表示方法与立式横火管锅炉的相同。这种锅炉的结构见图 1-3。主要由锅壳、炉胆、封头、炉胆顶、烟管、喉管、下脚圈组成。它有两种燃烧方式,一种是固定炉排见图(1-3(a)),一种是双层炉排(见图 1-3(b)),双层炉排是在炉胆中部加一组由水管组成的水冷炉排,与水平面成 120°夹角,不论双层炉排还是固定炉排,都是人工投煤。

锅炉的容量及参数一般为蒸发量 1 t/h,工作压力小于 0.8 MPa。

三、立式直水管锅炉

立式直水管锅炉的型号是 LSG(立水固),其结构见图 1-4。主要由锅壳、炉胆、封头、炉胆顶、喉管、直水管、下降管、管板、下脚圈等部件组成,燃烧设备多为固定炉排,人工投煤。锅炉的容量及参数一般为蒸发量 1 t/h,工作压力小于 0.8 MPa。

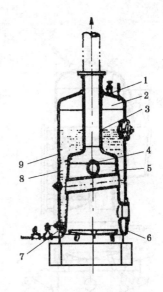

图 1-1 立式大横水管锅炉

1—主汽阀接口;2—封头;3—冲天管;4—横水管;
5—炉胆;6—U 形下脚;7—手孔;8—炉胆顶;9—锅壳

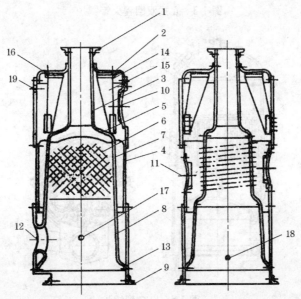

图 1-2 立式多横水管锅炉

1—冲天管角钢箍;2—封头;3—冲天管;4—锅壳;5—炉胆顶;6—横水管;7—管板;8—炉胆;9—底脚角钢箍;
10—人孔;11—检查孔;12—炉门;13—炉胆下脚;14—拉撑角钢;15—角板拉撑;16—安全阀接口;
17—进水管接口;18—排污管接口;19—压力表接口

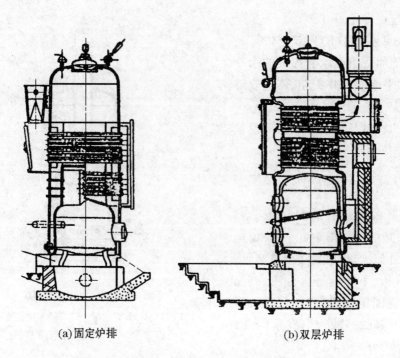

(a)固定炉排　　　　　　　　　(b)双层炉排

图 1-3　立式双回程火管锅炉

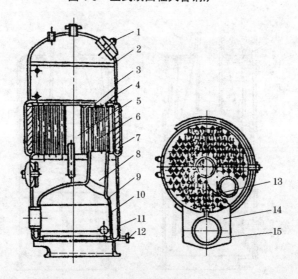

图 1-4　LSG 型锅炉

1—人孔；2—封头；3—锅筒；4—上管板；5—下降管；6—直水管；7—下管板；8—喉管；
9—炉胆顶；10—炉胆；11—U 形下脚；12—排污管；13—隔烟壁；14—烟箱；15—烟囱

四、立式弯水管锅炉

立式弯水管锅炉的型号表示方法与立式直水管锅炉相同，其结构见图 1-5。主要由锅壳、炉胆、封头、炉胆顶、弯水管、喉管、下脚圈等部件组成。燃烧设备多为固定炉排，人工投煤。锅炉的容量及参数一般为蒸发量1 t/h,工作压力小于0.8 MPa。

五、卧式内燃锅炉

卧式内燃锅炉的型号有WNL(卧内链)和WNG(卧内固),见图1-6、图1-7。其结构是在一个直径较大的锅壳内布置燃烧室。主要由锅壳、管板、炉胆、烟管等部件组成。燃烧设备一般为固定炉排或链条炉排,人工投煤。锅炉的容量及参数为蒸发量2 t/h,工作压力小于0.8 MPa。

六、卧式外燃锅炉

卧式外燃锅炉的型号有 WWW (卧外往)和WWL(卧外链),见图1-8。

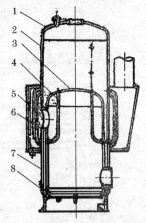

图 1-5　LSG 型锅炉

1—封头;2—锅壳;3—炉胆顶;4—内弯水管;
5—烟气出口管;6—外弯水管;7—炉胆;8—U形下脚

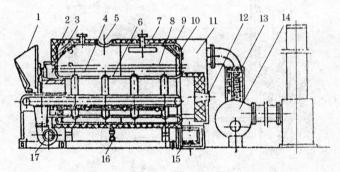

图 1-6　WNL 型锅炉

1—煤斗;2—前封头;3—前烟箱;4—链条炉排;5—人孔;6—炉胆;7—锅壳;8—烟管;9—拉撑;
10—后封头;11—后烟箱;12—看火孔;13—铸铁省煤器;14—引风机;15—出灰口;16—排污阀接口;17—鼓风机

这种锅炉目前在我国采用的比较普遍,它与型号为 KZW(快纵往)、KZL(快纵链)的锅炉结构是相同的。主要由锅筒、管板、烟管、水冷壁管、下降管、后棚管、集箱等部件组成。燃烧设备多为往复炉排或链条炉排。锅炉容量及参数一般为蒸发量4 t/h,工作压力小于1.3 MPa。它与卧式内燃锅炉的区别在于将炉排由锅筒内移至锅筒外,并在锅筒两侧加装了水冷壁管,组成燃烧室。

七、双锅筒横置式水管锅炉

双锅筒横置式水管锅炉的型号较多,其中蒸发量较小的锅炉有 SHG(双横固)型和SHZ(双横振)型(俗称 K 型锅炉)等,蒸发量较大的锅炉有 SHL(双横链)型和 SHD(双横倒)型等。另外还有 SHS(双横室)型等,不论哪种炉型,其特点是炉排走动方向与锅筒成"丁"字布置,即锅筒的轴线与炉排的行走方向垂直,锅筒横向布置;其结构都是由上下锅筒、水冷壁管、下降管、集箱、对流管束等部件组成。燃烧设备多为固定炉排、链条炉排、往

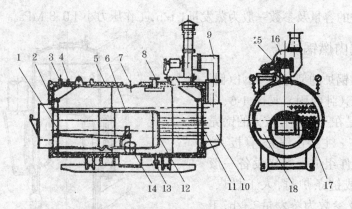

图 1-7 WNG 型锅炉

1—固定炉排;2—前封头;3—压力表接口;4—角板拉撑;5—锅壳;6—炉胆;
7—人孔;8—主汽阀接口;9—烟道;10—后烟箱;11—后管板;12—前管板;13—排污管;
14—出细灰口;15—安全阀接口;16—引风机;17—烟管;18—前烟箱

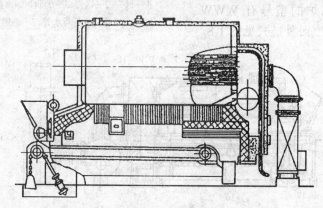

图 1-8 WWL 型锅炉

复炉排、振动炉排、倒转炉排等。锅炉容量及参数一般为 2、4、6、10、20、35 t/h 等;工作压力 0.8、1.3、2.5 MPa 等。

(一)SHZ2 - 0.8 型锅炉

双锅筒横置式振动炉排的锅炉见图 1-9。在对流管束中设有三道隔烟墙:第一道隔烟墙砌在炉膛后部第一排与第二排主炉管之间的右侧,约占整个炉膛内宽度的 2/3,第一排主炉管暴露在隔烟墙外,吸收炉膛辐射热;第二道隔烟墙与第一道隔烟墙垂直相交;第三道隔烟墙一般为钢板,与锅炉后墙相连。

(二)SHL20 - 1.3 型锅炉

双锅筒横置式链条炉排的锅炉见图 1-10。尾部有省煤器。锅炉前部是炉膛,炉膛四周布满水冷壁管。前后墙水冷壁管的上端直接通入上锅筒,下端分别与前后集箱连接。为了便于在炉膛内砌筑炉拱,将前、后墙水冷壁管又作为拱架,侧水冷壁管左右各分两组:上端与上集箱连接,并经导汽管与上锅筒连接;下端与左右集箱(也叫防焦箱)连接。上下锅筒间有三组对流束,前组管束只有一排管子,位于炉膛烟气出口处,与后墙水冷壁管构成防渣排管。防渣排管与对流管束之间形成燃尽室,可以布置过热器。后两组对流管束中间有三道隔烟墙。

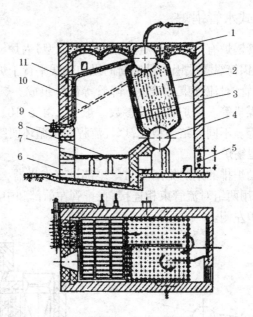

图1-9 SHZ2-0.8型锅炉

1—上锅筒;2—对流管束;3—隔烟墙;4—下锅筒;5—烟气出口;6—出灰门;
7—炉门;8—炉排;9—横集箱;10—下降管;11—水冷壁管

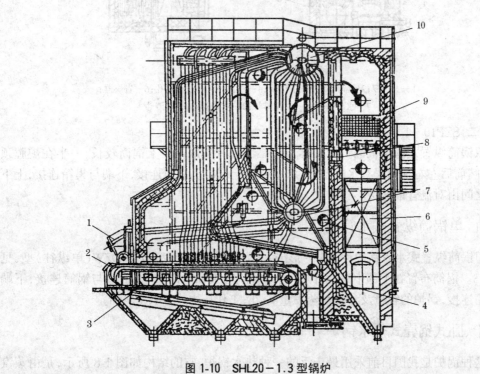

图1-10 SHL20-1.3型锅炉

1—煤斗;2—链条炉排;3—风室;4—挡渣铁;5—人孔门;6—空气预热器;
7—下锅筒;8—旁路烟道门;9—省煤器;10—上锅筒

八、双锅筒纵置式水管锅炉

双锅筒纵置式水管锅炉有 SZZ(双纵振)型(俗称 D 型)锅炉、SZP(双纵抛)型和 SZS(双纵室)型锅炉等,双锅筒纵置式锅炉是锅筒的纵向轴线平行于炉排运转方向,其结构都是由上下锅筒、水冷壁管、对流管束、集箱、下降管等部件组成。燃烧设备为振动炉排、链条炉排、往复炉排、抛煤机等。锅炉容量及参数一般为 2、4、6、10、20、35 t/h等;工作压力为 0.8、1.3、2.5 MPa等。不同的结构型式,烟气流程和水循环回路也不同。

(一)SZZ4-1.3 型锅炉

双锅筒纵置式振动炉排的锅炉见图 1-11。尾部设有省煤器,上下锅炉平行纵置在同一垂直面上,锅筒之间用两组对流管束相连接,在排管左前部和中后部设有两道纵向的烟气隔墙。炉膛位于锅炉左侧。

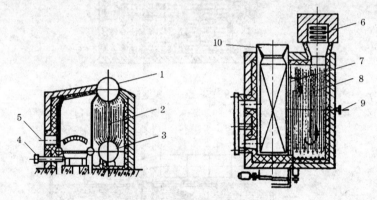

图 1-11　SZZ4-1.3 型锅炉

1—上锅筒;2—隔烟墙;3—下锅筒;4——次风管;5—拔火孔;6—省煤器;
7—水冷壁管;8—对流排管;9—吹灰器;10—灰渣斗

(二)SZP10-1.3 型锅炉

双锅筒纵置式抛煤机锅炉见图 1-12。尾部设有省煤器。上锅筒较长,一半在炉膛顶部,炉膛前后左右都布置有水冷壁管,水冷壁管上端与上锅筒连接,下端与集箱连接,上下锅筒之间由对流管束连接。

九、单锅筒纵置式水管锅炉

单锅筒纵置式水管锅炉称为"A"形或"人"字形锅炉,其型号为 DZW(单纵往)型,见图 1-13。锅筒布置在上部中央,两侧有两组对流管束和水冷壁管,上端与锅筒连接,下端与集箱连接,锅炉的容量及参数是蒸发量4 t/h;工作压力小于1.3 MPa。

十、卧式锅壳式热水锅炉

这种锅炉是我国目前采用最广泛的一种热水锅炉,它的结构如图 1-8 所示,是由蒸汽锅炉改为热水锅炉。锅炉回水从左右集箱后部进入,通过水冷壁管进入锅筒,锅筒顶部设热水出口,强制循环。由于是蒸汽改为热水,因此这种锅炉的水循环不合理,造成管板胀

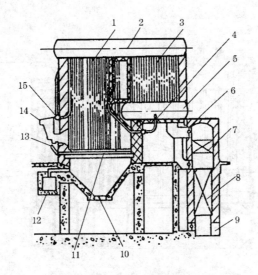

图 1-12　SZP10－1.3型锅炉

1—水冷壁管；2—上锅筒；3—对流排管；4—后集箱；5—下锅筒；6—烟道；7—省煤器；8—空气预热器；
9—烟道出口；10—出渣口；11—下集箱；12—进风口；13—手摇活动炉排；14—抛煤机；15—前集箱

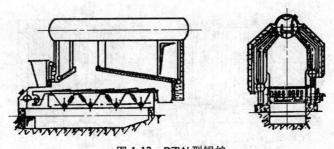

图 1-13　DZW型锅炉

口渗漏或管板与烟管连接焊缝裂纹,锅筒底部易积水垢,造成过热鼓包,烟气流程与蒸汽锅炉相同。

十一、管架式热水锅炉

这种热水锅炉主要由集箱和管子组成,没有锅筒,强制循环。

(一)QXSh型热水锅炉

强制循环双层炉排热水锅炉,其结构见图 1-14。这种锅炉一般为低温热水锅炉。

(二)QXZ型热水锅炉

强制循环振动炉排热水锅炉,其结构见图 1-15 所示。这种锅炉一般为高温热水锅炉,出口水温130℃以上,回水温度90℃。在锅炉的左侧为炉膛,右侧为对流排管,由隔烟墙将对流管束隔成两个烟道,烟气流程与"D"形锅炉(见图 1-11)相同。

十二、立式燃气燃油锅炉

立式锅壳式燃气燃油锅炉,常用的有"埋头封头"式立式管燃油(气)锅壳锅炉、立式直

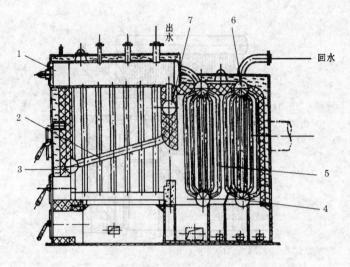

图 1-14 QXSh 型锅炉

1—上集箱；2—水冷炉排；3—水冷炉排前集箱；4—管束下集箱；

5—对流管束；6—管束上集箱；7—引出集箱

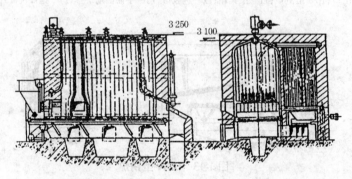

图 1-15 QXZ 型热水锅炉 （单位：mm）

水管燃油(气)锅炉。它们的结构有许多共同点。下面仅列举一例，见图 1-16。这是一种锅炉炉胆和锅壳均为受热面的立式燃油(气)锅壳锅炉。

锅炉本体是"套筒式"结构。这种锅炉内筒是炉胆，外筒是锅壳，锅壳外侧焊有许多肋片。套间就是汽水容积，上部是汽空间，下部是水空间，燃烧器安装在锅炉上端。此种锅炉工作压力可达2.0 MPa，最大出力(相当蒸发量)为1 560 kg/h或1.0 MW。

十三、卧式燃气燃油锅壳锅炉

卧式内燃燃油燃气锅壳锅炉与同等容量的水管锅炉相比，结构简单而坚固，而且成本低。图 1-17 是这种锅炉的典型结构。锅炉本体主要由炉胆、转烟室、烟管和锅壳组成，在锅壳和管板间根据强度需要布置拉撑件。炉胆一般为波纹形，也有直管形或波纹直管混合形等。

燃油燃气卧式内燃锅壳锅炉工作压力一般都不超过2.0 MPa，锅炉的出力，单炉胆锅炉一般不超过15 t/h，双炉胆一般不超过30 t/h。

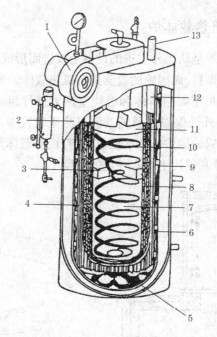

图 1-16　立式无烟(水)管锅炉

1—燃烧器;2—外壳;3—滞留带;4—绝热层;5—传热肋片;6—二回程通道;7—下旋火焰;
8—水空间;9—锅壳;10—炉胆;11—点火装置;12—蒸汽空间;13—蒸汽出口

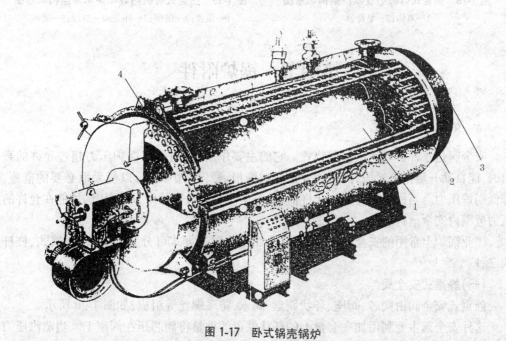

图 1-17　卧式锅壳锅炉

1—炉胆;2—烟管;3—转烟室;4—管板

十四、盘管式有机热载体炉

盘管式有机热载体炉是从国外引进的设备上改进而形成的。国外的盘管式有机热载体炉，多数以油、气作为燃料，而国内的盘管式有机热载体炉多数以煤作为燃料。

盘管式有机热载体炉主要由本体和燃烧室两大部件组成（见图1-18）。其中本体由底座、盘管、拱顶、顶盖、外壳保温层及辅助测温测压装置等部件组成（见图1-19）。燃烧室的炉排与以水为介质锅炉的炉排基本相似，但有机热载体炉燃烧室内因无水冷壁而炉膛温度较高，所以在设计和使用上都有一定的难度。

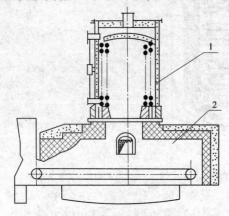

图1-18　盘管式有机热载体炉结构示意图
1—本体；2—燃烧室

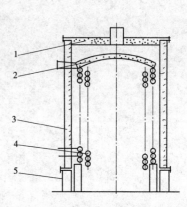

图1-19　盘管式有机热载体炉本体结构示意图
1—顶盖；2—拱顶；3—外壳；4—盘管；5—底座

第四节　锅炉附件

一、安全阀

安全阀是一种自动泄压报警装置。它的主要作用是：当蒸汽锅炉压力超过允许的数值时，能自动开启排汽泄压，同时能发出音响警报，警告司炉人员，以便采取必要的措施，降低锅炉压力。当锅炉压力降到允许值后，安全阀又能自行关闭，从而使锅炉能在允许的压力范围内安全运行。

工业锅炉上常用的安全阀，根据阀芯上加压装置的方式可分为静重式、弹簧式、杠杆式三种。

（一）静重式安全阀

静重式安全阀由阀芯、阀座、环状铁盘、阀罩、防飞螺丝等组成，如图1-20所示。

这种安全阀主要利用加在套盘上的环状铁盘的重量将阀芯压在阀座上。当蒸汽压力作用于阀芯上的托力大于铁盘总重量时，阀芯被顶起离开阀座，蒸汽向外排泄，即安全阀开启；当蒸汽压力作用于阀芯上的托力小于铁盘的总重量时，阀芯下压与阀座重新紧密结合，蒸汽停止排泄，即安全阀关闭。

静重式安全阀调节开启压力的大小,是通过增加或减少铁盘总重量的办法来实现的。

静重式安全阀结构简单、制造容易、灵敏可靠。但由于当压力较高时,所需要的静重式安全阀体积庞大而显笨重,故此种安全阀主要用于蒸汽压力为0.1 MPa左右的低压小型锅炉上。

(二)弹簧式安全阀

弹簧式安全阀主要由阀体、阀座、阀芯、阀杆、弹簧、调整螺丝和手柄等组成,如图1-21所示。

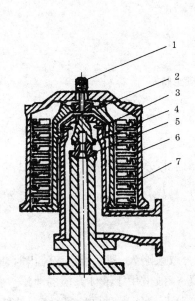

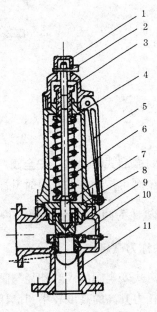

图 1-20　静重式安全阀

1—固定螺丝;2—套盘;
3—防飞螺丝;4—阀芯;5—阀座;
6—环状铁盘;7—阀罩

图 1-21　弹簧式安全阀

1—阀帽;2—销子;3—调整螺丝;4—弹簧压盖;
5—手柄;6—弹簧;7—阀杆;8—阀盖;
9—阀芯;10—阀座;11—阀体

这种安全阀是利用弹簧的力量,将阀芯压在阀座上,弹簧的压力大小是通过拧紧或放松调整螺丝来调节的。当蒸汽压力作用于阀芯上的托力大于弹簧作用在阀芯上的压力时,弹簧就会被压缩,使阀芯被顶起离开阀座,蒸汽向外排泄,即安全阀开启;当作用于阀芯上的托力小于弹簧作用在阀芯上的压力时,弹簧就会伸长,使阀芯下压与阀座重新紧密结合,蒸汽停止排泄,即安全阀关闭。手柄可用来进行手动排汽,当抬起手柄时,通过顶起调节螺丝带动阀杆使弹簧压缩,将阀芯抬起而达到排泄蒸汽的目的,这样手柄就可以用来检查阀芯的灵敏程度,也可以用做人工紧急泄压。

弹簧式安全阀结构紧凑、调整方便、灵敏度高、适用压力范围广,是最常用的一种安全阀。

(三)杠杆式安全阀

杠杆式安全阀结构简单、调整方便、工作可靠,也是常用的一种安全阀。

杠杆式安全阀主要由阀芯、阀座、杠杆、重锤等组成,如图1-22所示。

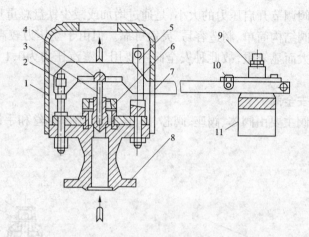

图 1-22 杠杆式安全阀

1—阀罩;2—支点;3—阀杆;4—力点;5—导架;6—阀芯;7—杠杆;8—阀座;
9—固定螺丝;10—调整螺丝;11—重锤

(四)微启式和全启式安全阀

安全阀可按阀芯在开启时升高的程度,分为微启式安全阀和全启式安全阀。

如以 d 为阀座喉径, h 为阀芯提升高度。当 $h \geqslant \frac{1}{4}d$ 时,称为全启式;当 h 在 $\frac{1}{40}d \sim \frac{1}{2}d$ 时,称为微启式。

微启式安全阀的阀芯外径与阀座密封面外径一致或略大一些,当蒸汽流出时,阀芯受到向上托力升高的高度较小,其启闭动作比较迅速,一般适用于液体介质的泄压。

全启式安全阀,在其阀芯上都有较大的阀盘。当蒸汽流出时,可产生较大的托力,使阀芯升高较多,如图 1-23 所示。这种安全阀启闭比较缓和,排汽量大,回座性能好,适用于气体介质的泄压。锅炉的安全阀应采用全启式安全阀。

二、压力表

压力表是一种测量压力大小的仪表,可用来测量锅炉内实际的压力值,压力表指针的变化可以反映燃烧及负荷的变化。司炉人员根据压力表的指标数值来调节燃烧,使之适应外界负荷的变化,将锅炉压力控制在允许的范围内,达到安全运行的目的。

锅炉上普遍使用的压力表,主要是弹簧管式压力表,它由表盘、弹簧弯管、连杆、扇形齿轮、小齿轮、中心轴、指针等零件组成,如图 1-24 所示。

弹簧管是由金属管制成,管子截面呈扁平圆形,它的一端固定在支承座上,并与管接头相通;另一端是封闭的自由端,与连杆连接。连杆的另一端连接扇形齿轮,扇形齿轮又与中心轴上的小齿轮相衔接。压力表的指针固定在中心轴上。

当被测介质的压力作用于弹簧管的内壁时,弹簧管扁平圆形截面就有膨胀成圆形的趋势,从而由固定端开始逐渐向外伸张,也就是使自由端向外移动,再经过连杆带动扇形齿轮与小齿轮转动,使指针向顺时针方向偏转一个角度,这时指针在压力表表盘上指示的刻度值,就是锅炉内压力值。锅炉压力越大,指针偏转角度也越大。当压力降低时,弹簧弯管力图恢复原状,加上游丝的牵制,使指针返回到相应的位置。当压力消失后,弹簧管恢复到原来的形状,指针也就回到始点(零位)。

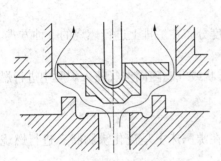

图 1-23　全启式安全阀的开启

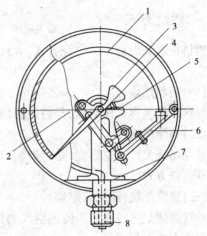

图 1-24　弹簧管式压力表

1—弹簧弯管;2—表盘;3—指针;4—中心轴;
5—扇形齿轮;6—连杆;7—支承座;8—管接头

三、水位表

水位表是用来显示锅筒内水位高低的仪表。运行操作人员可以通过水位表观察并调节水位,防止发生锅炉缺水或满水事故,保证锅炉安全运行。

水位表是按照连通器内液位高度相等的原理装设的。水位表的水连管和汽连管分别与锅筒的水空间和汽空间相连,水位表和锅筒构成连通器,水位表显示的水位即是锅筒内的水位。

锅炉上常用的水位表有玻璃管式水位表、玻璃板式水位表、低地位水位计、双色水位计、云母水位计、电接点水位计、磁浮式水位计、双波纹差压计等。

当水位表距离操作地面高于6 m时,司炉人员观察水位就很不方便,为此应加装低地位水位计。

低地位水位计实质上是一个水位转换器和差压计的组合。它先通过冷凝器将水位转换成压差,然后用平衡这一压差的U形管(内部注入重液或轻液)液位差来显示。

常用的低地位水位计有重液式和轻液式两种形式。

四、液位计

液位计是有机热载体炉中重要的安全附件之一,它是用以显示有机热载体炉中介质液位高低时的一种检测装置。在有机热载体炉系统中的不同部位,可采用不同结构形式的液位计,如玻璃板液位计等。

第五节　燃烧设备

一、燃烧方式

燃料在燃烧设备中的燃烧方式,大致分为层状燃烧、悬浮燃烧、沸腾燃烧和气化燃烧四种。

(一)层状燃烧

层状燃烧又称火床燃烧,是将燃料以一定厚度分布在炉排上进行燃烧的一种方式。

(二)悬浮燃烧

悬浮燃烧又称火室燃烧,是将燃料以粉状、雾状或气态随同空气喷入炉膛中进行燃烧的一种燃烧方式。

(三)沸腾燃烧(流化床燃烧)

沸腾燃烧是燃料在适当流速空气的作用下,在沸腾床上呈流化沸腾状态进行燃烧的一种燃烧方式。

(四)气化燃烧

气化燃烧主要是指投入炉膛内的煤进行气化并直接燃烧,这种燃烧方式不适用于低挥发分的煤。

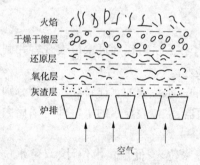

图 1-25　手烧炉的燃烧分层

二、固定炉排

(一)固定炉排的结构

固定炉排通常由条状炉条组成,少数由板状炉条组成。因为铸铁能耐较高的温度,不易变形,价格便宜,所以炉条都用普通铸铁或耐热铸铁制成。

(二)手烧炉的燃烧特点

煤在炉排上的燃烧分层情况如图 1-25 所示。空气从炉排下部进入炉膛,首先接触到具有一定温度的炉排,起到冷却炉排的作用,同时本身受到加热,然后穿过灰渣层,空气温度继续升高,接着与赤热的焦炭相遇,空气中的氧与碳化合成二氧化碳,同时放出大量热量,这一层称为氧化层;燃烧生成的二氧化碳继续上升,与上面赤热的焦炭发生还原反应,生成一氧化碳,这一层称为还原层;还原层生成的一氧化碳仍是可燃气体,与煤中的挥发分共同升到炉膛空间继续燃烧。在还原层上部,是刚刚投入的新煤。

(三)固定炉排的优缺点

1.固定炉排的优点

(1)着火条件优越。新煤下部受燃烧层的高温加热,上部受炉膛烟气和砖墙的辐射热加热,温度很快升高,首先蒸发出水分,之后分解出挥发分,并开始着火燃烧。

(2)燃烧时间充足。因为是人工投煤和定期除渣,所以煤在炉排上的燃烧时间可以根据实际需要确定,以利完全燃烧。

(3)煤种适应性强。因为着火条件优越,燃烧时间又充足,所以煤种受水分和挥发分含量的影响小,一般都可以较快着火燃烧。

2.固定炉排的缺点

(1)操作运行的劳动强度大,只适用于低压小容量锅炉。

(2)燃烧呈周期性的不协调,烟囱经常冒黑烟。

三、双层炉排

(一)双层炉排的结构

炉排在炉膛内布置上、下两层,如图1-26所示。上层炉排一般由直径51～76 mm的钢管组成水冷炉排,管子间隙约25 mm。炉排前低后高与水平倾斜10°～15°角。对于卧式锅炉,炉排的上管端与锅筒连接,下管端与前集箱连接,构成单独的水循环回路。对于立式锅炉,炉排的上管端和下管端均与炉胆连接,下层炉排为固定炉排,由普通铸铁炉排片组成,如图1-3(b)所示。它的下面是灰坑。两层炉排之间为燃烧室,在下部设置烟气出口,其后部为燃尽室。

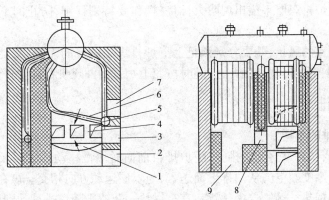

图1-26 卧式锅炉双层炉排

1—下层炉排;2—除灰门;3—下炉门;4—燃烧室;5—集箱;6—上层炉排;
7—上炉门;8—烟气出口窗;9—燃尽室

在卧式锅炉的炉膛前墙或立式锅炉的锅壳上各有三个炉门:上炉门的作用是添煤和通风,经常开闭;中炉门的作用是引燃下炉排上的煤和清渣,只在点火和清炉时打开;下炉门的作用是清灰,在正常运行时,视下炉排的燃烧情况适当打开,以便供风。

(二)双层炉排的燃烧特点

双层炉排兼有固定炉排手烧炉和简易煤气炉的燃烧特点。在正常运行时,新煤由上炉门间断投入上炉排炽热火床上。新煤层要布满炉排,不要出现明火。自然通风也由上炉门引入。经过干燥、干馏、挥发分着火、焦炭燃烧等阶段,产生的高温烟气向下进入燃烧室。下炉排上一般不加新煤,只接受由上炉排间隙落下的漏煤,并依靠由灰坑进入的空气继续燃烧。上下炉排产生的高温烟气和可燃气体,在燃烧室内汇合进一步燃烧后,经过烟气出口窗和燃尽室加热锅炉后部受热面。

(三)双层炉排的优缺点

1.双层炉排的优点

(1)煤经过双层炉排两次燃烧,固体未完全燃烧损失小;当燃烧室供风量适当时,可燃气体燃烧充分,气体未完全燃烧损失小。因此,提高了锅炉热效率。

(2)由于上层炉排采用水冷式,使燃烧层的温度较低,因此有利于燃烧结焦性强的煤。

(3)燃烧正常时,烟囱基本不冒黑烟,有利于环境保护。

2.双层炉排的缺点

(1)着火和燃烧过程缓慢,炉排热负荷较低。为了克服这一缺点,最好同时采用送风和引风。

(2)着火条件较差,煤种适应范围较窄。

(四)双层炉排在运行中需要注意的问题

(1)由于上炉排间隙较大,煤块不宜太碎。当粉煤较多时,应掺入适量的水分。当碎煤过多时,可在炉排管之间夹入炉条,以便控制漏煤量。

(2)下炉排燃烧效果主要取决于上炉排的漏煤情况。因此,要求司炉人员有较高的运行技术。例如,上炉排煤层不应出现明火,清渣操作要特别仔细,防止向下炉排漏煤过多等。

(3)进入燃烧室的风量,既要分别满足上下炉排煤层燃烧的需要,又要满足由上炉排产生的可燃气体燃烧的需要。因此,应随时按照上炉排的漏煤量及挥发分含量进行调整。

四、链条炉排

(一)链条炉排的结构

煤从煤斗内依靠自重落到炉排上,随炉排自前向后缓慢移动。煤闸板的高度可以调节,以控制煤层的厚度。空气从炉排下面送入,与煤层运动方向相交。煤在炉膛内受到辐射加热,依次完成预热、干燥、着火、燃烧,直至燃尽。灰渣则随炉排移动到后部,经过挡渣板(俗称老鹰铁)落入后部灰渣斗排出。

(二)链条炉排的燃烧特点

链条炉排的着火条件较差。煤的着火主要依靠炉膛火焰和拱的辐射热,因而上面的煤先着火,然后逐步向下并且由后向前燃烧。这样的燃烧过程,在炉排上就出现了明显的区域分层,如图1-27所示。煤进入炉膛后,随炉排逐渐由前向后缓慢移动。在炉排的前部,是新煤燃烧准备区,主要进行煤的预热和干燥。紧接着是挥发分析出并开始燃烧区。在炉排的中部,是焦炭燃烧区,该区温度很高,同时进行着氧化和还原反应过程,放出大量热量。在炉排的后部,是灰渣燃尽区,对灰渣中剩余的焦炭继续燃烧,通常称为烤焦。

五、流化床(沸腾床)

(一)沸腾床的结构

沸腾床主要由布风系统、沸腾段和悬浮段等部分组成,如图1-28所示。

1.布风系统

布风系统由风室、布风板和风帽三部分组成。

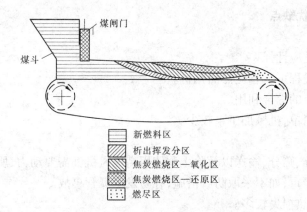

图 1-27　链条炉排燃烧区域分层

新燃料区
析出挥发分区
焦炭燃烧区—氧化区
焦炭燃烧区—还原区
燃尽区

(1)风室。风室位于炉膛底部,主要作用是使高压一次风均匀通过布风板吹入炉膛。

风室必须严密不漏,否则会降低风压,影响锅炉正常运行。风室还应留有人孔,以便清除落入风室内的灰渣等杂物。

(2)布风板。布风板位于风室上部,其作用相当于炉排,既要承受料层的重量,又要保证布风均匀、阻力不大。板上按等边三角形排列开孔和安装风帽,板面上敷设耐火涂料保护层以防烧坏。

(3)风帽。风帽的作用主要是使风室的高压风均匀吹入炉膛,保证料层良好沸腾,其次是防止煤粒堵塞风孔。

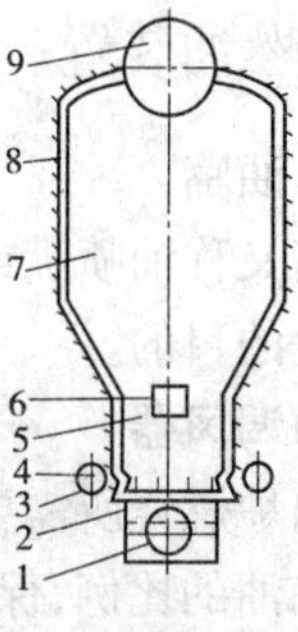

图 1-28　沸腾炉的炉膛结构

1—风室;2—布风板;3—风帽;
4—集箱;5—沸腾段;6—溢灰口;
7—悬浮段;8—水冷壁管;9—锅筒

2.沸腾段

沸腾段又称沸腾层,是料层和煤粒沸腾所占据的炉膛(从溢灰口的中心线到风帽通风孔的中心线)部分,通常下端呈柱状垂直段,上端呈锥形扩散段,以减少飞灰带出量。沸腾段的高度要适宜,过低时,未完全燃烧的煤粒会从溢灰口排出;过高时,为了维持正常的溢流,就要加大通风量,增加电耗,并加剧了煤屑的吹走量。因此,在砌筑炉体时,沿溢灰口高度方向应留一个活口,以便根据不同煤种的沸腾高度,随时调整溢灰口的高度。

3.悬浮段

悬浮段是指沸腾段上面的炉膛部分。其作用主要是使被高压一次风从沸腾段吹出的煤粒自由沉降,落回到沸腾段再燃。其次是延长细煤粒在悬浮段的停留时间,以便悬浮燃尽。悬浮段的烟气流速越小越好,一般应控制在1 m/s左右。

在悬浮段四周布置的水冷壁管,称为悬浮段受热面。当燃烧挥发分较高的褐煤时,为了在悬浮段很好地燃尽,一般不布置或少布置悬浮段受热面。当燃烧挥发分少、发热量低的煤矸石、石煤时,不要求在悬浮段再燃烧,可布置较多的悬浮段受热面。

(二)沸腾床的优缺点

1.沸腾床优点

(1)对煤种的适应性强。

(2)强化传热过程可节省受热面钢材。

(3)便于对灰渣的综合利用。

(4)本体结构简单,机械加工量较少。

2.沸腾床缺点

(1)因原煤粉碎、筛分、输送以及除尘和使用高压风机都需要动力,所以电耗较高。

(2)埋管磨损严重,如不采取防磨措施,容易发生爆管事故。

(3)飞灰量大,热损失较多。

(4)尘粒污染严重,对除尘设备要求高。

六、燃油装置

(一)油嘴

油嘴又称油喷嘴或雾化器,它的作用是利用较高的油压将油从喷孔中高速喷出,达到良好雾化的目的。

(二)调风器

燃油炉燃烧所需要的空气是通过调风器送入炉膛的,因此要求调风器不仅能正确地控制风和油的比例,保证燃烧所需的空气连续均匀地与油混合,而且能保证着火迅速、火焰稳定、燃烧完全。

第六节   锅炉附属设备

一、运煤设备

运煤设备是指将煤炭从锅炉房煤场运送到炉前煤斗的机械设备,包括电动葫芦、单斗提升机、多斗提升机、刮板运输机和皮带运输机等多种。

二、给水设备

常用的给水设备有蒸汽往复泵、电动离心泵和注水器等,小型低压锅炉也使用压力式水箱代替给水设备。

(一)蒸汽往复泵

蒸汽往复泵简称往复泵或汽动泵,是利用蒸汽驱动活塞作往复运动的给水泵,有立式与卧式、单缸与双缸等多种型号。

(二)电动离心泵

电动离心泵简称离心泵,是利用电力驱动叶片旋转而产生离心作用的水泵。

(三)注水器

注水器又称射水器或引水器,是利用锅炉自身蒸汽的能量,将给水引射到锅炉中去的一种简易给水设备。

(四)对锅炉给水设备的选择要求

锅炉的给水设备要保证安全可靠地向锅炉供水。锅炉房应有备用给水机械。

给水泵台数的选择,应适应锅炉房负荷变化的要求。当任何一台给水泵停止运行时,其余给水泵的总流量应能满足所有运行锅炉在额定蒸发量时所需给水量的110%。

采用电动给水泵为主要给水设备时,备用汽动给水泵的选择应符合下列要求:

(1)停电后不能正常燃烧和供汽的锅炉,当停止给水有可能造成锅炉缺水事故时,备用的汽动给水泵的流量,应能满足所有运行锅炉在额定蒸发量时所需给水量的40%~60%。

(2)停电后能正常燃烧和供汽的锅炉,备用汽动给水泵的流量能满足供汽要求。

额定蒸发量小于和等于2 t/h,工作压力小于和等于0.8 MPa的锅炉,其给水泵可用注水器代替。注水器宜单炉配置,并应各设置一台备用。

工作压力小于和等于0.2 MPa的锅炉,可用自来水直接向锅炉内进水,但必须有可靠的水源。自来水的压力必须高于锅炉工作压力0.1 MPa以上,并且应在给水管道上装设止回阀。

蒸发量大于4 t/h的锅炉,应装置自动给水调节器,并且在司炉操作地点装有手动控制给水的装置。

(五)热水泵

热水锅炉循环水泵,因材质不同而适用于不同温度的热水,一般分为两类:Ⅰ类循环泵的适用水温不超过150 ℃,Ⅱ类循环泵的适用水温不超过400 ℃。

1.对循环水泵的选择要求

(1)循环水泵的流量,应根据设计温差、用户耗热量和管网热损失等因素确定。在锅炉出口管段之间装设旁通管时,还应计入流往旁通管的循环水量。

(2)循环水泵的扬程不应小于下列各项之和:①热水锅炉或热交换器内部系统的压力降;②供、回水干管的压力降;③最不利用户内部系统的压力降。

(3)并联工作的循环水泵,其使用特性曲线宜相同。

(4)循环水泵的台数,应根据供热系统规模和运行调节方式确定,一般不应少于两台。在其中一台停止运行时,其余水泵的总流量应满足最大循环水量的需要,并且应有防止突然停泵后锅炉超温、锅水汽化和水击的可靠措施。

2.对补给水泵的选择要求

(1)补给水泵的流量,除应满足热水系统的正常补给水量外,还应能满足因事故增加的补给水量,一般为正常补给水量的4~5倍。

(2)补给水泵的扬程,不应小于补水点压力加30~50 kPa。

(3)补给水泵一般不应少于两台,其中一台备用。

(4)热水锅炉应装有自动补给水装置,并且在司炉或司泵操作地点装有手动控制补给水装置。

三、通风设备

锅炉通风有送风和引风两种。送风又称鼓风,是指向炉内供应空气。引风又称吸风,是指把烟气排出炉外。按照气体流动动力区分,锅炉通风有自然通风和机械通风两种。自然通风主要是利用烟囱的抽力来实现的。

(一)对风机的选择要求

(1)锅炉的送风机、引风机宜单独配置,以减少漏风量、节约用电和便于操作。当集中配置时,为防止漏风量过大,每台锅炉与总风道、总烟道的连接处,应设置严密的闸门。

(2)风机的风量和风压,应按锅炉的额定蒸发量、燃料品种、燃烧方式和通风系统的阻力经计算确定,并应计入当地气压和空气、烟气温度对风机特性的校正。

(3)单炉配置风机时,风量的富裕量一般为10%,风压的富裕量一般为20%。集中配置风机时,送风机、引风机应各设两台,并应使风机符合并联运行的要求,其风量和风压的富裕量应较单炉配置时适当加大。

(4)尽量选用效率高的风机,以降低电动机功率、缩小风机外形尺寸,同时应使风机在常年运行中处于最高的效率范围,以降低电耗,节约能源。

(5)引风机技术条件规定的烟气温度范围,必须与锅炉的排烟温度相适应。在锅炉升火时,烟气温度较低,引风机的电动机有可能超载运行,应当勤检查,以防电动机烧坏。

(6)为保持风机安全可靠运行,应在引风机前装设除尘器。

(二)风机的操作步骤与注意事项

(1)安装风机时,风机轴与电动机轴不同心度,径向位移不应超过0.05 mm,倾斜不应超过 0.2/1 000。

(2)启动之前应检查风机的防护设备是否齐全,壳体内无杂物,入口挡板开关灵活,电气设备正常,地脚螺栓紧固,润滑油充足,冷却水管畅通等。

(3)用手盘车检查,确保主轴和叶轮转动灵活,无杂音。

(4)关闭入口挡板,稍开出口挡板,用手指重复点动开、停按钮,观察风机叶轮转动方向是否与要求相符。

(5)稍开入口挡板,启动风机。此时要注意电流的指针迅速跳到最高值,但经 5~10 s 后又退回到空载电流值。如果指针不能迅速退回,应立即停用,以免电动机过载损坏。如果重新启动时仍然如此,则应查明原因,待故障排除后再行启动。

(6)待风机转入正常运行时,逐渐开大挡板,直至规定负荷为止。正常运动时应保持轴承箱内的油位在轴承位置的 2/3 处,轴承温度不超过40 ℃。

(7)如果风机安装在室外,要有防雨和防冻措施。

四、除渣设备

除渣的方法有人工除渣、机械除渣、气力除渣和水力除渣等数种。

(一)人工除渣

人工除渣的主要工具是手推翻斗车。

(二)机械除渣

锅炉的机械除渣设备有耙斗运输机、刮板运输机、电动小车架空索道运输机和螺旋出渣机(或称绞笼出渣机)等多种。

(三)气力除渣

气力除渣是将炉膛下部的灰渣先经过破碎,然后由压缩空气带动,沿输送管道运至堆渣场,气力除渣需要消耗较多的动能,管道磨损严重,因此仅适用于大型锅炉。

(四)水力除渣

水力除渣需要在灰渣斗上面挖一条深 1~1.5 m,宽 0.5~0.8 m、坡度为 2%~3%的出渣沟,利用冲灰器水流的力量,将灰渣经由出渣沟排至锅炉房外的沉渣池或堆渣场。

五、除尘设备

按照烟尘从烟气中分离出来的不同原理,除尘设备大体分为以下 6 种类型。

(一)重力沉降式除尘设备

当烟气流速降低时,借助烟尘自身的重力,从烟气中自然沉降分离出来。

(二)惯性力除尘设备

当烟气流动方向急剧改变时,借助烟尘的惯性力,通过尘粒与除尘设备中的隔板碰撞,使烟尘从烟气中分离出来。

(三)离心力除尘设备

当烟气作高速旋转运动时,借助烟尘的离心力,使烟尘从烟气中分离出来。

(四)湿式除尘设备

利用水滴或水幕来洗涤含尘烟气,使尘粒黏附、凝聚在水中,从而由烟气中分离出来。

(五)过滤式除尘设备

当含尘烟气通过纤维织物滤料时,尘粒被阻碍留在滤料表面,从而由烟气中分离出来。

(六)电力除尘设备

通过放电使烟气中的尘粒带电,在电压的作用下,将尘粒从烟气中分离出来。

第七节　锅炉的仪表、自动调节与控制

一、温度测量仪表

(一)温度测量仪表的作用

温度是热力系统的重要状态参数之一,在锅炉和锅炉房热力系统中,给水、蒸汽和烟气等介质的热力状态是否正常,风机和水泵等设备轴承的运行情况是否良好,都依靠对温度的监视来判断。

(二)温度测量仪表的种类

常用的温度测量仪表有玻璃温度计、压力式温度计、热电偶温度计和光学高温计等多种类型。

1.玻璃温度计

玻璃温度计是根据水银、酒精、甲苯等工作液体具有热胀冷缩的物理性质制成的。在工业锅炉中使用最多的是水银玻璃管温度计。

水银玻璃管温度计,由测温包、毛细管和分度标尺等部分组成,一般有内标式和外标式(又称棒式)两种。

水银玻璃管温度计的优点是:测量范围大(-30~500℃),精度较高,构造简单和价格便宜等;缺点是:易破损,示值不够明显,不能远距离观察。

2.压力式温度计

压力式温度计是根据温包里的气体或液体因受热而改变压力的性质制成的。一般分为指示式与记录式两种。前者可直接从表盘上读出当时的温度数值,后者有自动记录装置,可记录出不同时间的温度数值。主要由表头、金属软管和温包等构件组成,如图1-29所示。

压力式温度计适用于远距离测量非腐蚀性气体、蒸汽或液体的温度,被测介质压力不超过6.0 MPa,温度不超过400℃。在工业锅炉中常用来测量空气预热器的空气温度。它的优点是:温度指示部分可以离开测点,使用方便;缺点是:精度低,金属软管容易损坏。

3.热电偶温度计

热电偶温度计是利用两种不同金属导体的接点受热后产生热电势的原理制成的测量温度仪表。主要由热电偶、补偿导线和电气测量仪表(检流计)三部分组成,如图1-30所示。

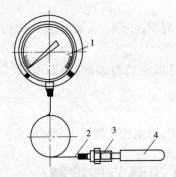

图1-29 压力式温度计

1—表头;2—金属软管;3—接头;4—温包

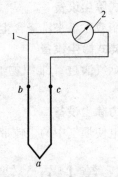

图1-30 热电偶温度计示意图

1—补偿导线;2—测量仪表

热电偶温度计的优点是:灵敏度高,测量范围大,无需外接电源,便于远距离测量和自动记录等;缺点是:需要补偿导线,安装费用较贵。在工业锅炉上,常用来测量蒸气温度、炉膛火焰温度和烟道内的烟气温度。

4.光学高温计

光学高温计又称灯丝消隐式高温计,是利用物体的光谱辐射亮度随温度的升高而增长的原理制成的测量仪表,如图1-31所示。

(三)对温度仪表的要求

(1)为测量蒸汽锅炉的下列温度,应在相应部位装置测温仪表:①过热器出口的汽温;②由几段平行管组成的过热器的每段出口的汽温;③减温器的前后汽温;④铸铁省煤器的出口水温;⑤燃油锅炉空气预热器烟气出口的烟温;⑥再热器和过热器的入口烟温;⑦燃油炉的燃油温度;⑧工作压力大于和等于10 MPa的锅筒的上下壁温。

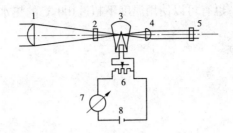

图 1-31 光学高温计示意图

1—物镜；2—吸收玻璃；3—高温计灯泡；4—目镜；

5—滤光片；6—调节电阻；7—毫伏计；8—干电池

在省煤器入口或锅炉给水管道上，应装设温度计插座。蒸发量大于和等于20 t/h的锅炉，还应装设过热蒸汽温度的记录仪表。

(2)在热水锅炉进出口均应装置温度计。温度计应正确反映介质温度，并应便于观察。

额定供热量大于和等于14 MW的热水锅炉，安装在锅炉出水口的温度测量仪表应是记录式的。在燃油热水锅炉中，还应装置温度测量仪表，以测量燃油温度和空气预热器烟气出口的烟温。

(3)有表盘的温度测量仪表的量程，应为所测正常温度的 1.5～2 倍。

(4)温度测量仪表的校验和维护，应符合国家计量部门的规定。装用后每年至少应校验一次。

二、流量测量仪表

流量是锅炉性能的重要指标之一，也是进行锅炉房经济核算必不可少的数据。

常用的流量仪表有转子式流量计、流速式流量计、差压式流量计和分流旋翼式蒸汽流量计等多种。

(一)转子式流量计

转子式流量计主要由锥形管和转子两部分组成，如图 1-32 所示。

转子式流量计有玻璃转子流量计和金属转子流量计两种。玻璃转子流量计常用于锅炉水处理设备上，优点是：结构简单，维护方便，压力损失小；缺点是：精度低，并受介质的参数(密度、黏度等)影响较大。常用于锅炉水处理设备上。金属转子流量计能测量液体、气体和蒸汽介质的流量。其优点是：精度较高，使用范围广，可以远传，并可指示、记录和累计；缺点是：结构复杂，成本较高。

(二)流速式流量计

流速式流量计主要由叶轮和外壳两部分组成，如图 1-33 所示，当介质流过时推动叶轮旋转，因为叶轮的转速与水流速度成正比，所以测出叶轮的转数，就可以知道流量的大小。

日常使用的自来水水表即属于这种类型。水表必须水平安装，标度盘向上，不得倾斜，并使表壳上的箭头方向与水流方向一致。常用的水表适用于温度不超过40 ℃，压力不超过1.0 MPa的洁净水,也有可以使用温度不超过100 ℃的热水表。

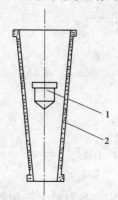

图 1-32 转子式流量计
1—转子;2—锥形管

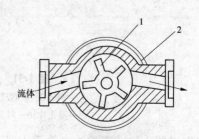

图 1-33 流速式流量计
1—叶轮;2—外壳

(三)差压式流量计

差压式流量计也叫节流式流量计,由节流装置、引压管和差压计三个部分组成,适宜于测量液体、气体和蒸汽的流量,其连接系统如图 1-34 所示。

节流装置有标准和非标准的两类。标准节流装置中有标准孔板、标准喷嘴、标准文丘利管等。各种标准的节流装置的结构如图 1-36 所示。孔板就是中心开孔的薄圆盘,它是最简单又最常用的一种节流装置。

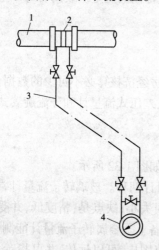

图 1-34 差压式流量计
1—管道;2—节流装置;3—引压管;4—差压计

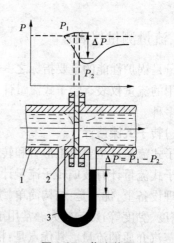

图 1-35 节流装置
1—管道;2—孔板;3—U 形管差压计

节流装置是差压流量计的测量元件,它装在管道里能造成流体的局部收缩,如图1-35所示。当流体经节流装置时,流动截面收缩后再逐渐扩大,直到充满管道的整个截面。因此,在流动截面收缩到最小时,流速加大而静压力降低,于是在节流装置的前后造成与流量成一定关系的压力降。用差压计测出这个压力降,即压差,就能得到流量的大小。

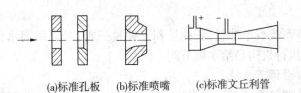

(a)标准孔板　　(b)标准喷嘴　　(c)标准文丘利管

图 1-36　各种节流装置

(四)分流旋翼式蒸汽流量计

分流旋翼式蒸汽流量计是近几年来新发展的一种蒸汽流量仪表。这种流量计直接安装在被测蒸汽管道上,不用外接电源和二次仪表,就能直接读出流经仪表的蒸汽累计质量,也可以通过简单的计算得出某段时间的平均流量。

这种仪表由节流孔板、叶轮、喷嘴、阻尼结构、减速机构、磁联轴节、压力补偿机构、计数表头等组成。这种仪表的外形及安装见图 1-37。

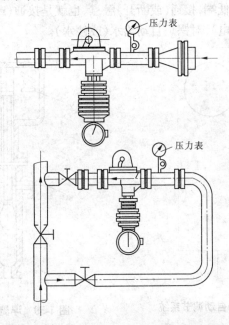

图 1-37　分流旋翼式蒸汽流量计安装示意图

现在还有在此仪表上装设微处理器,组成微计算机系统,完成输入输出交换、数字运算、数字显示,并可发生越限的声光报警信号。

三、锅炉自动调节与控制装置

近几年来,随着自动控制技术的发展,特别是微型计算机的逐步使用,使锅炉自动化装置的广泛使用成为可能,这不仅提高了锅炉运行的安全、经济效果,而且减轻了司炉人员繁重的体力劳动,改善了劳动条件,促进了安全生产和文明生产。

(一)给水的自动调节

锅炉给水自动调节的任务是,使给水量适应锅炉蒸发量的变化,并维持锅筒水位在允许的范围之内,按照《蒸汽锅炉安全技术监察规程》规定,蒸发量大于4 t/h的锅炉,应装置自动给水调节器。

给水的自动调节系统有单冲量、双冲量和三冲量三种,是以锅筒水位为被调参数,给水流量为调节参数,执行机构是给水调节阀。

1.单冲量给水自动调节系统

单冲量给水自动调节系统只根据水位一个冲量去改变给水调节阀的开度,如图1-38所示。适用于小型、水容量较大和负荷较稳定的锅炉,常用的有浮筒式、电极式和热膨胀式三种。

1)浮筒式给水自动调节器

浮筒式给水自动调节器主要由永久磁铁、浮筒、水银开关、筒体等部件组成,如图1-39所示。高低水位水银开关均由可以摆动的永久磁块和玻璃管组成。玻璃管内装有水银,两端各有触点。当锅筒水位变化时,浮筒、连杆和杆顶上的永久磁铁随之上下移动。由于两磁铁具有同性相斥、异性相吸的性质,使水银开关中的永久磁块作相应摆动,从而带动玻璃管倾斜,使水银流向低端,接通(或断开)触点,也就是接通(或断开)了相应的电路,使给水泵电动机通电(或断电),对锅炉自动给水(或停水)。

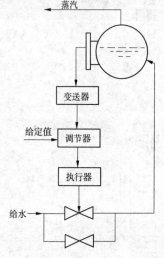

图1-38 单冲量给水自动调节系统

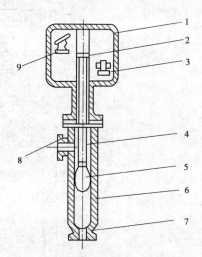

图1-39 浮筒式给水自动调节器
1—调节箱;2—永久磁铁;3—低水位水银开关;
4—连杆;5—浮筒;6—筒体;7—与锅筒水连管接口;
8—与锅筒汽连管接口;9—高水位水银开关

2)电极式给水自动调节器

电极式给水自动调节器主要由筒体、电极棒、晶体管电路和电动机等部件组成,如图1-40所示。筒体是密封的,上下分别与锅筒内汽、水的部分连通,筒体内部垂直设置三个电极棒 a、b、c,并用导线与电路中相应部分连接。当水位降到 c 点时,水泵自动运转,向锅炉上水;当水位升到 a 点时,水泵自动停止运转,从而保持锅炉水位在允许的范围内波动。

2.双冲量给水自动调节系统

双冲量给水自动调节系统由锅筒水位和蒸汽流量两个冲量去改变给水调节阀的开

度,如图 1-41 所示。当负荷变化时,首先是出现蒸汽流量的变化,所以在引起水位大幅度波动之前,蒸汽流量信号起着超前的作用。它可以在水位还未出现波动时提前使给水调节阀动作,从而减少水位的波动,改善调节功能。

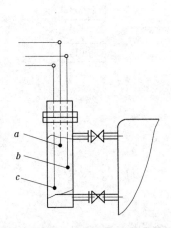

图 1-40 电极式给水自动调节器

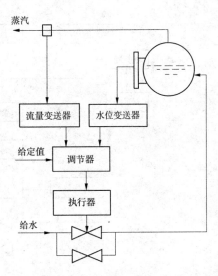

图 1-41 双冲量给水自动调节系统

双冲量给水自动调节器的一种结构如图 1-42所示,在三个容器内均充有水银,组成了一个复杂的浮子式压差计,其中容器 7 内放有浮子,为正容器,与锅筒容纳蒸汽的部分相连;容器 8 为负容器,与锅筒容纳水的部分相连;容器 6 也为负容器,与蒸汽经过节流装置产生压力降后的蒸汽管道相连。所以容器 7、8 之间的压差就反映了蒸汽流量变化的情况。

因此,容器 7 中浮子的变化,既决定于蒸汽流量的变化,又决定于锅筒水位的变化,构成了双冲量给水调节器。再经过一套曲柄传动执行机构,即可使给水调节阀动作。

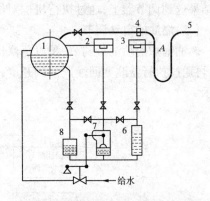

图 1-42 双冲量给水自动调节器示意图
1—锅筒;2、3—冷凝器;4—节流装置;
5—蒸汽管路;6、7、8—容器

3. 三冲量给水自动调节系统

双冲量给水自动调节系统虽然比单冲量给水自动调节系统有了很大改进,但仍不能满足负荷多变及给水压力波动频繁的要求,因此出现了三冲量给水自动调节系统。

三冲量给水自动调节系统是根据锅筒水位、给水流量和蒸汽流量三个冲量去改变给水调节阀的开度,如图 1-43 所示。

三个冲量中,锅筒水位是主参数,给水流量和蒸汽流量是副参数。经过一台液位变送器和两台差压变送器产生三个直流讯号,然后一起送到乘除器上进行计算。乘除器将计

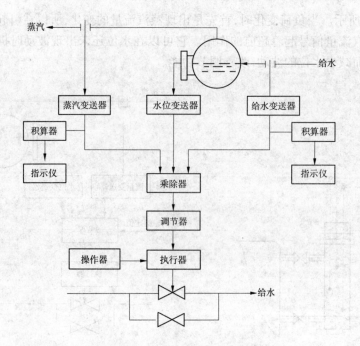

图 1-43　三冲量给水自动调节系统

算结果送到调节器上,通过执行机构对给水进行自由调节。

(二)燃油的自动调节

　　燃油锅炉的喷油量调节,是以蒸汽出口压力作冲量,经调节器将压力冲量变成电气信号,再通过执行器改变回油调节阀开度,从而改变油嘴的喷油量。自动调节系统如图1-44所示。

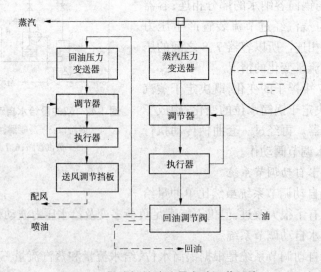

图 1-44　燃油锅炉喷油量自动调节系统

　　回油调节阀不同的开度对应有不同的回油压力,再取回油压力为冲量,经调节器和执行器改变送风调节挡板开度,从而达到风、油自动按比例配给。风、油开度改变的同时,各自均有反馈信号返给调节器,以使调节系统重新处于平衡。

(三)燃烧的自动调节

燃烧的自动调节,就是在控制锅炉出口的蒸汽压力为一定值的前提下,调节燃料量;为了达到合理的燃烧,还必须对燃烧的品质加以控制,即可根据锅炉排烟处的烟气含氧量来控制通风系统,调节通风量,以保持适量的空气过剩系数,减少锅炉的热损失。因此,一个完整的燃料调节,实际上包括锅炉蒸汽压力的调节、燃烧设备燃烧量的调节、空气量的调节、炉膛负压的调节和鼓风机及引风机的控制。

对蒸汽压力的调节是以调节燃料量为主。蒸汽压力和蒸汽流量,经调节器进行计算、调节转变为电气信号,通过炉排的减速机构来控制燃料量,从而达到蒸汽压力的调节,这种调节实际上也是对锅炉产生蒸汽热量的调节。

为了使燃料燃烧,必须供应一定数量的空气,如果过剩空气系数太大,将增加排烟热损失。因此,对于每台运行锅炉,当它使用某种燃料时,都有最适宜的过剩空气系数值,而其值可以通过控制排烟处烟气中的二氧化碳和氧的含量来达到,其中以控制氧气的含量更能反映过剩空气系数值。为此,测定排烟处烟气中的含氧量,通过氧气测定仪并经变换,再到调节器进行计算、调节转换成电气信号并通过执行器控制鼓风机的导向挡板。为补偿氧量测定仪在测量上的滞后,减少送风调节的动态误差,在燃料调节器与空气调节器间建立了动态平衡。

炉膛负压的维持是采用负压调节器,即炉膛负压冲量,经过调节器计算、调节,通过执行器来控制引风机的导向挡板。负压调节器除接受负压冲量外,还接受来自空气调节器的超前冲量,也就是说,在它们之间建立了动态联系。当空气调节器动作时,可以立即通过动态联系使负压调节器也动作,这样能使炉膛负压的偏离不大。如果没有这个动态联系,负压调节器只有当送风量改变,引起炉膛负压变动后才能投入工作,这样就会使负压的动态偏差加大。当工况稳定后,动态联系的作用也就随之消失。

在自动调节系统中,还装有各种记录仪表、指示仪表、警报信号和一些操作器,操作器的目的是用来远距离对执行器进行手动操作。有的调节器上本来就带有操作器。另外还有给定器,用来将某些参数(如压力、流量)的要求值预先输送到调节器中,使参数不偏离给定值。

(四)锅炉燃烧的微机控制

随着科学技术,特别是计算机的发展,给锅炉自动控制开辟了一个新的途径,而微型计算机的出现,使计算机在锅炉自动控制中的运用,更加容易推广和具有实际性。

微型计算机具有精度高、功能强、数据采集处理迅速准确、体积小等特点,利用微型计算机进行锅炉燃烧自动控制,可以进行鼓风量、引风量、燃料量、水位、连续排污量、主汽门等自动调节,并能进行对鼓风量、炉膛负压、锅炉水位、蒸汽压力、蒸汽流量、烟气含氧量、给水温度、给水量、排污量、炉膛温度、空气预热器前后烟气温度、热风温度、省煤器前后烟气温度的瞬时值及累计值,各个调节参数的阀门位置的自动检测与分析处理;同时还能自动打印锅炉运行日报表;对锅炉缺水、故障能报警,对严重缺水、熄火等危及锅炉安全的情况能适时采取停炉措施;另外还可以对水质处理进行检测与控制。

微型计算机在锅炉自动控制中的使用方案多种多样,但是基本原理见图1-45,主要包括以下部分。

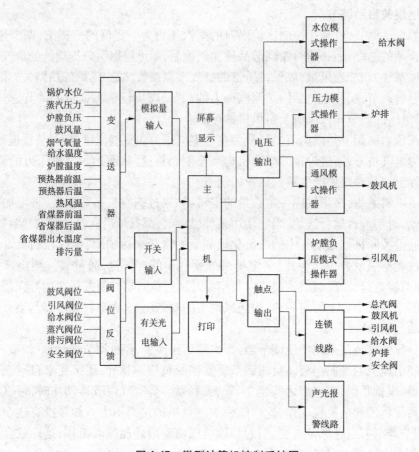

图 1-45 微型计算机控制系统图

1. 数据采集、信号转换

对现场一次测量仪表,包括压力、流量、温度、水位、含氧量、炉膛负压、燃料量(模拟量)以及执行器的阀位反馈信号(开关量)转换成计算机过程通道所能接受的电压输入。

2. 数据处理

对采集来的各种信号进行判断、修正、计算。

3. 屏幕显示

通过电视屏幕对各种工况和执行器的岗位(开关)正常(故障)进行显示。

4. 记录打印

通过打印机,对各种工况数值、超标数值、报警数值进行连续或定时打印,并可将交班、接班、日报表进行打印。

5. 声光报警与连锁

对某些工况参数超越一定界限以及微机本身故障、掉电,进行声光报警与连锁控制,即对鼓风机、引风机、燃烧设备、给水阀门等进行预定的安全连锁保护操作。

6. 直接数字控制

直接数字控制(DDC)的基本原理和常规模拟调节器原理类似,只不过是用计算机中的功能齐全、效率高、性能可靠、体积小的各种逻辑模块来代替(也称计算机的软件)。按预先编制的程序,对多个调节对象进行直接数字调节。它不仅能按常用的比例、积分、微分规律进行调节,而且能够根据被调量变化,随机变更调节规律和整定参数。

7.执行机构

基本上和常规自动控制的执行机构一样,即可使用电磁阀、气阀、电动执行器来完成控制手段。

第八节　锅内加药处理

锅内加药处理是向锅内投加合适的药剂,与锅水中结垢物质(主要是钙、镁盐类)发生化学和物理化学作用,生成松散的水渣,通过锅炉排污,达到防止或减缓锅炉结垢和腐蚀的目的,这一过程即为锅内加药处理。

一、锅水沉淀物的形态及改变的方法

(一)锅水沉淀物的形态

锅炉运行时锅水中形成沉淀物的现象是不可避免的,但是在不同的外界条件下,可能生成多种形态的沉淀物质,这些物质沉淀在锅炉传热面上时,即生成水垢,若悬浮在锅水中则成为水渣。水渣有流动性好和流动性差之分,流动性好的水渣可通过排污除去,流动性差的水渣易在锅炉热负荷高和锅水循环缓慢的地方沉积下来,再次形成水垢,称为二次水垢。

在锅炉运行中,应当设法使锅水生成的沉淀物是黏附性差、流动性好的水渣,为此目的,就必须进行锅内加药处理。

(二)改变锅水中沉淀物形态的方法

为使沉淀物不形成水垢而形成水渣需采取以下手段:

(1)创造条件使水垢转变为水渣。碳酸盐在锅水 pH 值较低时,容易沉积在受热面上,形成水垢。当控制锅水的 pH 值在 $10\sim12$ 时,碳酸钙沉淀在碱剂的分散作用下,悬浮在锅水中形成水渣。

(2)向锅水中引入形成水渣的结晶中心,投加表面活性较强的物质;破坏某些盐类的过饱和状态;以及吸附水中形成的胶体或微小悬浮物。

(3)投加高分子聚合物,使其在锅内与 Ca^{2+}、Mg^{2+} 等离子发生络合或螯合反应,减少锅水中 Ca^{2+}、Mg^{2+} 的浓度,使它们难以达到溶度积,延缓沉淀物的生成。例如腐殖酸钠和聚合磷酸盐处理,就起到了这种作用。

(4)创造锅炉受热面的清洁条件,阻碍水垢结晶萌芽的形成。例如新安装的锅炉进行煮炉,长期停用的锅炉在运行前进行化学清洗,就能够起到这种作用。

(5)使沉淀析出的固体微粒表面与受热金属表面具有相同的电荷,或使受热金属表面形成电中性绝缘层,从而破坏它们之间的静电作用。例如栲胶和腐殖酸钠等有机药剂就是起着这种作用。

(6)有效地控制结晶的离子平衡,使锅水易结垢离子向着生成水渣方向移动。通常使用的纯碱处理和磷酸盐处理即属此类。

二、使用特点

锅内加药处理设备简单,投资小,操作方便,运行维护容易,使用得当,可以收到较好的防垢效果。

锅内加药处理法是最基本的水处理方法,又是锅外化学处理的继续和补充。经过锅外化学处理以后还可能有残余硬度,为了防止锅炉结垢和腐蚀仍需补充一定量的水处理药剂。

锅内加药处理法使用的配方需与给水水质匹配,给水硬度过高时,将形成大量水渣,加快传热面结垢速度,因而一般不适用于高硬度水源。

锅内加药处理法对环境几乎没有什么污染,它不像离子交换等水处理法,处理掉天然水多少杂质,再生后还排出多少杂质,而且还排出大量剩余再生剂和再生后的产物。而锅内加药处理方法是将水中的主要杂质变成不溶于水的水渣,对自然界不会造成污染。

三、适用范围

苏联曾建议在1.5 MPa以下的锅炉,符合下列条件时,可采用锅内加药处理方法:①没有水冷壁管的锅炉;②没有过热器的锅炉;③在运行中能保证可靠地排出锅内的水渣;④锅内形成的水渣不会影响锅炉的安全运行。

美国资料介绍,采用锅内加药处理方法,其条件如下:①锅炉压力<0.898 MPa;②锅炉蒸发量<9 t/h;③锅炉补给水率<20%。

我国《工业锅炉水质》(GB 1576—2001)标准规定,额定蒸发量小于等于2 t/h,且额定蒸汽压力小于等于1.0 MPa的蒸汽锅炉和汽水两用锅炉以及额定功率小于等于4.2 MW非管架式承压的热水锅炉和常压热水锅炉可采用锅内加药处理法。

四、锅内加药处理法常用药剂的种类和性能

(一)常用水处理药剂的种类

锅内加药处理常用的药剂,根据处理目的的不同,可以分为以下几种。

1. 防垢剂(软水剂)

主要是用来消除给水中的硬度,其中的碱性药剂是使它转变成为水渣;也有属于能改变水渣的性质,使其不易在受热面上黏附成为水垢的药剂,称为水渣调节剂。

防垢剂主要有:

(1)碱性药剂:主要有火碱($NaOH$)、纯碱(Na_2CO_3)、磷酸盐(磷酸三钠、六偏磷酸钠等)。

(2)有机胶体:主要有栲胶、腐殖酸钠等。

(3)水质稳定剂:主要有有机膦酸盐(如乙二胺四甲叉膦酸钠等)、有机聚羧酸盐(如聚马来酸等)。

2. 降碱剂

主要是用来降低给水或锅水中的碱度,以防止汽水共腾和苛性脆化。

降碱剂主要有磷酸、磷酸二氢钠、草酸、硫酸铵等。

3. 缓蚀剂

主要是用来防止锅炉金属的腐蚀。缓蚀剂主要有亚硫酸钠、亚硝酸钠等。过去常用的联胺、重铬酸钠等,因为毒性很大,近几年已很少采用。

4. 消沫剂

主要是用来防止由于锅水浓度过高而发生的起沫或汽水共腾,可以提高蒸汽质量。消沫剂主要有酰胺类消沫剂(如二硬酯酰乙二胺)和聚醚酯型消沫剂(如聚氧乙烯、聚氧丙烯、甘油二硬脂酸酯,简称 GPES-2)。

5. 防油垢剂

主要是用来吸附锅水中的油脂,以防止难以清除的含油水垢的结生,防油垢剂主要有活性炭、胶体石墨、木炭粉等。

在进行锅内加药处理时,上述各种药剂并不是每一种都使用的,而是根据给水质量、锅炉类型,以及运行中的要求,选择其中的几种,配制成水处理药剂。

(二)几种常用水处理药剂的性能和作用

国内外用做水处理的药剂有上百种,现在仅就工业锅炉常用的水处理药剂介绍如下。

1. 氢氧化钠($NaOH$)

氢氧化钠俗称火碱、烧碱、苛性钠,是一种白色的固体,吸水性很强,极易溶于水而放出大量的热量,有强烈的腐蚀性,是一种强碱。$NaOH$ 的主要作用是:

(1)能有效地消除给水中的碳酸盐硬度和镁硬度;

(2)能防止一些结垢物质在金属表面上结生水垢;

(3)保持锅水的碱度,防止锅炉腐蚀。

当锅水中的$[OH^-]$保持一定的浓度时($pH=9.5\sim11.5$),锅炉金属表面生成的保护膜就比较稳定,从而可以阻止氧对锅炉金属的腐蚀。

2. 碳酸钠(Na_2CO_3)

碳酸钠俗称纯碱、苏打。工业用的无水碳酸钠是白色的粉末,易溶于水,水溶液呈碱性。Na_2CO_3 的主要作用是:

(1)能有效地消除给水中的钙硬度;

(2)在锅内碳酸钠可以部分地水解为 $NaOH$,因此具有 $NaOH$ 的作用;

(3)能消除给水中的镁硬度;

(4)保持锅水的碱度,使 $CaCO_3$ 成为水渣,而不易结为水垢。

所以采用单一的纯碱处理时,也可以近似地取得同时投加 $NaOH$ 和 Na_2CO_3 的效果。

3. 磷酸三钠($Na_3PO_4 \cdot 12H_2O$)

磷酸三钠亦称磷酸钠,为白色晶体,在干燥的空气中能风化,加热至100 ℃以上时,会失去结晶水而成为无水物,溶于水,水溶液呈碱性。Na_3PO_4 的主要作用是:

(1)能沉淀给水中的钙、镁盐;

(2)增加水渣的流动性;

(3)能使硫酸盐和碳酸盐等老水垢疏松脱落,特别是清除没有经过水处理而结生的老水垢尤为显著;

(4)防止锅炉金属腐蚀。

4.栲胶

栲胶又称为血料,主要成分为单宁(占60%左右),是棕红色非晶形粉末。栲胶的主要作用是:

(1)在金属表面生成电中性绝缘层;

(2)阻止结晶体的生长;

(3)能使老水垢疏松脱落;

(4)能吸收水中的溶解氧,从而可以减少氧对锅炉金属的腐蚀。

5.腐殖酸钠

腐殖酸钠是一种复杂的多相芳香族有机物。黑褐色颗粒状,它没有固定分子结构和分子量,可以溶于水,水溶液呈棕褐色,弱碱性。腐殖酸钠的主要作用是:

(1)软化水的作用;

(2)增加水渣的流动性;

(3)缓蚀作用;

(4)使老水垢疏松脱落。

大量的科学试验证明,在防垢、缓蚀、提高蒸汽品质等方面,腐殖酸钠比栲胶有着更为显著的效果。

6.水质稳定剂

目前用于工业锅炉锅内加药水处理的主要是有机聚膦酸盐(如乙二胺羧四甲叉膦酸等)和有机聚羧酸盐(如聚丙烯酸钠、水解聚马来酸酐等)。它们都属于高分子聚合物,其中有机聚膦酸盐会发生部分电离,生成氢离子和负离子聚合物。这两种药剂有协同效应,无论是在冷却水中,还是锅内加药处理中,都是以复合使用效果较好。

五、锅内水处理常用药剂配方

(一)纯碱法

此法主要向锅内投加纯碱(Na_2CO_3),如上所述,Na_2CO_3在锅炉的运行条件下,虽然也具有NaOH的作用,但对于成分复杂的给水,此法处理效果并不能令人满意。

(二)纯碱—栲胶法

由于纯碱和栲胶的协同效应,效果比单用纯碱要好。

(三)纯碱—腐殖酸钠法

此法又比纯碱—栲胶法好,主要是腐殖酸钠的水处理效果要比栲胶优越的缘故。而磷酸盐—腐殖酸钠法很适合于使用软化水的锅炉做校正处理用。

(四)"三钠一胶"法

"三钠一胶"法指的是碳酸钠、氢氧化钠、磷酸三钠加栲胶。此种处理方法在我国铁路系统有一套完整的理论和使用方法,防垢率可达到85%以上。

(五)"四钠"法

指的是碳酸钠、氢氧化钠、磷酸三钠和腐殖酸钠,此法处理效果优于"三钠一胶"法,对各种水质有良好的适应性。

(六)有机聚膦酸盐、有机聚羧酸盐和纯(火)碱法

此法是近几年才发展起来的新的阻垢剂配方,效果比较理想。

(七)有机聚膦酸盐、有机聚羧酸盐、腐殖酸钠和纯(火)碱法

此法也是近几年才发展起来的新的阻垢剂配方,纯(火)碱不但其本身具有良好的防垢作用,而且还为有机聚膦酸盐和有机聚羧酸盐提供了阻垢条件,腐殖酸钠是很好的水渣调节剂,效果比上述配方就更为理想。

六、锅炉的排污

(一)排污的目的和意义

含有杂质的给水进入锅内后,随着锅水的不断蒸发浓缩,水中的杂质浓度逐渐增大,当达到一定限度时,就会给锅炉带来不良影响,为了保持锅水水质的各项指标在标准范围内,就需要从锅内不断地排除含盐量较高的锅水和沉积的水渣,并补入含盐量低而清洁的给水,以上作业过程称为锅炉的排污。

1.排污的目的

(1)排除锅水中过剩的盐量和碱类等杂质,使锅水各项水质指标始终控制在国家标准要求的范围内。

(2)排除锅内生成的水渣。

(3)排除锅水表面的油脂和泡沫。

2.排污的意义

(1)锅炉排污是水处理工作的重要组成部分,是保证锅水水质浓度达到标准要求的重要手段。

(2)实行有计划地、科学地排污,保持锅水水质良好,是减缓或防止水垢结生、保证蒸汽质量、防止锅炉金属腐蚀的重要措施。

因此,严格执行排污作业制度,对确保锅炉安全经济运行和节约能源,有着极为重要的意义。

(二)排污的方式和要求

1.排污的方式

(1)连续排污:又叫表面排污。这种排污方式是从锅水表面将浓度较高的锅水连续不断地排出。它是降低锅水的含盐量和碱度,以及排除锅水表面的油脂和泡沫的重要方式。

(2)定期排污:又叫间断排污或底部排污。定期排污是在锅炉系统的最低点间断地进行的,它是排除锅内形成的泥垢以及其他沉淀物的有效方式。另外,定期排污还能迅速地调节锅水浓度,以补连续排污的不足。小型锅炉只有定期排污装置。

2.排污的主要要求

(1)勤排:就是说排污次数要多一些,特别用底部排污来排除水渣时,短时间的、多次的排污,要比长时间的、一次排污,排除水渣效果要好得多。

(2)少排:只要做到勤排,必然会做到少排,即每次排污量要少,这样既可以保证不影响供汽,又可使锅水质量始终控制在标准范围内,而不会产生较大的波动,这对锅炉保养十分有利。

(3)均衡排:就是说要使每次排污的时间间隔大体相同,使锅水质量经常保持在均衡状态下。

第九节　锅外化学处理

锅外化学处理,通常是用离子交换法对锅炉补给水进行离子交换软化处理。因此,主要介绍水的离子交换软化处理技术。

一、离子交换反应及离子交换剂

离子交换是离子交换剂上可交换的离子与溶液中离子间发生的交换反应的过程。此时溶液中的某种离子取代了离子交换剂上的可交换离子,而吸着在其上,交换剂上可交换离子则进入溶液。水中的 Ca^{2+}、Mg^{2+}(硬度成分)与离子交换剂中的 Na^+ 的交换反应,这个过程称为水的离子软化。这种能和溶液中阳(或阴)离子进行交换反应的物质叫做离子交换剂。

具有应用价值的离子交换剂,不仅能够与水中的离子进行交换,并且在达到交换容量不能再交换后,可通过相反的交换反应,使它再恢复交换能力,转化为所需的形式,这个过程叫做离子交换剂的再生。所以离子交换反应是一个可逆过程,而且是按等一价基本单元物质的量规则(即过去的等当量)进行的。例如,阳离子交换反应可用下列式子表示:

$$2NaR + Ca^{2+} \longrightarrow CaR_2 + 2Na^+$$

$$2NaR + Mg^{2+} \longrightarrow MgR_2 + 2Na^+$$

| 钠型阳离子 | 水中 | 离子交换 | 交换后水中 |
| 交换剂 | 离子 | 树脂 | 离子 |

目前在工业锅炉水处理中使用的离子交换剂,主要有磺化煤和离子交换树脂两种。

磺化煤由褐煤或烟煤用发烟硫酸和浓硫酸处理(叫做磺化)而制得。由于它的交换性能及机械强度都较差,所以只有少数单位使用。而大部分水处理单位都采用离子交换树脂。

离子交换树脂是一种具有可交换离子,能同溶液中阳(或阴)离子发生交换的高分子化合物。工业水处理中常用的离子交换树脂,是由苯乙烯和二乙烯苯聚合成的、经专门处理的粒状球体。

苯乙烯是一种能够聚合成链状高分子(聚乙烯苯)的有机物;二乙烯苯是能够在链状高分子有机化合物间起架桥作用的有机物(叫交联剂),它们互相作用形成具有一定立体结构的骨架基体,这种骨架经过磺化或胺化处理,使骨架带上交换基团,这样就能与水中的离子发生交换反应。

二、离子交换水处理的基本原理

(一)阳离子交换法

在离子交换过程中,交换与被交换的离子均为阳离子,这种只进行阳离子交换的方法称阳离子交换法。树脂参加交换反应中的阳离子是钠离子(Na^+)时,则此树脂为钠型阳离子交换树脂;若阳离子为氢离子(H^+)时,则此树脂为氢型阳离子交换树脂;等等。

经钠离子交换的软化水有如下特点:

(1)硬度可以降低或消除。经钠离子交换树脂软化后的水质,其残余硬度可以降低至 0.03 mmol/L 以下,甚至可以完全消除硬度。

(2)碱度保持不变。经钠型离子交换树脂软化后的水质,由于碳酸盐硬度等量地转变成了重碳酸钠,所以并不能使硬水的碱度降低,所以碱度保持不变。

(3)含盐量增加。

(二)阴离子交换法

阴离子交换法与阳离子交换法是相同的,只是树脂和被处理溶液中可交换离子间,只进行阴离子交换的方法,称阴离子交换法。

(三)阳、阴离子交换法

阳、阴离子交换法制取除盐水(或纯水)的反应过程,分别与阳离子交换法和阴离子交换法相同,即利用离子交换树脂的离子交换作用,将水中的各种离子去除或减少到一定程度的水处理方法。

三、固定床离子交换水处理设备

固定床离子交换水处理设备主要采取压力式交换器。压力式交换器可以直接送往水塔(高位水箱)或管网。其结构包括如下几部分:

(1)交换器本体。交换器本体为立式圆柱状容器,其本体多为钢结构内衬防腐层,对于小型设备也可以选用非金属材料,如硬质塑料、有机玻璃等。

(2)上部进出水装置。交换器的上部进出水装置,要保证水流分布均匀,防止冲刷上层交换剂,而且便于出水。

(3)再生剂进口装置。为了使再生剂分配均匀,在固定床顺流再生时,有的单设再生剂进口装置,其中有列管式、放射形管式和环形管式等。

(4)下部进出水装置。

(5)空气排出管。空气排出管一般从交换器本体的顶部引出,管的直径为进水管直径的 1/3~1/4。

(6)窥视表。

(7)人孔。

(8)支柱。

(9)树脂捕集器。

第十节 锅炉运行操作

一、运行前的准备

锅炉在投入运行前应进行内外部检查,尤其是新装或经过修理的锅炉,应经过如下检查及准备工作。

(一)锅炉内部检查与使用准备

1.锅炉内部检查

检查锅筒及集箱内有无附着物及遗留杂物。

2.关闭门孔

要把所有人孔、手孔进行密闭,必要时更换密封垫圈(片),防止渗漏。

3.上水与试验

打开空气阀门向锅炉上水(无空气阀可稍提起安全阀),以便上水时排除锅炉内的空气。向锅炉内上水时水速要缓慢,水温不宜过高,冬季水温应在50℃以下。若水温太高,会使受热面膨胀不均匀而产生热应力,造成管子胀口泄漏。上水时,应检查人孔、手孔、其他各法兰接合面及排污阀等,发现有漏水时应拧紧螺丝口,采取上述措施后仍然漏水,应停止上水,并放水至适当水位,更换密封圈(片),不漏后恢复上水。随着锅炉水位上升,在适当水位时,检查锅炉高低水位警报器及低水位燃料切断和停止鼓风机并连锁装置的动作是否正常。

(二)炉膛及烟道内的检查

1.炉膛内的检查

在不送入燃料的情况下,进行燃烧设备及无障碍的试运行检查。有燃烧器时,检查燃烧器的装配状态及其各接点。对燃煤锅炉要检查上煤、加煤设备的运行状况及炉排的空运转状况。

2.烟道内的检查

对吹灰器、空气预热器和引风机的闸板等状态进行检查,并确认其无异常情况。

3.烟道的密封

在确认各部分无异常之后,将烟道各出入检查门孔密封。

(三)锅炉附件的检查

1.压力表、水位表

检查压力表、水位表有无异常,弯管、连接管的安装及中间阀门的开闭有无异常,水位表显示水位是否正确。水表柱和汽水连接及水表柱的泄水阀状态是否正常。检查压力表是否在半年内经过法定部门检验。

2.安全阀、放泄阀、放泄管

检查安全阀是否已调整规定的始启排放压力,排汽管与泄水管的安装是否合理。检查泄放管是否阻塞,是否有防冻措施。

3.排污装置

检查排污阀的开闭是否灵活,填料盖的材料是否留有充分的调节余地。排污管路是否有异常。

4.主汽阀、给水截止阀与逆止阀

检查它们的开闭状态有无异常,阀盖的材料是否留有余量。

5.空气阀

在水压试验后至满水状态,点炉开始至出现蒸汽,必须保持开的状态。

6.管道

检查汽水管道的连接、支撑、伸缩节、流水及保温等是否符合要求。

(四)自动控制系统的检查

1.电路与控制盘

检查线路是否完全绝缘,控制盘内有无灰土及水附着,各接点有无异常。

2.管路

检查空气、油、水等管路,点火用的燃料、管路,分析烟气用的管线及通风测压用的管线等是否有损坏或泄漏。

3.调节阀与操作机构

检查调节阀有无变形、腐蚀,各部件之间的位置是否正常,以及安装是否合理。检查转动部分、轴承部分是否已注入充分的润滑油,工作起来是否灵活。检查自动给水装置与储水罐等的连接机构、电气线路等有无变形、生锈、松弛,安装部位是否正确等。

4.水位警报器

检查水位警报器内有无脏物和障碍,正常显示是否正确,动作是否灵敏。检查电路系统与锅炉连接管的联结是否正确。

5.火焰监测器与点火装置

检查火焰监测器安装正确与否,受光面、保护镜、密封镜等是否被污染、破裂。检查点火电极与燃烧器之间的相对位置是否合适,电极是否有损耗,其间隙大小是否合适。

(五)附属设备的检查

1.给水设备

检查电动机的转向是否正确,轴有无偏心、松动,联轴节的橡胶是否有损耗。试运转检查有无明显的震动及异常声音,电动机的工作电流是否正常、稳定。

检查填料盖的机械密封有无漏水、升温异常。若为衬垫密封,则检查其水封状态是否良好,水滴下的速度是否正常,衬垫间隙是否合适,有无异常升温。

检查轴承的供油情况,油质是否良好。用手转动联轴器,看是否有异常出现。检查各处螺丝钉连接有无松动。

检查给水管线与阀门有无异常。

2.水处理设备(包括除氧、除硬度、加药设备)

(1)对热力除氧设备,检查其内部安装的隔板等部件是否有被腐蚀等异常情况。检查其所属管路、阀门等有无泄漏、腐蚀、阻塞。要确认其给水加热温度适当、脱氧性能良好。

(2)对离子交换设备,检查其内部树脂有无污染、破碎细化、阻塞出入孔等。检查树脂数量是否符合要求。用硬度指示剂测量和估算给水硬度去除程度及最大水处理量。同时要考虑是否能满足除去一定泄漏量后给水的需要。

对于采用自动控制离子交换水质处理过程的,检查其是否能按给定指令运行,各过程间隔是否正确。

检查树脂罐、管道、阀门等有无被腐蚀、泄漏和阻塞等。在使用转芯阀处是否有水流错路、漏除硬度等。

(3)对加药进行水质处理的,检查药液溶解槽、搅拌机是否有异常,罐槽、泵、管路等有无腐蚀、泄漏和阻塞。检查水压是否满足需要,水处理药品能否按规定量正确地加入。

3.通风设备

(1)检查烟道闸板是否能轻稳滑动,将其滑道清扫干净,使其完全关闭。

(2)对鼓风机、引风机,用手转动检查有无异常存在,进行试运行以检查风道有无异常,在运行中是否有震动等不正常现象。

(六)燃烧设备的检查

1.燃油设备

检查从油罐到燃烧器之间的管道、燃料泵、油嘴、油加热器、滤网等是否正常。对新换或修理过的管路,可用蒸汽或压缩空气吹扫线路,除去残存杂物。特别要注意这些部位在运行初期易出现的阻塞问题。

2.气体燃烧设备

用检漏液或肥皂水检查气体燃料管路上的塞、阀门及各个接头是否有渗漏。仔细检查燃烧器及管路各部分的密封情况,检查燃气切断阀座有无渗漏。

3.燃煤的燃烧设备

检查各安装螺丝联结情况,对转动部分注油。

检查不送燃料的炉排空运转情况,炉排有无变形和损伤,以及炉排片的间隙是否合适。

检查机械燃烧设备的传动轴、变速器等零部件完好状况。

4.煤粉燃烧设备

对各转动部分注油,检查粉碎磨煤设备、输煤管路、燃烧器及阀门,在这些控制装置无异常后进行试车,并调节使其达到良好状态。

(七)辅助受热面的检查

1.过热器

检查确认过热器内部均保持清洁。将过热器集箱手孔等密封。

需要时,对过热器进行水压试验,方法是:将空气阀及出口集箱的疏水阀开启,向过热器送软化水(脱盐水等),将空气完全排净,至满水状态,关闭阀门。按规定进行水压试验,检查有无泄漏。

运行开始时是否向过滤器内注水,这要按设计的结构不同而异,须按制造厂的使用说明书操作。点火前要将出口集箱的空气阀、泄水阀全部打开。中间集箱和入口集箱的疏水阀也打开。

2.省煤器

检查省煤器内外无腐蚀异常后,清扫干净,将其密闭。必要时可对其进行水压试验。具体方法是:打开出口集箱的空气阀,上水,使空气完全排出至注满水,关闭空气阀,进行水压试验,确认各处尤其是管头附近无泄漏出现。

水压试验时可同时试省煤器的安全阀(泄放阀),检查或调整到规定开启压力时,使省煤器安全阀启跳泄放。

上述检查试验完成后,将省煤器出口阀打开,这是因为在锅炉升火时期,锅炉不需给水,即不需经省煤器向锅炉供水。而如果没有省煤器旁通烟道时,高温烟气仍要流经省煤器,这时为了不使省煤器内水被加热汽化导致省煤器被烧坏,仍要由水泵给水,水流经省煤器后经出口阀返回水箱。如果有旁通烟道,烟气由省煤器旁通烟道流通,升火时可不开动水泵,使水流动至水箱,只是当锅炉升火转入供汽(或供热水)时,再开动水泵经省煤器向锅筒给水。此时,烟气流经省煤器,并将旁通烟道闸板关闭。

二、点火前的检查和准备

为了保证锅炉正常运行,锅炉点火时,必须进行严格的检查和充分的准备。并保证下列各项完全达到要求,才能点火。

(一)检查与调整锅炉水位

根据锅炉水位表调整水位,当锅炉水位低于正常水位时应进水,当锅炉水位高于正常水位时则打开排污阀放水,使水达到规定的正常水位。

锅炉首次(冷炉)上水的水位不应超过正常水位线。因为锅炉点火后,锅水受热膨胀,水位会上升,甚至超过最高安全水位线。一旦出现这种情况时,应通过排污来调整水位。

对照两组水位表反映的水位是否一致,若不同,则要对两组水位表分头查找原因并做冲洗检查,必须将其排除。

水位表若与水位表柱相连,则应检查水表柱连管的阀门是否开通。

若水位表玻璃管有污染,清晰度差,必须加以清洗或更新。

(二)排污试验

运行前锅炉应对排污阀门做试验,确认良好后将阀门完全关闭,并注意不能有渗漏。

(三)压力表检查

检查所用压力表指针的位置,在无压力时,有限止钉的压力表指针应在限止钉处,没有限止钉的压力表,指针离零位的数值不超过压力表规定的允许误差。不符合要求的应及时更换。并注意压力表连管上的旋塞在开启位置。

(四)给水系统的检查

检查储水罐内的水量是否充足,给水管路及阀门是否畅通。进行手动及自动给水操作试验,确认其性能良好,动作正确。

(五)炉内通风换气

将烟道闸板打开,进行炉风换气,有引风机的应先启动引水机进行换气。若自然换气及烟道较长多弯,换气时间一般不少于 10 min;用机械引风换气,一般不少于 5 min。

(六)检查燃料及通风设备

检查全部炉排片传动部分的状况,要完整无损,转动正常。液体燃料应检查油罐储油量,气体燃料应检查气体储量,同时确认油量及气压正常。

对燃料管路、过滤网、燃料泵的状态,管路上阀门的开闭均应进行检查,确保没有异常。

启动油加热器,使油保持适当的温度。检查调节阀的开闭是否符合要求。确认低水位报警器能正常动作。

检查火焰监测器的受光面及保护镜是否清晰透明,各连锁系统的限制是否正常。

(七)自动控制装置检查

合上电源开关,由电源指示灯确认控制盘是否接通。检查作为介质(空气、油、水等)的管路及燃料管路上的各阀门开闭状态,确认它们无泄漏和异常。

检查水位检测装置,在规定的最高及最低水位限处,能否正确地停止水泵和启动水泵。检查调节阀的开闭是否符合要求。确认低水位报警器能正确动作。

检查火焰监测器的受光面及保护镜是否清晰透明。各连锁系统的限制器是否正常。

上述各项全部达到要求,才允许点火。

第二章 安全管理、安全监察综合基本知识

第一节 安全生产工作的意义、方针和任务

一、安全生产工作的重要意义

加强安全生产工作，是发展社会主义市场经济的重要条件，是企业管理的一项基本原则，具有重要的意义。

(1)安全生产是我们党和国家在生产建设中一贯坚持的指导思想，是我国的一项重要政策，是社会主义精神文明建设的重要内容。

我国是共产党领导下的社会主义国家，国家利益和人民利益是根本一致的，人民的需要，最主要的是保障他们生存和健康的需要。因此，保护劳动者在生产中的安全、健康，是关系到保护劳动人民切身利益的一个非常重要的方面。另外，安全生产关系到社会安定和国家一系列其他主要政策的实施。

(2)安全生产是发展社会主义市场经济，实现国家富强的重要条件。

发展社会主义市场经济，首要条件是发展社会生产力。而发展生产力，最重要的就是保护劳动者，保护他们的安全健康，使之有健康的身体，调动他们的积极性，以充沛的精力从事社会主义建设。

(3)安全生产、劳动保护是企业现代化管理的一项基本原则。

安全生产、劳动保护在企业现代化管理中有主要的地位和作用。企业现代化管理，使生产过程顺利、高效率地进行，不断提高劳动生产率和发展生产。这个基本目标只有搞好安全生产、劳动保护才能实现。搞好安全生产，会调动广大劳动者的生产热情和积极性；劳动条件好，劳动者在生产中感到安全健康有保障，就会发挥主人翁的精神，提高生产效率，使企业取得好效益。

二、安全生产工作的方针

我国的安全生产方针，是指党和国家对安全生产工作的总要求，它是安全生产工作的方向，我国的安全生产方针是"安全第一，预防为主"。

"安全第一"，是指安全生产是全国一切经济部门和生产企业的头等大事。各级的领导都要十分重视安全生产，采取一切可能的措施保障劳动者安全，防止事故发生，当生产任务与安全发生矛盾时，先解决安全问题，使生产在确保安全的前提下顺利进行。

"预防为主"，是指在"安全第一"的许多工作中，做好预防工作是最主要的。它要求我们防微杜渐，防患于未然，把事故消灭在发生之前。

三、安全生产的任务

强化安全生产管理工作、实现安全作业只是企业管理的一项重要任务,安全管理的任务从广义上讲,一是预测人们在生产劳动的各个领域里存在的危险,进一步采取措施,使人们不致受到职业伤害和职业病的危害;二是制定各种规程、规定和清除危害因素所采取的各种方法、措施;三是告诉人们认识危险和防止灾害。

安全生产管理是企业管理的一个重要组成部分,它以安全为目的,其基本任务是:发现、分析和清除生产过程中的各种危险,防止发生事故和职业病,避免各种损失,保障职工的安全和健康,从而推动企业生产的发展,为提高企业的经济效益和社会效益服务。具体地讲,有以下几个方面:

(1)贯彻落实国家安全生产法规,落实"安全第一,预防为主"的安全生产方针。

(2)制定安全生产的各种规程、规定和制度,并认真贯彻实施。

(3)采取各种安全工程技术措施,进行综合治理,使企业的生产机械设备和设施达到安全要求,保障职工有一个安全可靠的作业条件,减少和杜绝各类事故造成的人员伤亡和财产损失。

(4)采取各种劳动卫生措施,不断改善劳动条件和环境,定期检测,防止和消除职业病及职业危害,保障劳动者的身心健康。

(5)对企业领导、特种设备的作业人员和所有职工进行安全教育,提高安全素质。

(6)对职工伤亡及生产过程中各类事故进行调整处理和上报。

(7)推动安全生产目标管理,推广应用现代化安全管理技术与方法,深化企业安全管理。

第二节　特种设备安全监察

我国实行特种设备安全监察制度,这是确保锅炉、压力容器安全运行的重要管理措施。它具有强制性、体系性及责任追究性。通过建立安全监察制度,健全安全监察机构,完善安全监察法规并强化实施全过程、一体化安全监察,是有效的和成功的。

特殊设备安全监察制度,包括特殊设备安全监察管理体制、行政许可、监督检查、事故处理、责任追究等,安全监察单位的决策、组织、管理、控制、监察检查是特种设备安全运行重要的必不缺少的保证。《特种设备安全监察条例》是防止和减少事故、保证人民群众生命和财产安全、促进经济发展的大法,是特种设备设计、制造、安装、改造、维修、运行操作、管理、检测、检验、安全监察的依据。

违反《特种设备安全监察条例》的特种设备生产、使用单位,以及检验检测机构和安全监察管理部门,要承担法律责任,即行政责任、民事责任和刑事责任,见表2-1、表2-2。

表2-1　《特种设备安全监察条例》违法行为行政处罚及相应刑事责任

序号	违法行为	条款	适用范围	行政责任			刑事责任
				行为罚	财产罚	申诫罚或者行政处罚	
1	被许可单位不再符合规定条件	53	生产、使用单位,检验机构	撤销许可			
2	有违反条例和安全技术规范的行为或事故隐患	59	生产、使用单位,检验机构	责令改正、消除事故隐患			
3	设计单位未经许可从事压力容器设计	64	压力容器(气瓶、氧舱除外)	取缔	处5万元以上20万元以下罚款,没收违法所得		非法经营罪等
4	设计文件未经鉴定干制造	65	锅炉、气瓶、氧舱、客运索道、大型游乐设施	责令改正	没收制造的产品,处5万元以上20万元以下罚款		生产销售伪劣产品罪、非法经营罪等
5	制造单位未进行型式试验	66	所有特种设备	限期改正	逾期未改正的处2万元以上10万元以下罚款		
6	未经许可从事特种设备制造、安装、改造	67	压力管道除外,但包含压力管道元件制造	取缔,已安装、改造的责令恢复原状或限期由取得许可的单位重新安装改造	没收制造的产品,处5万元以上20万元以下罚款		生产销售伪劣产品罪、非法经营罪、重大责任事故罪等

续表 2-1

序号	违法行为	条款	适用范围	行政责任			刑事责任
				行为罚	财产罚	申诫罚或者有行政处罚	
7	特种设备出厂未附有关文件	68	所有特种设备	责令改正,情节严重的责令停止生产、销售	处生产、销售货值金额30%以下罚款,没收违法所得		
8	未经许可从事特种设备维修	69	除压力管道外所有特种设备	取缔	处1万以上5万元以下罚款		非法经营罪、重大责任事故罪等
9	未经许可从事电梯日常维修保养	69	电梯	取缔	处1万元以上5万元以下罚款		非法经营罪、重大责任事故罪等
10	施工前未将施工情况书面告知安全监督部门	70	除压力管道外的所有特种设备的安装、改造、维修、施工	限期改正	逾期未改正的处2000元以上1万元以下罚款		
11	施工验收后30日内未将技术资料移交使用单位	70	除压力管道外的所有特种设备的安装、改造、维修、施工	限期改正	逾期未改正的处2000元以上1万元以下罚款		
12	制造过程未经监督检验	71	锅炉、压力容器、压力管道元件、起重机械、大型游乐设施(不包括电梯、客运索道)	责令改正,情节严重的责令撤销制造许可并吊销营业执照	没收生产、销售的产品,处5万元以上20万元以下罚款,没收违法所得		生产、销售伪劣产品罪等

续表 2-1

序号	违法行为	条款	适用范围	行为罚	财产罚	申诫罚或者行政处罚	刑事责任
					行政责任		
13	安装、改造、重大维修过程未经监督检验	71	除压力管道外所有特种设备	责令改正，已实施的责令限期进行监督检验，情节严重的撤销制造许可并吊销营业执照	处 5 万元以上 20 万元以下罚款，没收违法所得		生产、销售伪劣产品罪等
14	未经许可从事气瓶充装	72	气瓶	取缔	没收充装的气瓶，处 5 万元以上 20 万元以下罚款，没收违法所得		非法经营罪等
15	电梯制造单位未对安装、改造、维修进行校验、调试或者发现使用中的电梯存在严重事故隐患未向安全监督部门报告	73	电梯	限期改正		逾期未改正的予以通报批评	
16	特种设备未登记投入使用	74	除压力管道外的特种设备的使用单位	限期改正，情节严重的责令停止使用或者停产停业整顿	逾期未改正的处 2 000 元以上 2 万元以下罚款		

续表 2-1

序号	违法行为	条款	适用范围	行政责任				刑事责任
				行为罚	财产罚	申诫罚或者行政处罚		
17	使用单位未建立特种设备安全技术档案	74	除压力管道外的特种设备	限期改正,情节严重的责令停止使用或者停产停业整顿	逾期未改正的处2 000元以上 2 万元以下罚款			
18	使用单位未进行日常维护保养,定期自行检查,定期校验,检修并作出记录	74	除压力管道外的特种设备	限期改正,情节严重的责令停止使用或者停产停业整顿	逾期未改正的处2 000元以上 2 万元以下罚款			
19	使用单位未按期提出定期检验要求	74	除压力管道外的特种设备	限期改正,情节严重的责令停止使用或者停产停业整顿	逾期未改正的处2 000元以上 2 万元以下罚款			
20	使用未经定期检验或者检验不合格的特种设备	74	除压力管道外的特种设备	限期改正,情节严重的责令停止使用或者停产停业整顿	逾期未改正的处2 000元以上 2 万元以下罚款			
21	未对故障,异常特种设备全面检查,清除事故隐患继续使用	74	除压力管道外的特种设备的使用单位	限期改正,情节严重的责令停止使用或者停产停业整顿	逾期未改正的处2 000元以上 2 万元以下罚款			

续表 2-1

序号	违法行为	条款	适用范围	行政责任			刑事责任
				行为罚	财产罚	申诫罚或者行政处罚	
22	使用单位未制订事故应急措施和救援预案	74	除压力管道外的特种设备	限期改正，情节严重的责令停止使用或者责令停产停业整顿	逾期未改正的处2 000元以上2万元以下罚款		
23	电梯使用单位未对电梯至少15日进行一次清洁、润滑、调整和检查	74	电梯	限期改正，情节严重的责令停止使用或者责令停产停业整顿	逾期未改正的处2 000元以上2万元以下罚款		
24	使用的特种设备应子报废而未报废并未办理注销登记	75	除压力管道外的特种设备	限期改正	逾期未改正的处5万元以上20万元以下罚款		
25	运营使用单位每日未安检或者未显著设置注意事项和警示标志	76	电梯、客运索道、大型游乐设施	限期改正，逾期未改正的责令停止使用或者停产停业整顿	逾期未改正的处1万元以上5万元以下罚款		
26	使用单位未设安全管理机构或者专、兼职安全管理人员	77	电梯、客运索道、大型游乐设施等特种设备	限期改正，逾期未改正的责令停止使用或者停产停业整顿	处2000元以上2万元以下罚款		
27	作业人员无证上岗	77	除压力管道外的特种设备	限期改正，逾期未改正的责令停止使用或者停产停业整顿	处2 000元以上2万元以下罚款		

续表 2-1

序号	违法行为	条款	适用范围	行为罚	行政责任 财产罚	申诫罚或者行政处罚	刑事责任
28	使用单位未对作业人员进行安全教育和培训	77	除压力管道外的特种设备	限期改正,逾期未改正的责令停止使用或者停产停业整顿	处 2 000 元以上 2 万元以下罚款		
29	未经核准从事强制检验	80	除压力管道外的特种设备	取缔	处 5 万元以上 20 万元以下罚款,没收违法所得		非法经营罪等
30	检验检测工作不符合安全技术规范要求	81	检验检测机构	情节严重的撤销检验检测资格	处 2 万元以上 10 万元以下罚款		
31	聘用无证人员从事检验检测工作	81	检验检测机构	情节严重的撤销检验检测资格	处 2 万元以上 10 万元以下罚款		
32	检验检测机构发现严重事故隐患未及时告知使用单位并立即报告安全监督部门	81	检验检测机构	情节严重的撤销检验检测资格	处 2 万元以上 10 万元以下罚款		
33	检验检测机构和人员出具虚假或者严重失实的检验检测结果或者鉴定结论	82	检验检测机构及人员	情节严重的撤消机构及人员的检验检测资格	处机构 5 万元以上 20 万元以下罚款,处人员 5 000 元以上 5 万元以下罚款		提供虚假证明文件罪,出具失实文件重大失实罪等

· 58 ·

续表 2-1

序号	违法行为	条款	适用范围	行政责任			刑事责任
				行为罚	财产罚	申诫罚或者行政处罚	
34	检验检测机构或者人员生产、销售、监制特种设备	83	检验检测机构人员	撤销机构人员检验检测资格	处 5 万元以上 20 万元以下罚款，没收违法所得		
35	检验检测机构或者人员故意刁难生产、使用单位	84	检验检测机构及人员	责令改正，拒不改正的撤销其检验检测资格			
36	检验检测人员不在本检验检测机构执业或者同时在两个以上检验检测机构执业	85	检验检测人员	责令改正，情节严重的给予停止执业 6 个月以上 2 年以下处罚	没收违法所得		
37	生产、使用、检验检测单位和机构拒不接受安全监察	87	生产、使用、检验检测单位和机构	限期改正，逾期未改的责令停产停业整顿	处 2 万元以上 10 万元以下罚款		妨害公务罪等

表2-2 《特种设备安全监察条例》违法行为行政处分及相应刑事责任

序号	违法行为	条款	适用范围	行政责任			刑事责任
				行为罚	财产罚	行政处分	
1	安全监督部门和人员未按规定实施许可、核准、登记	86	直接负责主管人员和其他直接责任人员			降级或者撤职	受贿罪、滥用职权罪、玩忽职守罪等
2	安全监督部门和人员发现擅自生产、使用,检验检测行为而不取缔或者不处理	86	直接负责主管人员和其他直接责任人员			降级或者撤职	受贿罪、滥用职权罪、玩忽职守罪等
3	安全监督部门和人员发现生产、使用单位不再具备规定条件、使用有违法行为而不撤销原许可或者不予查处	86	直接负责主管人员和其他直接责任人员			降级或者撤职	受贿罪、滥用职权罪、玩忽职守罪等
4	安全监督部门和人员发现检验检测机构不再具备规定条件或者出具虚假结果、鉴定结论或者检验结果严重失实而不撤销原核准或者不予查处	86	直接负责主管人员和其他直接责任人员			降级或者撤职	受贿罪、滥用职权罪、玩忽职守罪等
5	安全监督部门和人员实施重复许可或者重复检验检测	86	直接负责主管人员和其他直接责任人员			降级或者撤职	受贿罪、滥用职权罪、玩忽职守罪等

序号	违法行为	条款	适用范围	行政责任			刑事责任
				行为罚	财产罚	行政处分	
6	安全监督部门和人员发现违法行为或者严重事故隐患不立即处理	86	直接负主管人员和其他直接责任人员			降级或者撤职	受贿罪、滥用职权罪、玩忽职守罪等
7	安全监督部门和人员发现重大违法行为或者严重事故隐患不及时上报或者报安全监督部门不立即处理	86	直接负主管人员和其他直接责任人员			降级或者撤职	受贿罪、滥用职权罪、玩忽职守罪等
8	使用单位主要负责人发生事故时不立即组织抢救或者擅离职守、逃逸	78	所有特种设备			降职、撤职	重大责任事故罪等
9	使用单位主要负责人隐瞒不报、谎报或者拖延不报事故	78	所有特种设备			降职、撤职	重大责任事故罪等
10	作业人员违章操作	79	所有特种设备			由使用单位给予批评教育、处分	重大责任事故罪等
11	发现事故隐患不立即报告	79	所有特种设备			由使用单位给予批评教育、处分	重大责任事故罪等

第三节　锅炉的安全监督管理

《特种设备安全监察条例》对锅炉设计、制造、安装、使用、检验、修理和改造七个环节的安全监督做了明确规定。条例中对全国特种设备监督管理的部门与职责也做了规定。条例所称特种设备安全监督管理部门,是指国家质量监督检验检疫总局及各级地方质量技术监督局,其职责为:国家质量监督检验检疫总局负责对特种设备安全监察的统一管理,制定相关规章政策;县以上地方技术监督部门主要负责安全监督工作的具体实施,包括生产、使用过程中的审核、发证以及违法行为的查处。各级特种设备安全监督管理部门的具体分工,在有关规章和安全技术规范中进一步明确。

一、锅炉设计监督

锅炉设计单位应对设计的锅炉安全技术性负责。全国性锅炉定型设计,经国家质量监督检验检疫总局特种设备安全监督局批准,非全国性的锅炉定型设计,须经省(自治区、直辖市)质量技术监督局安全监督机构批准,锅炉的设计总图上应有审查批准的字样。

二、锅炉制造安全监督

锅炉制造安全监督包括对锅炉厂实行许可证和产品监检两项。前者规定锅炉制造厂必须取得省级以上质量技术监督行政部门颁发的锅炉制造许可证,后者规定已取得锅炉制造许可证的制造厂,由省级以上质量技术监督行政部门授权有资格的锅炉检验所对其生产的锅炉进行产品监督检验,未经监检或监检不合格的产品不准出厂,监检工作依据《锅炉产品安全质量监督检验规则》进行。锅炉制造许可证级别划分见表 2-3。

表 2-3　锅炉制造许可证级别划分

级别	工作参数	发证机关	有效期
A	不　限	检验检疫总局	4 年
B	额定蒸汽压力小于及等于 2.5 MPa	检验检疫总局	4 年
C	额定蒸汽压力小于及等于 0.8 MPa,且额定蒸发量小于及等于 1 t/h 的蒸汽锅炉;额定出水温度小于 120 ℃的热水锅炉	检验检疫总局	4 年
D	额定蒸汽压力小于及等于 0.1 MPa 的蒸汽锅炉;额定出口水温小于 120 ℃,且额定热功率小于及等于 2.8MW 的热水锅炉	省质量技术监督局	4 年

注:1. 额定出口水温大于及等于 120 ℃的热水锅炉,按照额定出水压力分属于 C 级及其以上各级。

2. 持有高级别许可证的锅炉制造企业,可以生产低级别的锅炉产品。

3. 持有 C 级及其以上级别许可证的锅炉制造企业,可以制造有机热载体锅炉,对于只制造有机热载体锅炉的制造企业,应申请有机热载体锅炉单项制造资格,不需要定级别。

4. 对于产品种类较单一的制造企业,可对其许可范围进行限制,如限部件、材质、品种等。

5. 持证锅炉制造企业可以制造与相应级别锅炉配套的分汽缸、分水缸。

三、锅炉安装、修理、改造的安全监督

锅炉安装实行的安全监督包括三个方面:一是对安装单位实行许可证制度,制止无证

单位锅炉安装;二是锅炉安装前,须将锅炉平面布置图及标明与有关建筑距离的图样和有关技术资料等,送交当地特种设备安全监督机构审查同意,否则不准施工;三是对安装质量实行监督检验,监检合格的锅炉才能投入使用。

修理和锅炉改造的单位,必须具备必要的工装设备、技术力量和检验手段,并经当地特种设备安全监察机构审查批准。锅炉受压部件的重大修理改造方案上报当地特种设备安全监察机构同意。锅炉修理改造工作一般都由持证的锅炉厂或持证安装单位承担。

四、锅炉使用环节的安全监督

对锅炉使用环节的安全监督,主要包括锅炉的使用登记、使用管理、定期检验、人员考核等。

实行锅炉使用登记制度,是安全监督管理一项主要内容。通过锅炉登记,可以防止非法设计、非法制造、非法安装的锅炉投入使用,了解锅炉使用单位的使用环境,建立联系,掌握情况,便于履行职责。

安全监督管理部门应定期或不定期深入锅炉使用单位,检查锅炉使用状况、管理情况、锅炉定期检验和人员持证情况,及时发现隐患,督促使用单位整改隐患。实践证明,锅炉各级安全监督部门经常深入基层锅炉使用单位现场监察是该锅炉安全、经济运行的十分有效的措施。

第三章　锅炉安全管理主要法规

我国政府对锅炉的安全管理工作十分重视。多年来,先后发布了一系列的法规、规程、规范标准,这些重要的法规为做好锅炉的安全管理奠定了很好的基础。下面介绍一下主要的法规、规程及其内容。

第一节　特种设备安全监察条例

一、发布时间

《特种设备安全监察条例》颁布时间为 2003 年 2 月 19 日,自 2003 年 6 月 1 日起施行。

二、颁布单位

《特种设备安全监察条例》由中华人民共和国国务院以国务院令第 373 号发出。

三、适用范围

《特种设备安全监察条例》适用于特种设备的生产(含设计、制造、安装、改造、维修,下同)、使用、检验及其监督检查。

四、基本要点

《特种设备安全监察条例》共 7 章 91 条。包括总则、特种设备的生产、特种设备的使用、检验检测、监督检查、法律责任、附则。基本要点如下:

(1)宗旨及特种设备的定义。

(2)特种设备安全监督管理部门及检测机构总的规定。

(3)县以下人民政府在特种设备安全工作中职责的规定。

(4)特种设备生产单位义务的规定。

(5)压力容器设计单位许可与条件及锅炉压力容器的气瓶、氧舱和客运索道、大型游乐设施的设计文件鉴定的规定。

(6)锅炉压力容器、电梯、起重机械、客运索道、大型游乐设施及其安全附件、安全保护装置的制造、安装、改造单位,以及压力管道用管子、管件、阀门、法兰、补偿、安全保护装置等制造、安装、改造许可及其条件的规定。

(7)特种设备出厂时,应当附有安全技术要求的设计文件,产品质量合格证明、安装及使用维修说明、监督检验证明等文件规定。

(8)特种设备安装、维修、改造的规定。

(9)电梯井道土建工程质量和安装施工现场安全生产的规定。

(10)电梯的制造、安装、改造和维修,以及制造、安装、维修单位之间关系的规定。

(11)锅炉、压力容器、压力管道、起重机械、大型游乐设施的制造过程和锅炉压力容器、电梯、起重机械、客运索道、大型游乐设施的安装、改造、重大维修过程监督检验的规定。

(12)气瓶充装的规定。

(13)特种设备使用单位义务规定及使用单位使用合法特种设备的规定。

(14)特种设备使用登记、建立技术档案、维护保养和定期检验的规定。

(15)特种设备使用单位消除故障、制定事故应急措施、设备报废的规定。

(16)电梯使用单位维护保养及电梯、客运索道、大型游乐设施单位配备安全管理机构和安全管理人员的规定。

(17)特种设备作业人员教育、培训、持证上岗、执行规程与规章的规定。

(18)特种设备检测机构必须核准及条件的规定。

(19)检测机构的人员资格、职业道德、工作质量的规定。

(20)特种设备检测机构违规行为投诉和处理的规定。

(21)特种设备安全监督管理部门安全监察的对象和安全监督的重点的规定。

(22)特种设备安全监督管理部门查处违法行为时行使行政强制措施的规定。

(23)特种设备安全监督管理部门行政许可的工作要求及办理有关行政许可事故的程序的规定。

(24)特种设备安全监督人员资格工作原则,安全监督时报告制度,向社会公布特种设备安全状况的规定。

(25)特种设备事故的处理原则的规定。

(26)压力容器单位未经许可擅自从事压力容器设计活动的法律责任规定,锅炉、气瓶、氧舱和客运索道、大型游乐设施的设计文件未经鉴定,擅自用于制造的法律责任的规定。特种设备产品、部件的制造单位未按照本条例的规定进行整机或者部件型式试验的法律责任的规定。

(27)特种设备制造、改造单位未经许可,擅自从事锅炉、压力容器、电梯起重机械、客运索道、大型游乐设施及其安全附件、安全保护装置的制造、安装、改造以及压力管道元件的制造活动的法律责任的规定。

(28)特种设备出厂时未按照安全技术规范的要求附有有关文件的法律责任的规定。维修单位未经许可擅自从事维修或者日常维护保养的法律责任的规定。

(29)特种设备安装、改造、维修的施工单位在施工前未书面告知直辖市或者设区的市的特种设备安全监督管理部门或者在验收 30 日内未将有关资料移交使用单位的法律责任的规定。

(30)特种设备制造过程、安装、改造、重大维修过程未经监督检验出厂或者交付使用的法律的规定。

(31)气瓶充装单位未经许可擅自从事气瓶充装活动的法律责任的规定。

(32)电梯制造单位未对电梯进行校验、调试或者发现严重事故不及时向特种设备安全监督管理部门报告的法律责任规定。

(33)特种设备使用单位违法使用特种设备的法律责任规定。

(34)特种设备存在严重事故隐患,无改造、维修价值,或者超过安全技术规范规定的使用年限,特种设备使用单位未予以报废,并向原登记的特种设备安全监督管理部门办理注销的法律责任的规定。

(35)特种设备使用单位未依照本条例规定设置特种安全管理机构或者配备专职的安全管理人员的,从事特种设备作业的人员未取得相应特种作业人员证书上岗作业的,未对特种设备作业的人员进行特种设备安全教育和培训的法律责任的规定。

(36)特种设备使用单位的主要负责人在本单位发生重大特种设备事故时,不立即组织抢救或者在事故调查处理期间擅离职守或者逃匿的,对特种设备事故隐瞒不报、谎报或者拖延不报的法律责任的规定。

(37)特种设备作业人员违反特种设备的操作规程和有关的安全规章制度操作,或者在作业过程中发现事故隐患或者其他不安全因素,未立即向现场安全管理人员和单位有关负责人报告的法律责任的规定。

(38)特种设备检验检测机构未经核准,擅自从事本条例所规定的监督检验、定期检验、型式试验等检验检测活动的法律的规定。

(39)特种设备检验检测机构工作不符合安全技术规范的要求,聘用未经特种设备安全监督管理部门组织考核合格并取得检验检测证书的人员从事相关检验检测工作,在进行特种设备检验检测中,发现严重事故隐患,应及时告知特种设备使用单位,并立即向特种设备安全监督管理部门报告的法律责任的规定。

(40)特种设备的检验检测机构和检测人员,出具虚假的检验检测结果、鉴定结论或者检测结果、鉴定结论严重失实的法律责任的规定。

(41)特种设备检验检测机构或者检测人员从事特种设备的生产、销售,或者以其名义推荐监制、监销的特种设备的法律责任的规定。

(42)特种设备检测机构和检测人员利用检验检测工作故意刁难特种设备生产、使用单位的法律责任的规定。

(43)特种设备安全监督管理部门及其特种设备安全监察人员在实施许可、核准、登记以及实施安全监察活动中的违法行为的法律责任的规定。

(44)特种设备的生产、使用单位或者检验检测机构拒不接受特种设备安全监督管理部门依法实施的安全监督的法律责任的规定。

第二节　锅炉房安全管理规则

一、颁布时间

《锅炉房安全管理规则》颁布时间为 1988 年 1 月 3 日,开始执行时间为 1988 年 10 月 1 日。

二、颁布单位

《锅炉房安全管理规则》由原国家劳动部以劳人锅[1988]2号文件《关于颁发〈锅炉房安全管理规则〉的通知》发布。国家质量监督检验检疫总局正组织专家修订,待新《锅炉房安全管理规则》发布后,以新内容为准。

三、适用范围

《锅炉房安全管理规则》适用于设置下列锅炉的工业和生活用锅炉房:
(1)额定蒸发量大于和等于1 t/h、以水为介质的蒸汽锅炉。
(2)额定供热量≥2.8 MW的热水锅炉。
设置额定蒸发量小于1 t/h的蒸汽锅炉或供热量小于2.8 MW的热水锅炉的锅炉房,可参照本规则执行。

四、基本要点

《锅炉房安全管理规则》共5章22条1个表格,包括总则、基本要求、检查与监督、经济处罚、附则等的内容,其基本要点如下:
(1)明确锅炉平面布置图送当地劳动部门审查同意(现在送当地技术监督部门)。
(2)强调司炉是特种技术工种,要经过培训,持证操作锅炉。
(3)锅炉房要有可靠的水处理措施,水质应符合《工业锅炉水质标准》的要求。
(4)必须建立健全规章制度,并认真贯彻执行。锅炉房必须有运行记录。
(5)规定对锅炉房安全管理的检查与监督。
(6)规定对违反本规则的单位和个人的经济处罚。

第三节　蒸汽锅炉安全技术监察规程

一、颁发时间

《蒸汽锅炉安全技术监察规程》于1996年8月9日颁发,1997年1月1日起执行。

二、颁发单位

《蒸汽锅炉安全技术监察规程》由原劳动部以部发[1996]276号文件《关于颁发〈蒸汽锅炉安全技术监察规程〉的通知》发布。
国家质量监督检验检疫总局正在组织专家修订,待新规程发布后,以新规程内容为准。

三、适用范围

《蒸汽锅炉安全技术监察规程》适用于承压的以水为介质的固定式蒸汽锅炉及锅炉范围内管道的设计、制造、安装、使用、检验、修理和改造。汽水两用锅炉除应符合本规程的规定外,还应符合《热水锅炉安全技术监察规程》的有关规定。

本规程不适用于水容量小于30 L的固定式承压蒸汽锅炉和原子能锅炉。

四、基本要点

《蒸汽锅炉安全技术监察规程》共11章212条2个附录,包括总则、一般要求、材料、结构、受压元件的焊接、胀接、主要附件和仪表、锅炉房、使用管理、检验等10个方面的内容。基本要点如下:

(1)锅炉的设计必须符合安全、可靠的要求。锅炉受压元件的强度应按《水管锅炉受压元件强度计算》或《锅壳锅炉受压元件强度计算》进行计算和校核。

(2)锅炉的制造要符合《规程》和锅炉专业技术标准的要求,附加附件要配套,出厂技术资料要齐全。

(3)锅炉的安装除符合本规程外,蒸汽压力 $P \leqslant 2.5$ MPa的锅炉可参照《机械设备安装工程施工及验收规范》中第六册 Tj231(六)《破碎粉磨设备、卷扬机、固定式柴油机、工业安装》的有关规定。对于蒸汽压力 $P > 2.5$ MPa的锅炉,可参照 DL/T 5047—95《电力建设设施工及验收技术规范(锅炉机组篇)》的有关规定。水压试验和总体验收时要有安全监督部门派人参加。

(4)锅炉的使用要办理登记手续,司炉工要经过培训持证操作,使用锅炉单位要建立健全规章制度。

(5)锅炉的修理要有图样和修理施工技术方案,修理方案要经特种设备安全监督部门批准,修理技术资料要存入锅炉技术档案。

(6)锅炉的改造要符合锅炉制造和安装的有关技术标准,锅炉运行参数的提高改造,在改造方案中,必须包括必要的计算资料。

(7)锅炉受压元件所用的金属材料及焊条、焊丝、焊剂要符合国家标准、专业标准或部颁标准,材料制造厂必须保证材料质量,并提供质量证明书。

(8)锅炉结构的各部分要有足够的强度,能得到可靠的冷却,按设计预定方向自由膨胀和满足便于操作、便于检修的要求。

(9)受压元件的焊接要进行焊接工艺评定,符合焊接工艺标准,焊缝质量要进行外观检查、无损探伤检查、机械性能试验、金相检验和断口检验及水压试验。

(10)锅炉正式胀接前要进行试胀和试胀工艺评定,胀接要严格按胀接工艺规程操作,要认真检查胀接质量并做好记录。

(11)锅炉的安全装置要齐全、灵敏、安全、可靠。$D \geqslant 2$ t/h的锅炉,应装高低水位报警和低水位连锁保护装置;$D \geqslant 6$ t/h的锅炉,应装蒸汽超压报警和连锁保护装置。

(12)锅炉房的建造要符合本规程规定,符合《建筑设计防火规范》及《高层民用建筑设计防火规范》的要求。

(13)锅炉房主管人员应熟悉锅炉安全知识,水质符合 GB1576 的规定,蒸汽压力 $P \geqslant$ 3.8 MPa的锅炉,水质符合 GB12145 的规定。

第四节　热水锅炉安全技术监察规程

一、颁发时间

《热水锅炉安全技术监察规程》颁布时间为 1997 年 2 月,1998 年 1 月 1 日起执行。

二、颁发单位

《热水锅炉安全技术监察规程》由原劳动部以劳锅字[1997]8 号文件《关于颁发〈热水锅炉安全技术监察规程〉的通知》发布。国家质量监督检验检疫总局正组织专家修订,待新《热水锅炉安全技术监察规程》发布后,以新内容为准。

三、适用范围

《热水锅炉安全技术监察规程》适用于同时符合下列条件的以水为介质的固定式热水锅炉:①额定热功率大于或等于0.1 MW。②额定出水压力大于或等于0.1 MPa(表压)。

汽水两用锅炉应符合《蒸汽锅炉安全技术监察规程》要求,并应符合《热水锅炉安全技术监察规程》。

四、基本要点

《热水锅炉安全技术监察规程》共 12 章 156 条,包括总则、一般要求、材料、钢制锅炉的结构、受压元件的焊接、胀接、铸铁锅炉、主要附件和仪表、热水系统及附属设施、锅炉房、使用管理、检验。基本要点如下:

(1)锅炉的设计、制造、安装、使用、修理、改造和检验的要求基本同《蒸汽锅炉安全技术监察规程》。

(2)热水锅炉的进出水口均应装设温度仪表。对于额定热功率大于或等于14 MW的锅炉,安装在锅炉出水口的测量仪表应是记录式的。

(3)锅筒及每个回路下集箱的最低处都应装排污阀或放水阀。

(4)钢制锅炉的出水压力不应低于额定热水温度相应的饱和压力。

(5)在热水系统的最高处及容易集气的位置上应该装集汽储罐。

(6)热水循环系统必须有可靠的稳压措施和循环水的膨胀装置。

(7)热水系统的回水干管上,应装设除污器,并应定期排污。

第五节　有机热载体炉安全技术监察规程

一、颁发时间

《有机热载体炉安全技术监察规程》颁发时间为 1993 年 11 月 28 日,1993 年 11 月 28 日起执行。

二、颁发单位

由原劳动部以劳部发[1993]356 文件《关于颁发〈有机热载体炉安全技术监察规程〉的通知》发布。

三、适用范围

适用固定完成的有机热载体气相炉和有机热载体液相炉。也适用于以电加热的有机热载体炉,但电器加热部分除外。

国家质量监督检验检疫总局正组织专家修订,待新《有机热载体炉安全技术监察规程》发布后,以新内容为准。

四、基本要点

《有机热载体炉安全技术监察规程》共 6 章 37 条。包括总则、结构与技术要求、安全附件与仪表、辅助装置和阀门、使用管理、附则。基本要点如下:

(1)有机热载体的供货单位应提供有机热载体可靠的物理数据和化学性能资料,如最高使用温度、程度、闪点、残碳、酸值等。

(2)有机热载体炉及回流管结构应保证有机热载体自由流动以及有利于有机热载体从锅炉中排出。

(3)安全阀与筒体口连的短管上应串一只爆破片,气相炉安全阀和爆破片爆破的排放能力,应不小于气相炉额定蒸发量。

(4)气相炉的锅筒和出口集箱、液相炉进出口管道上,应装压力表。

(5)气相炉的锅筒上应安装两只彼此相连的液位计,液相炉的膨胀器应安装一只液位计。液位计的放液管必须接到储存罐上,放液管上应装有放液旋塞。有机热载体炉运行时,放液旋塞必须处于关闭状态。

(6)有机热载体的出口处,应装有超温报警和差压报警装置,气相炉有机热载体的出口处应装有超压报警装置。

(7)液相炉和系统应装接收热膨胀有机热载体容器。

(8)有机热载体使用单位,必须制定有机热载炉使用操作规程,人员持证操作。

第六节　锅炉压力容器的制造监督管理办法

一、颁发时间

《锅炉压力容器制造监督管理办法》颁发时间:2002 年 7 月 1 日国家质量监督检验检疫总局局务会议通过,自 2003 年 1 月 1 日起施行。

二、颁发单位

《锅炉压力容器制造监督管理办法》由中华人民共和国国家质量监督检验检疫总局第

22 号令发出。

三、适用范围

在中华人民共和国境内制造、使用的锅炉压力容器,国家实行制造资格许可制度和产品安全性能强制监督检验制度。锅炉压力容器是指:

(1)锅炉,包括承压蒸汽锅炉、承压热水锅炉、有机热载体锅炉。

(2)压力容器,包括:①最高工作压力大于及等于0.1 MPa(表压),且压力与容积的乘积大于及等于2.5 MPa·L的盛装气体、液化气体和最高工作温度高于及等于标准沸点的液体的各种压力容器;②公称工作压力大于及等于0.2 MPa(表压),且压力与容积的乘积大于及等于1.0 MPa·L的盛装气体、液化气体和标准沸点低于60 ℃的液体的各种气瓶;③医用氧舱。

四、基本要点

《锅炉压力容器制造监督管理办法》共6章35条,包括总则、制造许可、许可证管理、产品安全性能监督检验、罚则、附则。基本要点如下:

(1)目的、依据、适用范围。

(2)国家质量监督检验检疫总局、地方各级质量技术监督部门职责的规定。

(3)境内制造、使用的锅炉压力容器企业,取得制造许可证的规定。

(4)锅炉压力容器制造企业必须具备的条件。

(5)申请—受理—审查—批准—产品试制—发证的规定。

(6)对许可证管理的规定。

(7)产品安全性能监督检验的规定。

(8)罚则规定。

第七节 锅炉压力容器制造许可条件

一、颁发时间

《锅炉压力容器制造许可条件》颁发于2003年7月1日,自2004年1月1日起实施。

二、颁发单位

《锅炉压力容器制造许可条件》由中华人民共和国国家质量监督检验检疫总局以国质检锅[2003]194号发布。

三、适用范围

本条件适用于《锅炉压力容器的制造监督管理办法》中所规定的锅炉压力容器制造企业。

四、基本要点

《锅炉压力容器制造许可条件》共 7 章 64 条。包括总则、锅炉制造许可资源条件要求、压力容器制造许可资源条件、质量管理体系的基本要求、锅炉压力容器产品安全质量要求、安全附件制造许可资源条件要求、附则。基本要点如下：

(1)对锅炉压力容器制造许可资源条件要求,质量管理体系要求,锅炉压力容器产品安全质量要求。

(2)对企业建立与制造锅炉压力容器产品质量管理体系的规定。

(3)对企业的无损检测、热处理和理化性能检验的规定。

(4)锅炉制造企业必须具备锅炉制造和管理的技术力量的规定。

(5)厂房和技术设施的要求。

(6)A、B、C、D 级锅炉制造许可专项条件。

(7)质量管理体系人员的要求。

(8)技术人员和专业作业人员的要求。

第八节 锅炉压力容器制造许可工作程序

一、颁发时间

《锅炉压力容器制造许可工作程序》颁发时间为 2003 年 7 月 1 日,自 2004 年 1 月 1 日起实施。

二、颁发单位

《锅炉压力容器制造许可工作程序》由国家质量监督检验检疫总局国质检锅〔2003〕194 号《关于印发〈锅炉压容器制造许可工作程序〉的通知》发布。

三、适用范围

《锅炉压力容器制造许可工作程序》指锅炉压力容器及安全附件制造许可申请、受理、审查、证书的批准及颁发有效期时的换证程序。

四、基本要点

《锅炉压力容器制造许可工作程序》共 7 章 31 条。包括总则,申请,申请受理,审查,《制造许可证》的批复颁发和换证,许可证的注销、暂停和吊销程序,附则。基本要点如下:

(1)申请的提出。A、B、C 级锅炉和 A、B、C 级压力容器及安全阀、爆破片等安全附件制造许可向总局申请,D 级锅炉、D 级压力容器制造许可向省级质量技术监督部门申请。

(2)对提交申请资料的要求。

(3)对申请受理单位审查资料时间的要求。

(4)审查的规定。企业完成产品试制后,请评审机构评审,评审机构按评审要求制定评审计划,组织评审组,评审日程提前一周通知到申请企业。评审报告结论分为,符合条件、需要整改、不符合条件。评审结论为需要整改的企业应在 6 个月内完成。并将报告书面报评审组长,由评审组核实确认,符合许可条件的,评审结论应改为符合条件。6 个月内未完成整改的企业或整改后仍不符合许可条件的评审报告结论应改为不符合条件。

(5)制造许可证的批准颁发规定。发证部门的安全监察机构对鉴定评审报告进行审核并提出审核结论,符合许可条件的,由省安全监察机构上报发证部门签发制造许可证。此证 4 年内有效。

(6)许可证的注销、暂停和吊销程序。企业由于破产、转产等原因不再制造锅炉压力容器时,应将此证交回发证部门办理注销。对持证制造企业实施暂停时,发证部门应书面通知企业,明确责令改证的内容和时限。对持证制造企业实施吊销时,发证部门应书面通知制造企业,说明吊销的原因。企业将证交回发证部门。

第九节 锅炉压力容器产品安全性能监督检验规则

一、颁发时间

《锅炉压力容器产品安全性能监督检验规则》颁发时间为 2003 年 7 月 1 日,自 2004 年 1 月 1 日起执行。

二、颁发单位

《锅炉压力容器产品安全性能监督检验规则》由国家质量监督检验检疫总局国质检锅[2003]194 号《关于印发〈锅炉压力容器产品安全性能监督检验规则〉的通知》发布。

三、适用范围

适用于《锅炉压力容器制造监督管理办法》所列锅炉压力容器产品及其部件的安全性能监督检验。

四、基本要点

《锅炉压力容器产品安全性能监督检验规则》共 5 章 26 条。包括总则、监检项目和方法、监检单位和监检员、受检企业、附则。其基本要点如下:

(1)监检授权。境内锅炉压力容器制造企业的锅炉压力容器产品安全性能监检,由企业所在地的省级质量技术监督部门特种设备安全监察机构授权。境外锅炉压力容器制造企业的锅炉压力容器的安全性能监检工作,由国家质量监督检验检疫总局特种设备安全监察机构授权有相应资格的检验单位承担。

(2)对监检单位的要求。接受监检的企业,必须持有锅炉压力容器制造许可证,监检工作应当在锅炉压力容器制造现场,在其制造过程中进行。监检单位应当对所承担的监检工作质量负责。

(3)监检工作的依据:《蒸汽锅炉安全技术监察规程》、《热水锅炉安全技术监察规程》、

《有机热载体炉安全技术监察规程》、《压力容器安全技术监察规程》、《超高压容器安全技术监察规程》、《医用氧舱安全管理规定》、《液化气体汽车罐车安全监察规程》、《气瓶安全监察规程》等。

(4)对监检项目A类和B类项目的要求。对A类项目,监检员必须到场进行监检,并在受检企业提供的见证文件上签字确认,未经监检确认,不得流转至下一道工序。对B类项目,监检员可以到场进行,如不能到场监检,可在受检企业自检后,对受检企业提供的见证文件进行审查签字确认。

(5)监检单位向企业公告监检大纲、工作程序、人员及其资格项目的要求。

(6)监检员的职责。

(7)对受检企业产品质量体系的要求。

第十节　特种设备行政许可鉴定评审管理与监督规则

一、颁发时间

《特种设备行政许可鉴定评审管理与监督规则》颁发时间为2005年7月11日,自印发之日起施行。

二、颁发单位

《特种设备行政许可鉴定评审管理与监督规则》由国家质量监督检验检疫总局国质检特[2005]220号《关于印发〈特种设备行政许可鉴定评审管理与监督规则〉的通知》发布。

三、适用范围

特种设备行政许可鉴定评审,是对申请特种设备设计、制造、安装、改造、维修、充装和检验检测的单位,是否符合许可条件所进行的技术鉴定和条件审查工作。

四、基本要点

《特种设备行政许可鉴定评审管理与监督规则》共5章43条。包括总则、鉴定评审机构的确定和人员考核、鉴定评审工作及要求、监督管理、附则。基本要点如下:

(1)评审目的:规范鉴定评审活动,保证鉴定评审质量。

(2)鉴定评审机构依据:依据国家有关法律、法规、规章、安全技术规范和标准的要求实施鉴定。

(3)鉴定评审工作原则:按照公开、公平、公正和便民高效的原则。严禁工作中弄虚作假、牟取私利。

(4)鉴定评审机构的确定:根据统筹规划、合理布局的原则,每个许可项目一般不少于2个鉴定评审机构。

(5)鉴定评审机构具备的条件:有10名以上考核合格的鉴定评审人员,每个评审项目至少有3名鉴定评审人员;鉴定评审机构的技术负责人有高级工程师职称、有5年以上特种设备相关工作经历;有办公场所、工作设施、文件资料保存设施等工作条件;建立质量管理体系;有相应的法律、法规、规章、安全技术规范及标准。

(6)鉴定评审员的条件:熟悉特种设备安全质量管理,掌握特种设备有关法律、法规、安全技术和标准;了解与鉴定评审项目相关的生产、检验检测工作管理要求、工艺流程、检验试验方法;具有工程师以上职称,有 5 年与所从事鉴定评审项目相关的特种设备生产、检验检测或安全管理工作经历,能够根据鉴定评审做出符合性判断。

(7)对鉴定机构人员聘用的要求:评审人员须签订聘任合同,聘用期不得少于 1 年,且仅聘于 1 个鉴定评审机构。

(8)鉴定评审机构工作程序。申请单位邀请鉴定评审,并向鉴定评审机构提交以下资料:①特种设备鉴定评审邀请函;②特种设备行政许可申请书;③质量管理手册。

第十一节　锅炉压力容器使用登记管理办法

一、颁发时间

《锅炉压力容器使用登记管理办法》颁发时间为 2003 年 7 月 14 日,自 2003 年 9 月 1 日起执行。

二、颁发单位

《锅炉压力容器使用登记管理办法》由国家质量监督检验检疫总局以国质检锅[2003] 207 号文件《关于印发〈锅炉压力容器使用登记管理办法〉的通知》发布。

三、适用范围

《锅炉压力容器使用登记管理办法》适用于使用下列锅炉压力容器:

(1)《蒸汽锅炉安全技术监督规程》、《热水锅炉安全技术监督规程》和《有机热载体炉安全技术监察规程》适用范围内的锅炉。

(2)《压力容器安全技术监察规程》、《超高压容器安全技术监察规程》、《医用氧舱安全管理规定》适用范围内固定式压力容器、移动式压力容器(铁路罐车、汽车罐车、罐式集装箱)和氧舱。

四、基本要点

《锅炉压力容器使用登记管理办法》共 5 章 38 条,包括总则、使用登记、变更登记、监督管理、附则。

其基本要点如下:

(1)省级质量监督部门和设区的市的质量监督部门是锅炉压力容器使用登记机关。

(2)每台锅炉压力容器在投入使用前或者投入使用后 30 日内,使用单位到登记机关申请办理使用证。

(3)使用单位申请办理使用证应提交的有关技术资料的内容。

(4)对登记机关办理申请的要求。

(5)对变更登记的要求和内容。

(6)对登记机关办理登记的程序、时间、工作质量及监管的要求。

第十二节　锅炉安装监督检验规则

一、颁发时间

《锅炉安装监督检验规则》颁发时间为 2004 年 6 月 23 日,自 2004 年 9 月 23 日起执行。

二、颁发单位

《锅炉安装监督检验规则》则由中华人民共和国国家质量监督检验检疫总局颁布。

三、适用范围

凡是在中华人民共和国境内安装《条例》规定范围内的锅炉,其安装过程应当按照本规则的规定进行监督检验。

四、基本要点

《锅炉安装监督检验规则》共 3 章 17 条,包括总则,安装监督检验的程序、项目和要求,附则。其基本要点如下:

(1)安装监督检验,是对安装过程的强制性、验证性的法定检验。

(2)锅炉安装监督检验的依据是《蒸汽锅炉安全技术监察规程》、《热水锅炉安全技术监察规程》等相关安全技术规范、标准。

(3)安装监督检验的程序:安装单位施工前,在向市地级质量技术监督部门书面通知后,在当地监检机构申请,监检机构制订实施方案派检验人员检验。

(4)监检机构按监检大纲、监检项目的要求进行检验。

(5)对监检机构出具安装监督检验报告的要求。

(6)对检验报告的内容的要求。

第十三节　锅炉定期检验规则

一、颁发时间

《锅炉定期检验规则》颁发时间为 1999 年 9 月 3 日,自 2000 年 1 月 1 日执行。

二、颁发单位

《锅炉定期检验规则》由国家质量技术监督局以质技术监局锅发[1999]202 号文件《关于印发〈锅炉定期检验规则〉的通知》发布。

三、适用范围

《锅炉定期检验规则》适用于承压的以水为介质的固定式蒸汽锅炉和热水锅炉。

四、基本要点

《锅炉定期检验规则》共 5 章 65 条,包括总则、内部检验、外部检验、水压试验、附则。其基本要点如下:

(1)锅炉定期检验包括的内容。

(2)外部检验、内部检验、水压试验年限的规定。

(3)从事锅炉检验工作单位及人员资格的要求。

(4)工业锅炉内部检验前准备定期检验的重点。

(5)电站锅炉内部检验前的要求。

(6)锅筒、水冷壁、上下集箱、省煤器、过热器、再热器、减温器、管道、膨胀指示装置、主要承重部件等检验的重点。

(7)对检验结论的规定。

(8)外部检验的内容。

(9)外部检验结论的规定。

(10)水压试验的准备工作及过程的要求。

(11)水压试验的合格判定的规定。

第十四节　锅炉压力容器压力管道特种设备事故处理规定

一、颁发时间

《锅炉压力容器压力管道特种设备事故处理规定》颁发时间为 2001 年 9 月 17 日,自 2001 年 11 月 15 日起执行。

二、颁发单位

《锅炉压力容器压力管道特种设备事故处理规定》由国家质量监督检验检疫总局第 2 号发布。

三、适用范围

《锅炉压力容器压力管道特种设备事故处理规定》适用于锅炉、压力容器、压力管道、特种设备发生事故的报告、调查、处理以及事故的统计、分析。

四、基本要点

《锅炉压力容器压力管道特种设备事故处理规定》共 7 章 28 条,包括总则、事故报告、事故调查、事故处理、事故统计分析、罚则、附则。其具体要点如下：

　　(1)对发生特种设备事故保护现场、抢救人员、防止事故扩展的要求。

　　(2)特别重大、特大、重大、严重、一般事故的划分。

　　(3)国家质量监督检验检疫总局锅炉压力容器压力管道特种设备事故调查处理中心的职责。

　　(4)发生事故的报告内容及不同事故报告的部门。

　　(5)事故调查工作原则。

　　(6)根据事故大小、组成不同事故调查组的要求。

　　(7)事故调查组的职责。

　　(8)事故调查组的权利。

　　(9)对事故处理的要求。

　　(10)对事故分析的要求。

　　(11)罚则的要求。

第四章 锅炉房建造管理

第一节 锅炉房的建筑要求

一、锅炉房的位置选择

锅炉房的位置选择应注意以下几点：

(1)为减少烟、灰、煤对厂区及生活区的污染,锅炉房应位于当地常年主导风向的下风侧。

(2)锅炉房应有较好的朝向,以利于自然通风和采光,同时炉前操作处应尽量避免日晒。

(3)锅炉房与生产厂房或库房之间的距离应符合防火标准的规定。

(4)锅炉房位置应力求靠近热负荷比较集中的地区。这样可以缩短蒸汽管道,节约管材,减少压力降和热损失,而且也简化了管路系统的设计、施工与维修。当厂区内管道种类较多时,尚须统筹考虑,使管道布置经济合理。

(5)为便于燃料的储运和灰渣的排除,在锅炉房附近要有足够的面积以储存燃料、堆放灰渣。燃料的运入和灰渣的运出尽可能与全厂及地区的运输相结合,尽量考虑靠近河道、公路或铁路线。

(6)锅炉房宜位于供热区标高较低的位置,以利于回收凝结水;但锅炉房的地面标高至少高出洪水位 500 mm。

(7)考虑到扩建的可能性,在锅炉房附近应留有今后扩建的余地。

二、锅炉房的建造形式

(1)锅炉一般应装在单独建造的锅炉房内。锅炉房不应直接设在聚集人多的房间(如公共浴室、教室、餐厅、影剧院的观众厅、候车室等)或在上面、下面、紧邻主要疏散口的两旁。新建的锅炉房不应与住宅相连。

(2)锅炉房如设在多层或高层建筑的半地下室或第一层中,则必须同时符合以下条件:①每台锅炉的额定蒸发量不超过 10 t/h,额定蒸汽压力不超过 1.6 MPa;②每台锅炉必须有可靠的超压连锁保护装置和低水位连锁保护装置;③每台锅炉的安全附件和连锁保护装置要定期维护和试验,以保证其灵敏、可靠;④锅炉间的建筑结构应有相应的防爆措施;⑤独立操作的司炉工人必须持有相应级别的司炉操作证,且连续操作同类别锅炉 5 年以上,未发生过事故;⑥必须有安全疏散通道。

(3)锅炉房不宜设在高层或多层建筑的地下室、楼层中间或顶层,但由于条件限制需要设置时,除符合《蒸汽锅炉安全技术监察规程》第 184 条的要求外,还应符合以下条件,且锅炉房的设置应事先征得市、地级及以上安全监察机构同意:①每台锅炉的额定蒸发量不超过 4 t/h,额定蒸汽压力不超过 1.6 MPa;②必须是用油、气体作燃料或电加热的锅炉;③燃料供应管路的连接采用氩弧焊打底。此外,当锅炉房设置在地下室时,应采取强制通风措施。

三、锅炉房的防火等级

锅炉房建筑的耐火等级和防火要求应符合《建筑设计防火规范》及《高层民用建筑设计防火规范》的要求。锅炉间的外墙或屋顶至少有相当于锅炉间占地面积10%的泄压面积,如玻璃窗、天窗、薄墙等。泄压处不得与聚集人多的房间和通道相邻。

第二节　锅炉房的使用要求

一、锅炉房的内部布置

(一)锅炉房的工艺布置要求

采用合理的工艺流程,系统应力求简捷,减少附件、配件,在不妨碍安全运行和检修方便的条件下,照顾建筑模数和其他土建上的要求,并使建筑面积布置紧凑,结构简单实用,自然通风和采光良好。

根据实际需要,锅炉房应考虑扩建的可能性和分期建设的合理性。

在布置鼓风机、引风机、水泵等辅机时,应尽量减少其震动和噪声对操作人员和仪器、仪表等影响。

锅炉房的储煤斗一般设在炉前,运煤层的标高除要求煤斗有足够的容量外,还应使煤斗及溜煤管的倾斜度符合要求。同时,也应使建筑结构合理,不能影响炉前操作和自然采光。

锅炉房的锅炉间、水泵间、水处理间、修理间、化验室、生活室和办公室等均宜布置在同一建筑物内,辅助间应设于锅炉房的固定端,另一端留做发展扩建用。化验室应布置在光线充足、噪声和震动影响较小的地方。修理间应布置在锅炉房的底层。

(二)锅炉房的设备布置要求

锅炉的最高地点和通道到其上方锅炉房顶部最低结构的净距不应小于 2 m;在锅筒、省煤器等上部不需通行和检修时,则从这些部件到其上方锅炉房顶部最低结构的净距应不小于 0.7 m。

锅炉前端到锅炉房前墙的距离应满足锅炉的操作、检修等需要,但不应小于 3 m。对于需要在炉前拨火、清炉等操作的燃煤锅炉,此距离应大于燃烧室总长 2 m 以上;对于装有链条炉排的燃烧室,此距离应该保证可以检修炉排。

锅炉之间、锅炉与锅炉房侧墙之间的距离,应根据操作、检修或布置辅助设施的需要决定,但其通道净距不应小于 0.8 m。

锅炉房所有通道的布置应有更换锅炉和其他附件的可能。

鼓风机、引风机和水泵之间的通道,一般不应小于 0.7 m。如果上述设备布置在偏屋内,则从偏屋顶凸出部分之间的净距离应满足设备操作和检修的需要,但不应小于 2.5 m。过滤器和离子交换器前面的操作通道不应小于 1.2 m。其顶端到上方楼板或屋面上凸出部分之间的净距,应满足安装和装卸物料的需要。

人工除渣时,从除灰室地坪到火烧灰渣斗出口的高度至少应为 1.9 m 采用机械出渣时,上述高度应比火车调高 0.5 m。除灰室宽度应至少满足两边墙离火车各有 0.7 m 的距离。

燃油、燃气和煤粉锅炉应考虑设置防爆门。防爆门一般布置在燃烧室、锅炉出口烟道、水平烟道或倾斜度 30°的烟道上。每台锅炉烟道防爆门的总面积不应小于 0.4 m²。

为了便于操作管理,锅炉房应设置有标杆和永久性扶梯与平台。锅炉与锅炉之间的平台可根据需要加以连通。对于需要经常检修的部件和热工仪表,均应设置相应的平台。平台、扶梯应采用不燃烧、防滑的材料制成。平台、扶梯的设置要符合以下几点要求:①操作平台的宽度不应小于 800 mm,其他平台宽度不应小于 600 mm。②平台与扶梯都应设有栏杆,标杆高度不应低于 1 m,以防止工具落下伤人。③扶梯的倾斜度以 45°~50°为宜。如果布置上有困难,倾斜度可以适当增加,但不宜超过 70°。④扶梯宽度不应小于 600 mm,踏步宽度不应小于 800 mm,踏步的高度应力求统一,并且不应超过 200 mm。⑤高度超过 4 m 的扶梯,每隔 3~4 m 高度须设平台一处,在所有平台、扶梯上空应有高度不小于 2 m 的空间。

二、锅炉房的安全出口

每层至少应有两个出口,分别设在两侧。

锅炉前端的总宽度(包括锅炉之间的过道在内)不超过 12 m,且锅炉房不超过 200 m² 的单层锅炉房可开设一个出口。

锅炉房通向室外的门应向外开,在锅炉运行期间不准锁住或闩住,锅炉房内工作室或生活室的门应向锅炉房内开。锅炉房的出入口和通道内不应堆放任何影响通行的物品,更不允许将出入口和通道堵死,要保证锅炉房的出入口和通道畅通无阻。

三、锅炉房的通风与照明

(一)锅炉房通风要求
(1)锅炉房的建筑应考虑良好的自然通风条件,充分利用地形地物和日晒温差,合理利用气流风向,以保证自然通风的条件。
(2)锅炉房屋顶应开设通风天窗,侧墙上开设通风采光窗,有条件的单位设排风扇等通风设施。
(3)在炎热地区,可在锅炉间前墙上开门或不砌筑前墙,但应采取防雨措施。
(4)楼层布置的锅炉房,在操作层的前墙轴线外,最好设置阳台等。
(二)锅炉房的照明要求
锅炉房内应有足够的光线,其亮度要满足安全操作的要求。
在锅炉房内的操作地点以及水位表、压力表、温度计、流量计等处,应有足够的照明。
锅炉房应有备用的照明设备和工具,以备锅炉房突然停电、处理紧急事故照明。

四、锅炉房的清洁卫生

锅炉房的地面以及除灰间的地面,至少高出室外地面的 150 mm,以免积水和便于排水。锅炉房内的地面应平整无台阶。外门的台阶应做成坡道以利于物品运输和人员行走。

锅炉房内不准堆放与锅炉安全运行无关的物品,地面不允许有积灰和积水。防止设备和管道的跑、冒、滴、漏,锅炉房内设备和管道的泄漏率要严格控制在 2‰ 以下。

设备和管道不允许有积灰、油腻和保温油漆脱落现象。

锅炉房各设备和管道在运行时其振动噪声不应高于 85 dB。

第三节　锅炉房的图纸审批

锅炉房设计的好坏,直接影响锅炉房的建造质量,对锅炉的安全运行也有很大的影响。因此,锅炉的设计要符合《蒸汽锅炉安全技术监察规程》和《工业锅炉房设计规范》的有关规定。

一、锅炉房的设计程序

根据用汽量的大小、压力、燃料等技术参数确定锅炉房的规模,选定锅炉的台数、规格和型号。

根据锅炉房的规模、地形地物、气象条件和场地面积等选择锅炉房的位置。

画出标明锅炉房与相邻建筑物距离的平面布置图。

将锅炉房建筑红线图分别报请城市规划部门、环境部门和城市消防等部门审查批准。

由专业设计部门组织锅炉房施工图纸的设计。

二、锅炉房的申报资料

锅炉房的申报资料包括以下几方面:

(1)城市规划、环保、消防的审批文函;

(2)标明与有关建筑物距离的锅炉房建筑平面布置图;

(3)锅炉房内工艺管道和锅炉设备平面布置图;

(4)锅炉房设计中与安全有关的所有图纸。

三、锅炉房的审批单位

锅炉房设计图纸一般由地、市级质量监督部门负责审批。

四、锅炉房的审批要求

锅炉房审批的申报材料要齐全。

锅炉房的设计要符合《蒸汽锅炉安全技术监察规程》和《热水锅炉安全技术监察规程》、《有机热载体锅炉安全技术监察规程》的有关规定。

锅炉房的设计要符合《工业锅炉房设计规范》的要求。

锅炉房设计图纸必须办理审批手续。

任何单位和个人不得违背锅炉房设计审批规定而私自建造锅炉房。

第五章　锅炉的购置管理

第一节　购置前应做的管理工作

一、收集信息

(1)根据用汽量、燃料拟定锅炉的参数、结构、燃烧方式、台数和规格型号。

(2)委托锅炉房的设计部门协助了解和选定锅炉产品。

(3)按拟定待购的锅炉参数和规格型号,了解、对比锅炉制造公司质量情况,拟定制造公司和品种。

二、购置前向当地特种设备监督部门了解锅炉制造公司的情况

对锅炉的购置,应事先征求特种设备监督部门的意见,以免在锅炉购置方面上当受骗。近几年有不少这方面的教训,有的单位购买了非国家定点公司的锅炉,致使锅炉不准安装;有的单位购买茶水炉当蒸汽锅炉用,造成锅炉爆炸;有的单位将报废的锅炉买来使用,使运行潜伏着很大的隐患。因此,锅炉使用单位在购置锅炉前,很有必要将情况报告当地质量技术监督部门,请专业技术人员帮助审查有关资料,选定合格的锅炉产品。

第二节　购置国家定点公司的锅炉产品

一、国家定点公司的概念

所谓国家定点生产公司,即经国家质量监督检验检疫总局或者省质量技术局批准发证,同意制造锅炉的生产公司。

二、制造锅炉许可资源条件要求

(一)基本条件

锅炉制造许可申请的企业应具有独立法人资格,并在当地政府部门注册登记,必须具备适应锅炉制造和管理的技术力量。

(1)应配备锅炉制造、机械加工、无损检测、焊接、材料、质量管理等各类工程技术人员,A、B级许可证企业工程技术人员比例不少于本企业职工人数的10%,C、D级许可企业工程技术人员比例不少于本企业职工的5%,且不少于5人。其中,各级锅炉制造企业必须配备足够且能满足制造需要的锅炉和焊接专业技术人员。

(2)制造锅炉的各个环节(设计、工艺、材料、冷作、热加工、机加工、成型加工、焊接、无

损检测、热处理、压力试验、产品检验、标准化、计量、质量管理等)须有相关责任工程师负责。

(3)有锅炉制造专业大学毕业生或从事锅炉工作多年具有一定锅炉专业知识的技术人员;有与锅炉类别、品种相适应的技术工人和合格焊工;能严格执行锅炉制造的有关规程、规定和标准。

有完整的生产图纸,有健全的设计、工艺、质量检验机构和相应的制度。

有保证锅炉产品质量所必需的工装设备和检测手段。

(二)定点锅炉制造厂家的级别划分

锅炉制造单位必须持有制造许可证。制造许可证分 A、B、C、D 级。

三、购置锅炉的产品质量要合格

一般来说,国家定点公司生产的锅炉产品都应该是合格产品,但是由于各地和各企业的具体情况不同,往往会出现某企业管理不善和某些部门把关不严等特殊问题。为了正确地认识锅炉产品质量,现将有关锅炉产品专业技术标准要求简单介绍如下。

锅炉的设计制造除要符合《蒸汽锅炉安全技术监察规程》和《热水锅炉安全技术监察规程》的要求以外,还必须符合国家锅炉产品专业技术标准的要求。下面列出锅炉部分专业技术标准,供检查锅炉产品质量时查找。

(1)水管式锅炉受压元件强度计算。

(2)锅壳式锅炉受压元件强度计算。

(3)锅炉集箱制造技术条件。

(4)锅炉管子制造技术条件。

(5)锅炉水压试验技术条件。

(6)锅炉受压元件焊接接头机械性能检验方法。

(7)锅壳式锅炉受压元件制造技术条件。

(8)锅壳式锅炉本体总装技术条件。

(9)锅炉钢结构制造技术条件。

(10)锅炉烟箱、烟囱制造技术条件。

(11)锅炉油漆和包装技术条件。

(12)锅炉内部装置技术条件。

(13)锅炉原材料入厂的验收标准。

(14)工业锅炉质量分等标准。

锅炉专业技术标准很多,有国家标准、部颁标准、地方标准和企业标准,这里列举的仅仅是主要的一小部分。另如,辅机附件的制造标准、管道阀门的标准、材料及产品质量的检验标准等。

四、工业锅炉质量分等标准

(一)工业锅炉质量分等标准的适用范围

工业锅炉质量分等标准是为了贯彻国家有关产品质量方面的方针政策,评定锅炉产品质量检验标准。这个标准适用于《工业锅炉产品型号编制方法》中所包括的各类型工业锅炉的质量评定,是企业考核产品、特种设备监督部门对制造厂自检合格产品进行复查等的技术依据,检验检测机构的驻公司监检工作也是按本规定的要求进行的。

(二)对受检产品的基本要求

受检产品的制造必须符合《蒸汽锅炉安全技术监察规程》、《热水锅炉安全技术监察规程》和有关专业标准的要求,产品性能必须全部达到《工业产品技术条件》的规定;否则,定为不合格产品。

受检产品的图纸和技术文件必须齐全、完整,受检产品的设计图纸必须经国家审查批准。未经审查批准而成批生产者,定为不合格产品。

受检产品必须具有鉴定会议通过的产品鉴定报告。无测试报告或热工测试不符合《工业锅炉热工试验锅炉》的规定者,定为不合格产品。

(三)锅炉产品质量的分等原则

根据锅炉产品的质量水平和使用价值,按下列分等原则将锅炉产品评定为合格、一等品和优等品:①对产品性能质量要求的分等原则;②对产品制造质量要求的分等原则;③对锅炉附件及配套产品要求的分等原则;④对产品技术资料要求的分等原则。

(四)受检产品的检查评定项目

(1)对受压元件的材质和焊接材料的复查。

(2)对受压元件焊接头的复查。

(3)对受压元件焊接缝的无损探伤的复查。

(4)对受压元件焊接缝一次合格率的评定。

(5)对锅炉胀管质量和胀管率计算方法的复查和评定。

(6)对锅炉水压试验的复查。

(7)对燃烧设备机械加工质量的复查。

(8)对炉排及传动装置整体试车的复查。

(9)对外购配套产品的复查。

(10)对锅炉总体组装制造质量的复查。

(11)对锅炉零部件制造质量的复查。

五、购置锅炉的图纸资料要齐全

《蒸汽锅炉安全技术监察规程》中第八条规定,锅炉出厂时,必须附有与安全有关的技术资料,其内容包括以下几方面。

(一)锅炉图样

(1)总图。要求总图标题栏的上方加盖审查批准标记。

(2)安装图。要求详细注明锅炉安装的平面尺寸、基础及各部件辅机的安装标高,同时注明本体和辅机安装基础的施工材料和要求。

(3)主要受压部件图。包括锅筒、集箱、炉胆、封头、管子等主要受压部件图,采用标准设计的受压部件可以直接提供所采用的标准号。

(二)受压元件强度计算书

计算要按国家现行强度计算标准计算,计算要采用国家法定的计量单位,受压元件强度计算书的首封页应加盖安全监察机构公章。

(三)安全阀排放量的计算书

计算时,安全阀入口处的蒸汽压力要选安全阀排汽时蒸汽压力,安全阀的排汽面积不允许直接套用安全阀的公称直径,应按安全阀的流道直径或按制造厂所规定的面积计算,或按安全阀的型式而选定,不允许盲目选取最大值或最小值。

(四)锅炉质量证明书

(1)出厂合格证。出厂合格证一般由制造厂质量检验部门签发,受监检的产品,还应包括监检证书检验检测的质量监检证明。

(2)金属材料证明。包括锅炉主要受压部件的材质证明,其内容为机械性能和化学成分的试验和分析数据。

(3)焊接质量证明。包括锅炉受压元件焊接接头的外观检查、无损探伤检查、机械性能检查及金相检验和断口检验的报告数据等。

(五)水压试验证明

要求水压试验证明中载明试验的时间、检查的内容、缺欠的处理、合格的标准,以及由试验者、检查者和监察者共同签署的意见。

(六)锅炉安装说明书

安装说明书的内容应包括以下几部分:

(1)安装前做的准备工作。

(2)安装的工艺要求。

(3)安装的注意事项。

(4)安装的质量检验。

(5)安装的水压试验和竣工验收等。

(七)使用说明书

使用说明书的内容应包括以下几部分:

(1)锅炉的结构特点和性能特点。

(2)锅炉点火前的准备工作(包括内外部检查、烘炉、煮炉和水压试验等)。

(3)锅炉点火升压的操作要求。

(4)锅炉运行中调整要求。

(5)锅炉运行事故的预防和处理。

(6)锅炉停炉操作及停炉后的保养要求等。

(八)受压元件设计变更通知书

在锅炉的安全监督工作中,有时发现使用单位购进的新锅炉与原设计不一致。经询问锅炉制造单位才知道,在制造过程中,某些受压元件已做了修改,但出厂所有带来的技术资料中未能反映出来,这样给锅炉的安装和使用带来了诸多的不便。为了防止制造过程中擅自修改原设计和便于用户了解设计变更的内容,要求必须有变更审批手续齐全的设计变更通知书。

第三节　购置后应做的管理工作

一、报送有关资料

将锅炉出厂时附带的资料送当地质量技术监督部门审查。

二、检查锅炉及辅机

检查锅炉产品的制造质量和辅机附件的配套情况。

三、处理遗缺问题

若锅炉的出厂资料、制造质量和辅机附件配套方面有问题,通知制造单位进行处理,直至产品符合要求为止。

四、进行锅炉房设计

根据购置的锅炉,请设计部门配套设计锅炉房。若锅炉房在购置前已由设计部门完成设计,也应对照新购置的锅炉复核是否与所购锅炉的要求一致。

五、锅炉房建设和锅炉安装

上述工作全部完成以后,应根据工程的进展情况,着手安排锅炉房的建造和锅炉安装的准备工作。

六、对报废锅炉的处理要求

若购置的锅炉为非国家定点单位生产的锅炉和特种设备监督部门已宣布报废的废旧锅炉,用炉单位一定不能私自安装使用。违者应追究有关人员的责任。

七、对移装锅炉的处置要求

若用移装其他单位的旧锅炉,甲乙双方必须到当地特种设备监督部门办理过户手续,移交所有技术资料,并认真检查锅炉的内在质量。在锅炉资料齐全和无重大缺陷,能保证安全运行的前提下,才准许移装使用。

第六章　锅炉安装管理

锅炉安装是锅炉制造的继续。锅炉制造质量的高低与锅炉安全经济的运行有非常密切的关系。同样,锅炉安装对锅炉安全经济运行来说,也是一个不容忽视的重要环节。因此,要求锅炉的管理人员也要了解锅炉安装方面的基本知识。

第一节　锅炉安装的分类

锅炉安装一般分整装锅炉安装和散装锅炉安装两种。

一、整装锅炉安装

立式锅炉包括多水管锅炉、水火管锅炉和立式燃油、立式燃气锅炉等。

快装锅炉包括水管式快装锅炉和水火管组合式快装锅炉,还有需要现场砌筑炉墙的整装式锅炉。

这些整装锅炉蒸发量一般都在 6 t/h 以下,个别燃油、燃气锅炉可以整装到蒸发量为 10 t/h,甚至蒸发量为 20 t/h。

二、散装锅炉安装

(一)半散装锅炉安装

这种锅炉一般出厂时将锅炉本体分成几部分,如上下锅筒与对流管束一体、水冷壁系统为一体、燃烧设备为一体等。再如沸腾炉布风装置为一体、沸腾段为一体、燃烧设备为一体、悬浮段为一体等。

(二)全散装锅炉安装

这种锅炉一般蒸发量都在 4 t/h 以上,也有少数特殊工艺要求需要安装蒸发量小于 4 t/h 的散装锅炉。这种锅炉的锅筒、集箱、对流管、水冷壁、燃烧设备等都是单件出厂,需要在工地上逐件组装,这种组装工作量实际上占锅炉整个制造工作量的 50% 左右。

三、锅炉安装的管理重要性

(一)锅炉设备的特殊性要求重视安装

锅炉容易损坏而且具有爆炸危险性。它的工作环境非常恶劣,不仅承受着较高温度和压力的交变作用,而且要承受着严重的腐蚀和磨损。锅炉安装上的质量隐患,将直接危及锅炉的安全运行。例如锅炉的胀接质量不好,将会直接影响锅炉的承担强度;锅炉的筑炉质量不好,不仅影响锅炉燃烧,而且降低锅炉热效率。因此,我们必须重视锅炉安装工作,确保锅炉安装质量。

(二)锅炉设计制造工艺要求重视安装

散装锅炉的安装工作量占整个锅炉制造工作量的 50% 左右,倘若不重视锅炉安装质量,势必不能圆满地完成锅炉的制造任务。因此可以说,锅炉制造质量的好坏是锅炉安全运行的先天性条件,同样锅炉安装质量的好坏对锅炉安全运行也是至关重要的。锅炉安装是锅炉制造的继续,是锅炉生产的最后一关,而且是最重要的一个阶段,我们必须重视这个阶段的管理工作,为锅炉安全运行创造良好的先决条件。

第二节　锅炉专业安装单位

锅炉安装技术性强、涉及面广,要确保锅炉安装质量,锅炉安装任务必须由具有一定技术水平和安装经验的专业性队伍来承担。

一、锅炉专业安装单位应具备的条件

锅炉专业安装单位必须具备下列条件:

(1)具有一定的锅炉安装经验,一般应有 3 年以上的锅炉安装历史,安装质量良好。

(2)拥有安装需要的各类技术人员(必须是安装单位的正式职工,文化程度一般为中专学历,分别掌握锅炉结构施工工艺、技术检验、土建、电气、机械等有关知识,并能贯彻执行相关规程、规定和标准)。

(3)具有安装所需要的各类专业工种。焊工应是合格的焊工,其操作技能应与申请的安装设备相适应;胀管工人应具有胀接方面的基本知识和熟练的操作技能。

(4)具有正式的施工工艺程序、焊接工艺评定试验及胀接工艺。

(5)具有与所申请的安装设备相适应的安装机具。

(6)具有完整的质量检验制度及原材料、锅炉元件验收制度。

二、锅炉专业安装单位的管理

锅炉专业安装单位必须严格加强管理,制止无证锅炉安装、施工和粗制滥造,其具体要求如下:

(1)锅炉专业安装单位的审批,一般只在现有的安装单位中进行,对新建锅炉安装单位应严加控制。

(2)专业安装单位经本省(市、区)特种设备监督部门批准后,跨省安装时,不需要再办理审批手续,但应接受当地锅炉压力容器安全监察机构对其安装质量的监督。

(3)安装单位不能保证安装质量,多次发生安装质量问题,或因安装质量问题发生重大事故或爆炸事故,原审批省(市、区)特种设备监督部门可责令限期整顿,以致撤销其安装资格。

三、锅炉安装前的准备工作

锅炉安装前的准备工作十分重要,是保证锅炉安装质量的重要一环,对整个工程的顺利进行有非常密切的关系。因此,每个锅炉专业安装单位都必须十分重视锅炉安装前的准备工作。

（一）熟悉和审查锅炉安装的技术资料

安装单位对技术资料进行自审。锅炉安装前，安装单位要组织工程技术人员和其他施工人员，对甲方提供的技术资料进行阅读、熟悉和审查。需要审查的资料包括：

（1）锅炉出厂时，应附带与安全有关的技术资料，具体有：①锅炉图样（总图、安装图和主要受压部件图）；②受压元件的强度计算书；③安全阀排放量的计算书；④锅炉质量证明（包括出厂合格证、金属材料证明、焊接质量证明和水压试验证明）；⑤锅炉安装说明书和使用说明书；⑥受压元件设计更改通知书；⑦监检证明书。

（2）锅炉房设计有关资料，具体有：①标明与有关建筑物距离的锅炉房建筑红线图；②规划、环保、消防等部门批复的函件；③锅炉房工艺布置及工艺系统图；④锅炉房建筑设计施工图及安装基础图。

（二）三方对技术资料进行会审

在建设单位和安装单位双方对锅炉安装资料进行自审的基础上，建设单位、安装单位和设计单位三方组织有关工程技术人员及施工人员对锅炉安装资料进行会审。会审要拟定程序，详细记录会审中发现的问题，研究解决这些问题的具体措施。如发现资料不全、设计图纸有错误或锅炉总图审查批准标记及产品合格证上检验检测部门监检签章等有疑问时，应及时设法解决处理。

（三）向当地特种设备监督部门及时报审

如锅炉房设计中有违背相关规程、规范的地方，特种设备监督部门有权监督设计部门按相关规程、规范进行修改、变更；如锅炉出厂资料不全或不符合要求时，有权责令锅炉制造厂按要求补全资料。建设单位和安装单位双方在未得当地特种设备监督部门获准或明确处理结果以前，不准擅自施工。

四、勘察锅炉安装施工现场

在进行图纸资料会审和了解锅炉设备的基础上，应对锅炉安装现场进行实地勘察。根据现场实际情况，划分好作业场所。对于零部件的进出通道、吊装和运输的方法，现场材料的堆放，水、电、气的供应，各种机具的布置都应有所考虑，给拟订施工工艺方案创造条件。较大锅炉的安装，最好绘出施工平面布置图。

五、编制安装施工方案

（一）施工方案编制

较大型锅炉的安装工程是比较复杂的，施工工种多，交叉作业多，高空作业多，技术要求高，工期安排紧，为保证锅炉安装保质保量顺利安全地按期完成，要求结合本单位的人员、机具、设备以及场地、时间和技术关键等具体情况，编制好锅炉安装施工方案。

（二）施工方案的编制原则

（1）要符合国家相关规程、标准的要求。

（2）要满足建设单位的合理要求。

（3）施工工地布置要紧凑、合理。

(4)要尽量提高机械化、自动化程度,节约劳动力,减轻劳动强度。

(5)充分发挥机具设备和施工人员的作用,节约开支,以确保安装任务按期或提前完成。

(6)优选技术先进、操作安全、经济方便的施工方案。

(三)施工方案的基本内容

施工方案的基本内容应包括如下几个方面:

(1)锅炉安装工程概述,包括锅炉和各项技术参数、工种特点、安装工程量等。

(2)锅炉的安装工艺程序,包括操作流水程序、交叉作业程序和方法。

(3)锅炉安装的主要工艺,包括安装通用工艺、专用工艺和检验工艺等。

(4)锅炉安装的质量要求和验收标准。

(5)锅炉安装质量保证体系的建立健全和运转要求。

(6)锅炉安装网络计划,包括施工进度、机具设备、劳动力的安排、找出工程的主要矛盾和完成任务的关键。绘制网络计划图,确定关键工序。

(7)锅炉安装的其他事项。

六、特种设备监督部门负责办理锅炉安装审批手续

锅炉安装工程正式开工前,必须向当地特种设备监督部门报告并办理施工手续。

报送材料有:

(1)甲乙双方签订的锅炉安装合同;

(2)规划、环保、消防等专业部门手续;

(3)锅炉产品出厂时的技术资料;

(4)锅炉房有关锅炉安装的技术资料;

(5)锅炉安装施工方案;

(6)锅炉安装许可证副本,焊工、无损检测工的资格等级证;

(7)已填好的《特种设备安装维修改造告知书》3 份。

经特种设备监督部门审查批准后,签发开工申请报告施工准许证明,否则,不准施工。

七、向施工工人进行技术交底

(一)技术交底的方式方法

一般先由工程总负责人根据施工方案向有关负责人员、工程技术人员、工长(或队长、班长)进行一次技术交底,然后再由各专业技术人员向参加施工的各专业技术工种进行二次技术交底。

(二)技术交底的基本内容

一次技术交底主要介绍工程情况、重点部位、质量要求、施工注意问题、措施、分配和交叉作业中各种配合关系等。

二次技术交底除介绍一次交底的内容外,着重应讲清设计图纸、施工方法及主要机具、技术要求及允许偏差、注意事项及安全措施、工程顺序和安装记录等。

(三)技术交底的基本要求

通过技术交底,使全体施工人员达到明确安装任务、明确工艺方法、明确质量要求,自觉地贯彻执行好施工方案,确保安装工程顺利进行。

八、设备与部件的清点和验收

(一)清点验收中的注意事项

(1)建设单位和安装单位都必须有工程技术人员和检验人员参加。

(2)开箱时应先将箱体上的积灰、泥土清扫干净,以防开箱后污损涂油的零部件。对怕震动的零件,开箱时不得用大锤敲击箱体,以保证设备完整无损。

(3)检查后不能马上使用,应重新除锈,设备本身带防护装置应尽量不拆掉,以避免设备损坏。

(4)开箱后要对安装的部件、附件、工具、材料等进行编号、分类,妥善保管,对暂时不能安装的设备,应在验收后重新装好,以防损坏和丢失。

(二)清点验收的基本方法

(1)清点验收技术资料是否齐全完整。

(2)按图纸清单对设备名称、型号、规格及箱号、箱数、件数及零件包装情况进行清点和检查。如发现缺少和包装已损坏,应查明情况,分清责任。

(3)开箱可以先清点数量,再检查质量,也可以点件和验收同时进行。

(4)设备和部件的验收以两个规程、两个规范和专业技术标准为依据,对于制造质量达不到国家有关标准的零部件,应由使用锅炉单位采取补救措施。

《蒸汽锅炉安全技术监察规程》规定,锅炉安装前,安装单位对零部件质量应进行检查,发现有质量问题不能保证安装质量的,有权拒绝安装并报告当地特种设备监督部门。

第三节　锅炉安装的工艺程序

一、基础砌筑和基础画线

(一)基础砌筑方法

可由土建部门建造锅炉房时一并做好锅炉基础,也可由锅炉安装单位核对实物尺寸后自己砌筑锅炉基础。

(二)基础画线方法

基础验收合格后,即可进行安装前的基础画线工作。基础主要线有三条:锅炉纵向中心线、锅炉横向中心线和锅炉标高基准线。以这三条线为基准可以将锅炉及辅助设备的安装位置按设计的要求全部画在基础上。

二、锅炉钢结构的安装

(一)钢结构的组成部分

锅炉钢结构包括钢架的立柱、横梁、汽包座、联箱支座及平台、通道和扶梯等。

(二)钢结构的安装方法

1.钢结构的组合安装

适合于大型锅炉和起重吊装力量较强的安装单位。其方法是:在地面上将立柱、横梁等按设备要求组合成大片结构,然后起吊就位,再将各片之间的横梁就位焊成一个整体。这种安装能加快工期,几何尺寸容易控制,减少空中作业,也相对比较安全。有条件的单位应尽量选用此方法。

2.钢结构的单件安装

单件安装的方法是:先立钢柱,后装横梁,将钢柱的底板对准基础上的轮廓线就位,然后用可调钢丝绳拉紧,经粗调后即可上横梁。先用螺栓固定,而后进行调整,合格一件点焊固定一件,同时将其他结构件连好,经全面复检尺寸合格后,可以进行固定焊接。

(三)钢结构的找平找正

可按如下步骤进行:

(1)调整钢柱底板在基础上的位置;

(2)利用标高基准线校核立柱上的一米标高线;

(3)调整立柱的垂直度;

(4)调整横梁的标高和水平度;

(5)调整立柱间的相互位置。

(四)钢结构安装的注意事项

(1)根据钢结构的形式特点确定适当的焊接位置和焊接顺序,以防焊接时温度过于集中造成构件变形。

(2)钢结构焊接,焊完一件检查一件,避免变形误差叠加,以致无法校正。变形可采取变换焊接位置或采用假焊法消除变形,但不允许用大锤敲打的方法进行校正。

(3)钢结构就位一件找正一件,不允许在未找正的钢架上进行下一个部件的安装。

(4)钢柱的垫铁比钢柱底板略长 10 mm 左右,一般不超过 3 块,并与底板焊牢。

(5)钢结构的二次灌浆,应在钢结构各部位找平找正后进行。灌浆层厚度应为 25～60 mm。

(6)锅炉平台、通道、托架和扶梯应配合钢架的安装尽早安装,以保证钢结构的稳定和安全施工。

(7)各种钢结构件上不应任意开孔,有必要切割时应与建设单位协商并应对切割处进行加固,然后做好记录。

三、锅筒、集箱的安装

(一)安装前的检查

(1)检查锅筒、集箱外表面有无裂纹、撞伤、龟裂、分层等缺欠,焊接质量有无上述缺欠。

(2)检查管孔、管座(管接头)、法兰、人孔门的数量、质量和尺寸是否符合要求。

(3)检查锅筒、集箱上的中心标记是否准确,必要时应予以调整。

(4)测量锅筒、集箱和弯曲度。

(5)按图核对锅筒内部装置数量和质量,并清除内外壁上的铁锈和其他杂物。

(二)锅筒的就位

锅筒支座的安装先根据锅炉基础给定的纵横基准线和图纸尺寸,确定锅筒中心线,再按标高基准线确定锅筒的纵向水平中心线标高。然后由此确定支座的位置和标高,最后按预定的方向安装好固定支座和滑动支座。

支座安装好后即可进行锅筒就位。上锅筒就位需设临时支架。锅筒吊装时,要按要求绑扎好锅筒,防止吊装过程中锅筒滑脱或碰伤管孔、管座,引起锅筒变形等。临时支架要保证锅筒稳定,不得发生位移。拆除时不允许用大锤敲打,以防锅筒动摇,松动管口。

上锅筒就位后,则利用上锅筒吊装下锅筒。锅筒与支座接触应良好。支座与锅筒间应垫石棉板、石棉绳,以便消除热膨胀。

(三)锅筒的找正

对于散装锅炉来说,锅筒的位置安装正确与否是极其重要的。如锅筒装得不正,下一步对流管束的安装则不可能安好,因此要非常重视锅筒找正。具体操作方法如下:下锅筒就位以后,应以基础上的纵横中心线、标高基准线和锅筒上的纵横中心线为基准进行找平,找好后加以固定。再以下锅筒为基准找正上锅筒。上、下锅筒可以互相调整找正,如通过上锅筒的纵向中心线可以找正锅筒的中心线和基础的中心线;通过上、下锅筒水平中心线的标高调整纵向水平度;通过下锅筒可找出上、下锅筒的间距等。

(四)锅筒、集箱安装的注意事项

(1)运输和吊装必须注意设备和人身安全。

(2)制造临时支架时和互相固定拉撑时,均不得在锅炉本体任何受压部件上试焊、点焊和打火引弧。

(3)安装锅筒、集箱、管子及其他附件时,注意按设计要求留出纵向膨胀间隙。

四、受热面管子的安装

(一)安装前的检查

(1)检查管子的外观,不应有重皮、裂纹、压扁、严重锈蚀等缺欠。

(2)检查管子金属质量、管壁厚薄和管径大小。

(3)检查直管的弯曲、弯管的变形偏差。

(4)检查管子的椭圆度。

(二)胀管法安装

(1)胀管的工作原理。利用管端的塑性变形和管孔的弹性变形使管子与管孔紧密结合,即为胀管的工作原理。

(2)胀管前的试胀。在正式胀接前应进行试胀工作,以检查胀管器的质量和管材的胀接性能。根据试胀结果,确定合理的胀管率。

(3)管端的退火处理。退火长度不小于 100 mm,退火方法采用铅浴法,退火温度为 600~650 ℃,退火加热要均匀,加热后冷却时应缓慢。

(4)管端的打磨。打磨的长度比管孔壁厚长 50 mm,打磨的方式为手工打磨或打磨碎磨机打磨,打磨后管端全部露出金属光泽。

(5)管孔清理和检查。先用棉纱将孔内的防锈油和污垢擦去,然后用细砂布沿圆筒方向将铁锈打磨干净。

(6)管子与管子的选配。为了提高胀接质量,管子和管孔之间需要认真选配,使全部管子与管孔之间有比较均匀一致的间隙。选配的前提是对管端和管孔进行认真的测量,根据测量结果,对管子和管孔进行选配。

(7)检查胀管器质量和性能。

胀管操作分固定胀管(或称初胀、紧固胀或挂管)和翻边胀管(或称板边胀、终胀或复胀)两道工序。为保证胀接质量、防止管口松动,一般胀管采用反阶式胀管顺序。

(8)做好胀接记录,要对全部胀口计算胀管率。

(三)胀管的注意事项

胀管前必须进行试胀和试胀工艺评定。

要严格控制胀管率,设专人测量、专人记录、专人检查、专人计算。

初胀的几根管子必须认真检查,并进行单管水压试验。

胀管工作环境温度应为 0℃ 以上,防止胀口产生冷脆裂纹。

第一次胀管时,胀管率应取小一些,一般在 1.2% 左右。这样留有余地,防水压试验渗漏时,可以进行补胀,但补胀次数一般不应超过 3 次。

(四)焊接法安装

(1)焊接工艺评定试验和焊接规范的选择。锅炉安装施焊前必须进行焊接工艺评定试验,从中选取合理有效的焊接规范。焊接工艺评定所选用的钢材、焊接材料、接头形式和焊接方法及位置与工程实际相类似。

(2)焊条及部分焊接参数的选择。在选用焊条时,通常根据组成焊接结构钢材的化学成分、机械性能、可焊性、工作条件等要求,以及焊接结构形式、刚性大小、受力情况和焊接设备等方面进行综合考虑。焊接电流和电弧电压的选择对保证焊接质量有非常重要的作用,要根据焊接工艺评定的结果来选择确定。

(3)认真检查施焊的管束、机具、量具、卡具等,做好焊条的烘干和领用工作。

(4)几种主要对接管的焊接。

①水平固定管的焊接:这种焊接要求焊工进行仰、立、平所有空间位置的焊接,是手工电弧焊全位置焊接的基本形式,也是焊接难度最大的操作技术之一。

②垂直固定管的焊接:在锅炉安装中,这种使焊接缝处于环向水平位置的横向焊接,一般占整个管子焊接的 30%~40%。这种焊接方式焊条熔化时容易下淌,呈泪珠状,要控制焊波形成是比较困难的。

③倾斜固定管的焊接:锅炉受热面管子与锅筒、集箱的焊口,有相当一部分处于倾斜的位置,习惯上称为斜焊。它的焊接工艺与前两焊相比,既有共同之处,又有特殊的地方,特殊之处在于它既有立焊的特点,又有全位置焊的特点,因此需要更认真地对待这种焊接。

④锅炉范围内的管道和辅助管道的焊接。

五、燃烧设备的安装

燃烧设备是锅炉机组用于燃烧的设施,是锅炉的重要组成部分。它包括手烧炉、抛煤机炉、链条炉排炉、振动炉排炉、往复推饲炉排炉、煤粉炉、沸腾炉、燃油炉和燃气炉等不同的燃烧设备。安装质量的好坏直接影响锅炉的安全运行,也将直接影响锅炉的热效率。因此,必须认真安装,仔细调试。

六、尾部受热面的安装

(一)省煤器的安装

包括散装钢管式省煤器和铸铁肋片式省煤器的安装。安装时要注意按图纸的技术条件做好基础和托、吊支架,留足膨胀间隙,保证严密不渗漏,不堵塞,安装完毕做好单体水压试验。

(二)空气预热器安装

一般先将管内尘土和铁锈清除干净,检查管箱和管板的焊缝质量。安装时注意起吊安全,索具应作用在框架上,不得使管子受力变形,上下管方向不得装反,防磨套管与管孔配合要适当,膨胀节的连接应良好,不应有泄漏现象。安装完毕与冷、热风道同时进行风压试验。

七、锅炉的炉墙炉拱的砌筑

在整个锅炉的安装过程中,筑炉是锅炉本体安装的最后一道工序,它包括炉墙、炉拱、炉顶、炉门和隔烟墙等的砌筑,它不同于一般房屋砌筑。一些安装单位往往只注意受压元件的安装,而忽视锅炉的筑炉工作,这是不对的。

锅炉筑炉质量的好坏,直接影响锅炉机组运行的安全经济性,并对保持环境卫生、改善劳动条件、保障运行人员的身心健康有着非常重要的意义。

我们要求一切砌筑设施要紧固可靠,要有一定的承重、承压能力,有足够的抗震、抗湿、抗裂性能。炉墙要有一定的耐火性、较好的绝热性和良好的密封性,保持长时间在高温下工作而不致被损坏。

八、快装锅炉的安装

炉外部包有密封铁皮的快装锅炉,应采用以水位表的水连管为基准找出端面横向水平度,或将快装锅炉的前烟箱打开,以最上面一排烟火管为端面水平线(也可在烟管上部画一条直线),进行端面水平度的找正。如果法兰表面平洁且为同样高度时,可垫上长平尺,用水平尺测量纵横水平度,进行找正。这样可以杜绝水位表一高一低的现象。较短的锅筒可以直接用水平尺测定纵向水平度。对锅筒的标高,用水准仪测量上部法兰或对锅筒的纵横向水平中心线进行测定。

九、立式锅炉的安装

(1)要砌筑锅炉的基础,并加装地脚螺栓。

(2)安装前将人孔、头孔、手孔、检查孔等打开检查,对内部的横竖水火管、炉胆、炉顶、下脚圈进行检查,特别检查炉门圈炉膛中的伸出量,伸出量如果过长应割去。

(3)认真检查炉体的铅垂直度,找正时应参照两支水位表的水平度进行找正,应保证两支水位表的高度在同一水平面上。

第四节　锅炉安装的质量检查

一、质量检查的准备

(1)安装额定蒸汽压力小于或等于 2.45 MPa 的锅炉,应符合《机械设备安装工程施工及验收规范》(JB 231)第六册中《工业锅炉安装》的有关规定。

(2)安装额定蒸汽压力大于 2.45 MPa 的锅炉,应符合《电力建设施工及验收技术规范》中《锅炉机组篇》(DL/T5047—95)的有关规定。

二、质量检查

(一)自检
指操作者自己对自己安装工程质量的检查,要求安装一件检查一件,安装一件合格一件。

(二)互检
包括操作者相互之间对安装工程质量进行的检查,也包括上下工序之间对质量的互检。要求做到上道工序不合格,下道工序不开工,相互检查,相互监督。

(三)专检
在自检和互检合格的基础上,由安装单位检验科室的专职质量检验员对安装质量进行全面的检查。要求以规范中规定的质量标准为依据,严格检查,严格把关,不漏掉任何超标项目。

三、锅炉安装的质量管理体系

为了严把锅炉安装质量关,要求各锅炉专业安装单位根据本单位的具体情况建立不同形式和不同层次的质量保证体系。

将锅炉安装不同的专业分成几个系统,按不同的工序分成若干控制点,各相互联系较密切的几个工序构成若干个控制环节。然后把质量控制环节和控制点按系统分别对工序的质量进行检查确认,控制把关。各专业责任工程师向对安装工程质量负全面责任的技术负责人报告工作,对技术负责人负责。

质量管理体系的建立健全和运转,对确保锅炉安装质量起决定性的作用。

四、锅炉安装质量的基本要求

(1)尺寸要准确。要保证锅炉安装质量,做到各部件的安装尺寸准确。要控制锅炉安装尺寸,关键是确定各部件的中心位置。如基础上的纵横向中心线要按图纸及锅炉房内的基准线找出并画定。在设备及部件上也要相应地标出本身的十字中心线,以便与基础中心线核对,控制安装偏差在标准以内。另外,标高、水平、垂直度等也是控制尺寸精确的一个重要指标,必须认真地检查测定。

(2)结构要牢固。要特别注意设备部件的承重点和承重面必须稳定、可靠,并保证荷重合理,不生成偏差。支承点不得任意偏斜、变更位置和角度,以免产生额外的附加力,造成受力不均、应力集中等现象。

(3)对接要严密。对接管道、风道、烟道、炉墙、阀门等要严密。锅炉机组在运行中都要承受一定的压力,而管道内的介质都是流动的汽、水、烟,这些物质不能外泄,一旦外泄,不仅是能源的流失,而且可能引起灾难性事故。因此,要求所有焊口、胀口、炉墙、烟道都必须严密可靠。

(4)胀缩要自由。锅炉安装是在常温下进行的,而锅炉运行是在高温下工作,锅炉各部分受热必然膨胀。因此,在锅炉安装中必须按设计要求留足各部分的膨胀间隙。

(5)内部要干净。锅炉在安装过程中,常在锅筒、联箱中留有污物、杂质、渣屑、焊瘤,甚至工具等残物。这些残物不仅能引起水质恶化、蒸汽品质不纯,更严重的是,由于杂物的堵塞,使通道变窄引起爆管事故。因此,要认真清扫内部。

(6)外形要美观。首先筑炉要精心选砖,使表面平整;其次对外露的附件要认真安装,不得歪扭;管道布置应合理,走向垂直,焊缝成形优良,对管准确,红砖应刷颜色,砖缝平直。

五、锅炉安装的施工记录

锅炉安装记录是锅炉安装质量的见证。对安装单位来说,从这些技术资料中,可以总结出一些规律,作为以后工程施工的借鉴;对使用单位来说,为锅炉的运行、检验、修理和改造提供确凿的数据和参考。因此,各安装单位必须重视施工记录。

(一)设备开箱检查记录
应着重记录安装前设备及零部件质量的检查情况,包括开箱检查时发现的所有问题。

(二)基础验收记录
记录基础验收的质量情况,包括基础的长、宽、高尺寸及其误差,基础平面的平整误差,各中心线的误差,预埋件的尺寸和误差,基础混凝土的强度等。附图示意出基础结构和验收时的测定结果。最后写出验收结论意见。

(三)钢结构的安装记录
应记录钢结构组装的标高和水平、铅垂、对角线的实际尺寸及其误差。记录钢结构焊接的位置、方法及外形质量是否符合设计要求。

(四)锅筒、集箱、受热面的安装记录
记录锅筒、集箱找正找平时的实测数据,各受热面水平、垂直、标高尺寸及其误差。

(五)胀接方面的记录
1. 试胀记录
记录试胀的经过,试胀的评定意见。

2.管端退火及硬度检查记录

记录管端退火的程序和退火的条件,如方法、长度、时间、保温等,以及退火前后的硬度检查记录。

3.胀接记录

可利用汽包管孔展开示意图记录每根管的编号、管孔内径、管端内外径、终胀管内径、计算胀管率等。

(六)焊接方面的记录

1.焊接工艺评定报告

记录各种焊接试样的焊接条件、技术参数和各种检测结果,记录根据评定结果所做出的结论性意见。

2.焊接质量检验记录

应记录各管子的对接、管板焊接及其他管子部件焊接的表面质量,如表面的成形、气孔、灰渣、咬边等缺欠以及处理意见和返修经过等。

3.无损探伤报告

应记录现场安装的受压元件焊缝探伤的条件、拍片比率、探伤部位及结论性意见和返修情况等。

4.机械性能试验报告

应记录焊接试件进行机械性能试验的方法、自查报告数据,记录材料代用、焊材复验机械性能试验结果。

(七)筑炉质量检查记录

1.隐蔽工程记录

记录工程名称、项目、内容、数量、标准和各项实际测量误差,问题的处理情况和结论。

2.筑炉检查记录

记录各种砌体的垂直、平整、砖缝等误差,膨胀缝以及耐火混凝土的配比、强度试验及养护情况,最后记录检验结论。

(八)尾部受热面的安装记录

1.省煤器的安装记录

记录支承架的标高、水平和铅垂尺寸,以及省煤器的组装情况、单体水压试验情况。

2.空气预热器的安装记录

记录支承架的标高、水平和铅垂尺寸,管子、烟箱及膨胀节的组装和焊接情况。

3.过热器的安装记录

记录过热器单管检查、通球检查及组装焊接方面的情况,过热器进出口集箱的安装尺寸及误差等。

(九)燃烧设备安装记录

包括炉排安装、抛煤机安装、沸腾炉的布风装置安装、煤粉炉和燃油(气)的燃烧器安装等记录。

(十)辅机安装及单机试运记录

记录风机、水泵、上煤、除尘等设备的安装记录及冷态试运行的时间、速度、出现的问题、处理情况和结论。

(十一)安全附件、汽水管道、风道安装记录

应记录各类安全附件如安全阀、压力表、超温报警装置和高低水位报警装置的安装数量、规格、密封情况及误差,记录汽水管道及风道安装时焊接、密封检查情况和做风、水压试验的情况。

(十二)炉内装置安装记录

记录炉内装置安装的件数、名称、焊接质量及安装误差和位置误差等。

(十三)热膨胀系统图和记录

记录整个锅炉系统中热膨胀的数据和情况,画图表示出整个锅炉的膨胀机构、胀向、固定点、间隙及膨胀指示器的布置情况。

(十四)烘炉、煮炉记录

记录烘炉的方法、日期和温升变化情况,绘出烘炉曲线,并附含水率测定的化验单据。

记录煮炉的日期、投药配方、水容量及压力变化情况,根据炉水含碱量的化验数据等指标绘出煮炉曲线。

记录烘炉、煮炉的组织方案、技术措施和控制指标及烘炉、煮炉过程中出现的问题、处理的结果和结论等。

(十五)试运行记录

记录满负荷运行中检查了哪些部位,情况如何,在密封、牢固、运转、燃烧、效果等方面出现有哪些问题以及处理结果和结论等。

第五节　锅炉安装的验收登记

一、验收的形式

《蒸汽锅炉安全技术监察规程》和《热水锅炉安全技术监察规程》、《锅炉安装监督检验规则》都规定,锅炉安装质量的分段验收和水压试验,由锅炉使用单位和安装单位共同进行。锅炉的总体验收,除安装单位和建设单位必须参加外,还应有特种设备监察机构派员参加。

二、验收的内容

(一)分段验收

安装单位和建设单位双方在核对该段工程安装记录的基础上,对工程安装质量中有关的测量数据进行抽查或全部重新实测实量,发现问题,记录在案。如双方有意见或分歧,无法协商解决,则请当地特种设备监督部门最后仲裁。

(二)试验

安装单位和建设单位双方在特种设备监督部门监督下,共同审查水压试验前的安装记录,同时抽查安装的焊接质量和胀接质量,在审查记录和现场检查合格的基础上,按《蒸汽锅炉安全技术监察规程》和《热水锅炉安全技术监察规程》的要求做水压试验。编制水压试验程序,确定参加人员、试验时间,进行仪表校验、试验设备试运转,组织分工,确定试验压力、稳压时间,检查记录、升压曲线等。一切准备工作齐全时,方可进行水压试验。试验时建设单位、安装单位和质量技术监督部门都必须参加,试验合格后,共同签署意见。

(三)总体验收

总体验收是锅炉安装的最后一项内容,安装单位、建设单位和特种设备监督部门都必须十分重视。要认真审查锅炉安装的全部技术档案,并现场重点检查下列项目:

(1)阀门、安全附件、自控仪表、烟风道闸板、吹灰器使用良好并符合有关规定。

(2)锅炉运行的辅助设备良好,并符合有关规定。

(3)锅炉房内管道涂刷标记应符合要求。

(4)有特殊要求锅炉如油(气)炉的防爆门,热水炉的防汽化、防水击的设施等要认真检查。

三、验收登记

(1)锅炉安装全部验收合格后,安装单位和建设单位双方要在工程竣工验收单上共同签署意见,特种设备监督部门应向安装单位和建设单位出具有关手续。

(2)锅炉在投入使用前或者投入使用后 30 日内,使用单位应向直辖市或者设区的市的特种设备安全监察部门办理使用登记手续。

第七章　锅炉使用登记的管理及人员管理

《特种设备安全监察条例》第二十五条规定:"特种设备在投入使用前或者投入使用后30日内,特种设备使用单位应当向直辖市或者设区的市的特种设备安全监督管理部门登记。"

第一节　锅炉使用登记的管理

一、锅炉使用登记的范围

凡使用固定式承压锅炉的单位,应按《特种设备安全监察条例》的规定向各直辖市或者设区的市的特种设备安全监督管理部门登记。

二、锅炉使用登记证的签发

(一)对新安装锅炉的要求

对新安装锅炉的登记,使用单位需提供以下资料:

(1)《蒸汽锅炉安全技术监察规程》或《热水锅炉安全技术监察规程》规定与安全有关的出厂技术资料。

(2)锅炉安装监督检验证书。

(3)锅炉房平面图。

(4)水处理方法及水质指标。

(5)锅炉安全管理的各项规章制度。

(6)持证司炉工人证件。

(7)安装单位出具的《安装质量证明书》。

(8)锅炉使用登记表2份(加盖使用单位公章)。

(二)对使用多年或移装旧锅炉的要求

如使用的单位提不出上述(1)、(2)两项资料时,允许以下列资料代替:

(1)锅炉结构示意图及需核算强度的受压部件图。

(2)锅炉受压元件强度及安全阀排放量的计算资料。

(3)锅炉检验报告。

(三)对一些小型锅炉的要求

对额定蒸汽压力小于0.1 MPa的蒸汽锅炉和额定供热量小于0.06 MW的热水锅炉,只需交验制造厂质量证明书或检验报告即可。

(四)锅炉登记表卡的填写

使用单位申请办理使用登记手续时,应填写两份《锅炉登记表》。《锅炉使用登记证》、

《锅炉登记表》的形式由国家质检总局统一规定。

三、锅炉使用登记证的管理

(一)锅炉使用登记证的悬挂要求

《锅炉使用登记证》须装入镜框,悬挂在锅炉房内醒目处。

(二)修理改造前须告知

锅炉经重修理或改造后,使用单位须携带《锅炉登记表》和修理或改造部分的图纸及施工质量验收报告等资料到原登记机关办理备案或变更手续。

(三)锅炉拆迁过户时的管理要求

锅炉拆迁过户时,原使用单位应向原登记机关办理注销手续,交回《锅炉使用登记证》。锅炉的全部安全技术资料应随锅炉转至接受单位。接受单位应重新办理锅炉登记手续。异地须办理《移装证明》。

(四)锅炉报废的规定

属于下列情况之一的特种设备,必须予以报废:

(1)特种设备本身存在严重的事故隐患,无改造、维修价值的(主要指改造、维修无法达到使用要求的,改造、维修价值大于新设备的);

(2)使用非法生产的特种设备;

(3)超过特种设备规定的参数范围使用的;

(4)缺少安全附件、安全装置或者安全附件、安全装置失灵而继续使用的;

(5)已经报废或者经检验检测结论为不允许使用而继续使用的;

(6)使用有明显故障、异常情况或者责令改正而未予以改正的锅炉;

(7)超过特种设备使用年限的。

第二节 人员的管理

加强锅炉的安全管理应从三个方面入手:一是人员,二是设备,三是规章制度。

一、司炉人员

(一)司炉工人的基本条件

(1)年满 18 周岁。

(2)身体健康,没有妨碍司炉作业的疾病和生理缺陷。

(3)文化程度要求:Ⅰ、Ⅱ类一般为高中以上文化程度,Ⅲ、Ⅳ类一般为初中以上文化程度。

(二)司炉工人的培训考核

1. 培训形式

司炉的培训和考核由质量监督部门统一管理和监督检查。地、市级安全监督部门负责审查教学程序、监督检查教学质量,对考试现场及评分进行监督检查。省级以上(含省级)质量监督部门负责教学大纲和考试内容的统一审定工作。

2．培训时间

(1)理论培训时间：Ⅰ类司炉不少于 180 学时，Ⅱ、Ⅲ类司炉一般不少于 120 学时，Ⅳ类司炉一般不少于 60 学时。

(2)实际操作培训：Ⅰ类司炉一般不少于 6 个月，Ⅱ、Ⅲ类司炉一般不少于 3 个月、Ⅳ类司炉不少于 1 个月。

3．考核

工业锅炉司炉考核由当地质监部门组织，电站锅炉司炉的考核由省级质监部门组织。

司炉考试分理论知识和实际操作两部分。

理论知识部分包括以下内容：

(1)压力、温度、介质、燃料、燃烧、传热、水循环等方面的基本知识；

(2)锅炉的结构与其特点；

(3)安全附件的作用、结构及保证灵敏可靠的注意事项；

(4)各种热工仪表、自控和连锁保护装置的作用和操作注意事项、维护管理要点；

(5)锅炉附属设备如给水、水处理、燃烧、通风、除渣、清灰、消烟除尘等辅机装置的结构特点和操作要领；

(6)锅炉水处理基本知识及常用的水处理方法；

(7)锅炉运行的操作和调整；

(8)锅炉常见事故的现象、原因、预防及处理；

(9)锅炉维护保养方面的基本知识；

(10)锅炉安全法规中有关锅炉使用、安装、检验、修改、事故报告及行政规章制度内容。

实际操作部分包括以下内容：

(1)锅炉启动前的检查、准备、点火、升压、运行、调整、压火停炉等操作；

(2)安全附件的检查、调整、维修；

(3)各种辅机及附属设备的操作和维护；

(4)事故模拟演习。

(三)司炉操作证

1．锅炉司炉人员操作证的类别

锅炉司炉人员操作证分类的目的是因参数不同的锅炉其结构的复杂和操作技术的难易程度有较大的区别，共分四大类，按不同要求进行考核发证。

锅炉司炉人员操作证的分类见表 7-1。

表 7-1　锅炉司炉人员操作证分类

类别	允许操作的锅炉
Ⅰ	蒸汽、热水、有机热载体锅炉
Ⅱ	工作压力<3.8 MPa 的蒸汽锅炉、热水锅炉；有机热载体炉
Ⅲ	工作压力≤1.6 MPa 的蒸汽锅炉；额定功率≤7 MW 的热水锅炉；有机热载体炉
Ⅳ	工作压力<0.4 MPa 的蒸汽锅炉和额定功率≤0.7 MW 的热水锅炉；有机热载体炉

2.司炉工人操作证的管理

司炉操作证发证机关为省、地、市特种设备安全监督管理部门。

司炉操作证的发证条件是必须同时符合以下三个条件:

(1)被发证者应符合司炉工人的基本条件。

(2)被发证者经过理论知识和实际操作方面的培训。

(3)经当地锅炉压力容器安全监察机构或其委托的单位按考试大纲内容命题统一考试合格者。

3.司炉操作证的适用范围

(1)司炉工人只允许操作不高于所持操作证核准类别的锅炉。

(2)低类别司炉工人升为高类别工人时应经过重新培训和考试,并换发司炉操作证。

(3)司炉工人调动时操作证在有效期内继续生效。

(4)司炉证全国通用。司炉跨地区工作时,应持在有效期内的司炉证到特种设备监督管理部门办理备案手续。

4.司炉操作证的有效期限

规定有效期限的目的是督促司炉工人加强技术学习,不断提高操作技术。但考虑到复审换证工作量太大,所以对连续从事司炉工作而无事故者,经原发证机关同意后,可以免试。

司炉操作证有效期限的规定:对取得操作证的司炉工人,一般每两年进行一次复审,复审工作由发证机关或其指定的单位组织进行,复审结果由负责复审的单位记入司炉操作证复审栏内。

(四)司炉工人应履行的职责

(1)司炉必须持有效证件操作。

(2)认真执行国家有关锅炉安全管理规定,严格执行锅炉运行安全管理规章制度,精心操作,确保安全运行,对因违章造成的事故承担责任。

(3)发现锅炉有异常和危及安全时,应采取措施并及时报告有关负责人。

(4)对任何有害锅炉安全运行的违章指挥,有权拒绝执行,并报告监督管理部门。

(5)努力学习技术和业务,不断提高操作水平。

二、水处理人员

(一)水处理人员的基本条件

(1)身体健康、无色盲。

(2)从事额定工作压力≤2.5 MPa的蒸汽锅炉和热水锅炉水处理设备操作,为Ⅰ级(类);从事额定工作压力≤2.5 MPa的蒸汽锅炉水处理设备管理,为Ⅱ级(类);从事锅炉化学清洗操作,为Ⅲ级(类);从事锅炉水处理检验的人员,为Ⅳ级(类)。以上各级(类)人员均要具有中专以上文化程度。

(二)水处理人员的培训考核

1.培训形式

一般水处理设备操作人员的培训,由地、市级以上(含地、市)安全监督部门或经授权的检验检测机构负责。

化学清洗操作、锅炉水处理检验人员的培训,由省级以上安全监督管理部门或由国家锅炉水处理协会承担。

2．培训时间

没有明确规定,一般不少于 180 学时。

三、管理人员

(一)锅炉管理人员的基本条件

1．熟悉国家有关锅炉安全方面的法规

国家有关锅炉安全方面的法规,是确保锅炉安全运行和加强锅炉安全管理的法律依据。锅炉管理人员不熟悉这些法规,就无法正确处理锅炉运行管理中出现的各种问题。

锅炉安全管理方面的法规较多,锅炉管理人员必须熟悉和掌握的主要法规有以下几个:

(1)《特种设备安全监察条例》。

(2)《锅炉房安全管理规则》。

(3)《蒸汽锅炉安全技术监察规程》。

(4)《热水锅炉安全监察规程》。

(5)《在用锅炉定期检验规则》。

(6)《工业锅炉水质标准》。

(7)《特种设备作业人员监督管理办法》。

(8)《锅炉压力容器使用登记管理办法》。

(9)《锅炉司炉工人安全技术考核管理办法》。

(10)《锅炉压力容器压力管道特种设备事故处理规定》。

2．懂得锅炉安全技术知识

锅炉管理人员应具备的锅炉安全技术知识主要有:

(1)锅炉的结构及工作原理。

(2)锅炉燃料、燃烧方面的基本知识。

(3)流体、传热、热动方面的基本知识。

(4)安全自控装置及仪表方面的知识。

(5)锅炉启动、运行和停炉等方面的知识。

(6)锅炉停炉内外部检验和运行状态下检验的基本知识。

(7)锅炉及辅机的维护保养和检修方面的知识。

(8)锅炉常见事故预防、分析和处理方面的知识。

(9)锅炉给水、锅水的水质标准及水处理方法和水质分析方法方面的知识等。

3．热心锅炉的安全管理工作

对锅炉管理人员来说,具备锅炉安全技术知识和熟悉国家安全法规还远远不够,更重要的是,要热心于锅炉安全管理工作,对锅炉安全管理工作要有较强的责任感。

4．具有一定的锅炉安全管理经验

锅炉安全管理是一门应用科学,要管好锅炉,只靠满腔热情和良好愿望是不行的,还必须在工作中积累一定的经验。因此,各用炉单位在选配锅炉管理人员时,只要条件允许的话,尽量从具有一定锅炉管理经验的高级工程师、工程师等工程技术人员中选配,以保证锅炉管理人员有一定的资历和权威。

(二)锅炉管理人员的培训考核

1. 培训的形式

锅炉管理人员的培训,原则上由省或当地质监部门组织实施,也可委托其他专业技术院校代培。

2. 培训的时间

培训锅炉管理人员要有针对性,要分门别类地进行,根据培训内容和实际工作的需要确定培训时间,较大锅炉专职管理人员培训一般为1~3周,较小锅炉的兼职管理人员培训一般为3~10天。两类人员的培训内容和要求可以有所区别。

3. 培训考核

锅炉管理人员的培训内容包括讲授国家有关锅炉安全方面的技术法规,讲授锅炉安全管理方面的基本要求。为督促管理人员努力学习业务技术知识,应定期对他们进行业务技术知识方面的考试和考核。

4. 发证

管理人员经培训、考核合格按《特种设备安全监察条例》第三十九条规定,颁发证书。

(三)锅炉管理人员的主要职责

1. 进行技术和安全教育

对锅炉操作人员进行安全教育,是一项经常性的工作。锅炉管理人员要抓好职工班前班后的安全教育,使每个职工都有较强的安全生产意识。

2. 参与各项规章制度的制定

规章制度是对锅炉各项管理工作和操作要求所做的规定,是锅炉运行操作人员的行动规范和准则。因此,锅炉管理人员要协助单位的主管领导制定好锅炉的各项规章制度。

3. 检查各项规章制度的实施

规章制度制定出来后,要能够认真贯彻执行。

4. 传达锅炉方面的安全指令

为督促用炉单位加强锅炉的安全管理,特种设备监察部门对企事业单位在锅炉安全管理方面提出指导性的意见和要求,锅炉管理人员应向全体职工传达。

5. 督促设备的维护保养和检修

设备的日常维护保养和定期检修是确保锅炉设备完好和安全运行的重要条件。因此,锅炉管理人员必须经常督促检查锅炉及其附属设备的维护保养和定期检修计划的实施。

6. 解决锅炉房有关人员提出的问题

锅炉的安全管理是一项细致而复杂的系统工程,有关人员会经常提出一些技术问题、管理问题或生活待遇等问题,锅炉管理人员有责任帮助有关同志解决这些问题。如不能解决,应及时向单位负责人报告,以求得单位领导帮助解决。

7. 向特种设备安全监督机构报告工作

为搞好锅炉的安全管理和监督检查工作,要求锅炉管理人员经常向特种设备安全监督部门报告本单位锅炉使用管理情况。

第八章 锅炉的使用管理

第一节 技术资料管理

使用锅炉的单位应建立完整的技术资料,并在投入运行后按有关规定继续填写整理和补充,直到锅炉报废。锅炉技术资料应由专人管理,妥善保存。

一、图纸资料的管理

锅炉出厂时,必须附带与安全有关的技术资料。按《蒸汽锅炉技术监察规程》和《热水锅炉安全技术监察规程》的规定,技术资料的内容有 6 项,这些内容必须齐全、完整,不允许丢失或损坏,要妥善保管在资料室。资料借出要办理手续,用后要及时归还。

二、检验资料的管理

检验资料主要包括检验员填写的《锅炉定期检验报告书》和根据检验结果向锅炉使用单位出具的《锅炉检验意见书》。这些资料对锅炉的检修及运行都非常重要,同时对锅炉下一周期的检验也有参考借鉴作用。使用单位必须将历年的《锅炉定期检验报告书》和《锅炉检验意见书》统一整理,认真归档。

三、运行资料的管理

锅炉的运行资料包括:锅炉及附属设备的运行记录、交接班记录、水处理运行及水质化验记录、设备检修保养记录、单位主管领导和锅炉房管理人员的检查事故记录等。从这些资料中可以了解锅炉运行和使用管理方面存在的问题,以便锅炉检验时正确分析锅炉缺欠的原因,指导合理地对锅炉进行检修,以消除设备隐患。同时结合使用管理中出现的问题,提出改进意见,加强使用管理,确保安全运行。这些运行资料要求至少妥善保存3 年。

四、修理、移装、改装方面的资料

移装、改装的锅炉要有过去锅炉使用资料、修理或改装情况及其技术资料。修理资料应包括锅炉修理图样(含受压元件强度校核资料)、修理材料质量证明书、修理质量检验证明书等。这些资料对锅炉的使用同样十分重要,应整理存入锅炉技术档案。

第二节　人员岗位管理

一、锅炉房的人员配备

(一)锅炉房管理人员的配备
生产用锅炉配专职管理人员,生活用锅炉配兼职管理人员,管理人员要相对固定。

(二)司炉工人和水处理化验工人的配备
额定蒸发量≤1 t/h、供热量 0.7 MW 的锅炉,单炉设置的锅炉房,每班至少配 1 名持证司炉工。额定蒸发量≥6 t/h、供热量≥4.2 MW 的锅炉,单炉设置的锅炉房每班每台运行锅炉至少配 2 名持证司炉工,每班至少配 1 名持证水处理化验工。蒸发量≥10 t/h、供热量≥7 MW 的锅炉,单炉设置的锅炉房每班每台运行锅炉至少配司炉、上煤、除渣、水处理和化验工各 1 名。群炉设置的锅炉房可根据上述原则适当调整,但必须满足每个岗位上都有人负责的要求。

(三)锅炉房工段长和司炉班长的配备
额定蒸发量≥6 t/h、供热量≥4.2 MW 的锅炉房设正副工段长各 1 名,每班设带班长 1 名。其余锅炉房设正副班长各 1 名。

二、锅炉各类人员岗位责任制

岗位责任制规定锅炉房各类人员的工作范围、应负的责任及拥有的相应权利,以约束和规范锅炉房各类人员的行动。

(一)岗位责任制建立的原则
(1)根据锅炉房的人员配备,分别制定各类人员的岗位责任制,做到有其岗必有其责。

(2)明确规定各类人员的工作任务、工作范围、每天的工作量、所做的各项工作对锅炉安全运行的作用。

(3)明确规定锅炉房工作质量标准。

(4)明确规定锅炉房各类人员应负的责任,明确赋予锅炉房各类人员相应的权利。要让每个职工负一定的责任,就必须赋予他们相应的权利。

(5)明确规定锅炉房各类人员应得的利益。

(二)岗位责任制的类别
不同规模的锅炉房,其工作内容和人员组成各有所区别,因此建立岗位责任制的类别也会各有差异,但每个锅炉房的岗位责任制都不应少于下列几项:

(1)司炉工人岗位责任制。

(2)水处理化验人员岗位责任制。

(3)各类辅助工人岗位责任制。

(4)各类维修工人(钳工、管工、电工、仪表等)岗位责任制。

(5)司炉班组长、工段长岗位责任制。

(6)锅炉管理人员岗位责任制。

另外,还必须建立锅炉主管领导在锅炉安全管理方面的岗位责任制。

第三节　管理制度和操作规程

一、规章制度

规章制度应根据各单位人员素质和组织情况来制定。所有规章制度的制定,必须条理化,层次分明,内容具体适用,简明扼要,便于执行,便于检查。

锅炉保养制度、清洁卫生制度、水质管理制度、事故报告制度等,是锅炉安全运行的重要保证措施。锅炉的类型和用途不同,安全管理的规章制度及操作等内容也不同。一般常用的制度和内容有以下几个方面。

(一)岗位责任制

(1)在岗位上操作人员应严守纪律,服从生产指挥,不做与岗位无关的事。

(2)按时检查设备情况,正确写好运行记录,保证锅炉供汽和供热参数。

(3)正确处理发生的异常情况,发现隐患及时向上级汇报。

(4)遵守操作规程,保证人身安全和设备安全。

(5)经常保持设备和场地清洁。

(6)配合进行设备修理后的验收工作。

(二)交接班制度

1. 交接班的现场记录

(1)交接上一班的现场记录。

(2)交接班所发生的特殊情况。

(3)交接锅炉运行情况和缺欠问题。

(4)交接安全附件和附属设备的运行情况。

(5)交接各种阀门的开关位置和自控仪表情况。

(6)交接燃料的质量和存量。

(7)交接水质和水处理情况。

(8)交接所用的工具。

(9)交接清洁、保养情况。

(10)上下班班长和有关人员应对锅炉,包括所管理的设备,共同进行一次巡回检查,认真交班与接班。

2. 交班前应做好的工作

(1)对设备进行全面检查。

(2)清除灰渣一次,准备好充足燃料。

(3)做好场地设备工作的清洁整理工作。

(4)若在交班前发生事故,应先处理好事故后,再进行交班。接班人员应认真做好接班工作,如发生事故应主动了解事故情况,积极协助上一班处理事故。

(三)安全操作制度

(1)密切监视水位、压力和燃烧情况,正确调整各种参数。

(2)按规定做好日常工作,例如冲洗水位表、压力表、排污阀、试验安全阀等。

(3)随时检查锅炉人孔、手孔、受压部件以及省煤器、过热器等是否有泄漏、变形等异常现象。

(4)检查汽水管道、烟道、风道、给水泵、送风机和引风机等。

(5)随时掌握蒸汽使用情况,及时调整负荷。

(四)设备定期升级制度

锅炉设备应每季或半年组织一次评定等级,进行升级竞赛,使锅炉经常保持在优良、完好状态。

锅炉设备按完好情况一般分为甲、乙、丙、丁四级。各级要求如下。

1．甲级

(1)锅炉本体、安全附件、附属设备全部完好。

(2)人孔、手孔和管道无跑、冒、滴、漏现象。

(3)仪表设备运行正常,反应灵敏、正确。

(4)锅炉炉膛和烟道完好,没有严重的灰渣堵塞。

(5)燃烧设备运行正常。

(6)有一套完整的规章制度,能够按期进行全面检查和检修。

2．乙级

(1)有次要的缺欠,但不影响锅炉的正常运行。

(2)有少量的跑、冒、滴、漏,但不严重。

(3)规章制度不够完善,定期检验和检修基本按期进行。

3．丙级

(1)缺欠较大,但尚不影响安全运行,需待安排停炉检修。

(2)无规章制度,或者虽有规章制度,但未认真执行。

(3)检验和检修不能正常进行。

4．丁级

由于缺欠严重已经威胁安全生产,无法继续运行。

二、操作规程的制定

锅炉运行操作规程是司炉人员正确操作的根本依据,是加强锅炉管理的基本前提。各不同类型的锅炉,应根据其结构特点、辅助设备运行要求以及供汽等特种要求,将运行中各个环节的操作都做出明确规定,制定出锅炉及附属设备的操作规程。

三、操作规程的内容

(1)对锅炉升火前的检查和准备工作的要求,包括以下几项内容:

①对在升火前,检查锅炉水位的操作要求;②对各种不同用途阀门自处的位置(指开或关)的要求;③对各种辅助设备的开启顺序的要求;④对水处理设备的运行状态具备锅

炉点火升压的要求;⑤对烟道调风门应处的位置的要求。

(2)对不同燃烧设备的点火操作方法的要求。

(3)对点火升压阶段中过热器、省煤器的保护操作要求。

(4)对锅炉升压的操作要求。

(5)对锅炉的送汽及并炉的操作要求。

(6)对锅炉运行中的调整与检查的要求。

(7)对水位表冲洗的操作要求。

(8)对安全阀排汽试验的操作要求。

(9)对锅炉排污的操作要求。

(10)对锅炉上煤、除渣和吹灰的操作要求。

(11)对正常停炉的操作要求。

(12)对紧急停炉的操作要求。

(13)对锅炉压火及停炉保养的操作要求。

(14)对水处理设备和化验项目的操作要求。

四、操作规程的贯彻执行

(一)操作规程贯彻

锅炉操作规程要装订成册,做到司炉人员人手一册,随身携带,经常学习。锅炉管理人员要对司炉人员加强操作规程的教育,经常对司炉人员掌握和熟悉操作规程的情况进行了解和考核。

(二)操作规程的执行

司炉及水处理化验人员要严格按操作规程操作锅炉,对违反操作规程而造成设备损坏及人身伤亡事故的直接责任者,要追究其经济和法律责任,司炉人员对任何不利于锅炉安全运行的违章指挥,有权拒绝执行,并报告特种设备监督部门。

(三)操作规程执行情况的检查

锅炉管理人员要经常检查司炉人员及水处理化验人员执行操作规程的情况,定期向领导报告操作规程的执行情况,奖优罚劣,严格监督司炉人员及水处理化验人员按操作规程操作锅炉,确保锅炉安全运行。

第九章　锅炉检验

第一节　锅炉定期检验划分及年限

一、定期检验的目的

为了确保锅炉安全运行,防止事故发生,及时发现锅炉薄弱环节和缺欠,在使用锅炉时必须进行定期检验。

二、定期检验的划分

锅炉定期检验工作包括外部检验、内部检验和水压试验三种。外部检验是指锅炉在运行状态下对锅炉安全状况进行的检验;内部检验是指锅炉在停炉状态下对锅炉安全状况进行的检验;水压检验是指锅炉以水为介质,以规定的试验压力对锅炉受压部件强度和严密性进行的检验。

除进行正常的定期检验外,锅炉有下列情况之一时,还应进行下述的检验:

(1)外部检验:移装锅炉开始投运时;锅炉停止运行1年以上恢复运行时;锅炉的燃烧方式和安全自控系统有改动后。

(2)内部检验:新安装的锅炉在运行1年后;移装锅炉投运前;锅炉停止运行1年以上恢复运行前;受压元件经重大修理或改造后及重新运行1年后;根据上次内部检验结果和锅炉运行情况,对设备安全可靠性有怀疑时;根据外部检验结果和锅炉运行情况,对设备安全可靠性有怀疑时。

(3)水压试验:移装锅炉投运前;受压元件经重大修理或改造后。

三、定期检验年限

锅炉的外部检验一般每年进行一次,内部检验一般每2年进行一次,水压试验一般每6年进行一次。

对于无法进行内部检验的锅炉,应每3年进行一次水压试验。

电站锅炉的内部检验和水压试验周期可按照电厂大修周期进行适当调整。

只有当内部检验、外部检验和水压试验均在合格有效期内,锅炉才能投入运行。

四、定期检验程序

定期检验的程序是:①使用单位申请;②检验单位确定检验;③通知使用单位实施检验。

第二节 内部检验

一、工业锅炉内部检验

(一)工业锅炉概念

工业锅炉是指为工业生产或生活用途提供蒸汽、热水的锅炉,一般是指额定工作压力小于等于 2.5 MPa 的锅炉。

(二)工业锅炉内部检验前,使用单位需要做的准备

检验前,锅炉使用单位应做好以下准备工作:

(1)准备好有关技术资料,包括锅炉制造和安装的技术资料、锅炉技术登记资料、锅炉运行记录、水质化验记录、修理和改造记录、事故记录及历次检验资料等。

(2)提前停炉,放净锅炉内的水,打开锅炉上的人孔、头孔、手孔、检查孔和灰门等一切门孔装置,使锅炉内部得到充分冷却,并通风换气。

(3)采取可靠措施隔断锅炉与热力系统相连的蒸汽、给水、排污等管道及烟道、风道并切断电源,对于燃油、燃气的锅炉还须可靠地隔断油、气来源并进行通风置换。

(4)清理锅炉内的垢渣、炉渣、烟灰等污物。

(5)拆除妨碍检查的汽水挡板、分离装置及给水、排污装置等锅炉筒内件,并准备好用于照明的安全电源,电压不大于 24 V。

(6)对于需要登高检验作业(离地面或固定平面 3 m 以上)的部位,应搭脚手架。

(三)检验人员应查阅的技术资料

检验人员应首先对锅炉的技术资料进行查阅。对首次检验的锅炉,应对技术资料做全面审查;对于非首次检验的锅炉,重点审核新增加和有变更的部分。重点及要求如下:

(1)应有完整的锅炉建档登记资料。

(2)与锅炉安全有关的出厂、安装、修理和改造等技术资料应齐全,并与实物相符。

(3)查阅锅炉运行记录和水质化验记录中是否有异常情况的记载。

(4)查阅历次检验资料,特别是上次检验报告中提出的问题是否已解决或已有防范措施。

(5)对现场的准备工作应进行检查确认。

(四)检验人员制订检验方案

检验人员应根据待检锅炉的具体情况,确定检验项目和检验方法。对于额定蒸发量大于 20 t/h 的蒸汽锅炉或额定热功率大于 14 MW 的热水锅炉,检验人员还应制订检验方案。

(五)使用单位在检验时应做的工作

检验时,锅炉使用单位应派锅炉管理人员做好安全监护工作和配合工作,并按检验员的要求拆除保温或其他部件。

(六)内部检验的主要检验元件

内部检验的承压部件是:锅筒(壳)、封头、管板、炉胆、回燃室、水冷壁、烟管、对流管束、集箱、过热器、省煤器、外置式汽水分离器、导汽管、下降管、下脚圈、冲天管和锅炉范围

内的管道等部件。分汽(水)缸原则上应跟随一台锅炉进行同周期的检验。

(七)内部检验、检查的主要缺欠

内部检验主要是检验锅炉承压部件是否在运行中出现裂纹、起槽、过热、变形、泄漏、腐蚀磨损、水垢等影响安全的缺欠。

(八)内部检验重点

内部检验重点主要有以下几项:

(1)历次检验有缺欠的部件,应采用同样的检验方法或增加相应的检验方法对存在有缺欠或缺欠修复的部件进行重点复检复测。

(2)锅筒(壳)、封头、管板、炉胆、回燃室和集箱:内、外表面和对接焊缝及热影响区有无裂纹等缺欠,必要时应采用表面探伤或其他探伤方法;拉撑件、人孔圈、手孔圈、下降管、立式锅炉的炉门圈、喉管、进水管等处的角焊缝是否有裂纹等缺欠,必要时应采用表面探伤;部件扳边区有无裂纹、沟槽,高温烟区管板有无泄漏和裂纹,必要时应采用表面探伤;是否有严重的腐蚀、磨损减薄和结垢,特别是锅筒底部、管孔区、水位线附近、进水管或排污管与锅筒集箱连接处、炉胆的内外表面、立式锅炉的下脚圈等部件,必要时应进行厚度测定;从锅筒内部检查水位表、压力表等的连通管是否有堵塞;受高温辐射和较大应力的部件是否有裂纹和严重的变形;胀接口是否严密,胀接管口和孔桥有无裂纹和苛性脆化,必要时应采用表面探伤方法或附加金相分析。

(3)管子:是否有严重的腐蚀和磨损,重点是烟管、对流管束、沸腾炉埋管、吹灰口附近等受烟气高速冲刷部位和易受低温腐蚀的尾部烟道管束,必要时应进行厚度测定;是否有严重的变形,重点是高温部位,必要时应对变形量进行定量测量;管子表面是否有裂纹,必要时应进行表面探伤检查。

(4)对采用 T 形接头的焊缝,应检验其是否有变形和焊缝的表面裂纹,必要时应进行表面探伤和超声波探伤。

(5)承受锅炉本身重量的主要支撑件是否有过热、过烧、变形等现象。

(6)燃烧设备(如燃烧器、炉排等)是否有烧损、变形;炉拱、保温是否有脱落;炉排是否有卡死;燃油、燃气锅炉是否有漏油、漏气现象。

(7)成型件和阀体(如水位示控装置、安全阀、排污阀、主蒸汽阀等)的外部是否有裂纹、泄漏等缺欠。

(8)安全附件是否有明显缺欠。

(九)内部检验发现缺欠处理原则

(1)对于上次的缺欠经检测有较严重的扩展,或在同一部位反复出现同一类缺欠,应查明产生缺欠的原因后再进行修理。

(2)对于承压部件上发现的所有裂纹应进行消除,必要时进行补焊,但对于下述裂纹只能采用挖补或更换:炉胆或封头扳边圆弧的环向裂纹长度超过周长的25%;多条裂纹聚集在一起的密集裂纹;管板上呈封闭状的裂纹;管孔向外呈辐射状的裂纹;连续穿过4个以上孔桥的裂纹;管板上连续穿过最外围2个以上孔桥的裂纹,或最外一排孔桥向外延伸的裂纹;立式锅炉喉管如有较深环向裂纹或纵向裂纹长度超过喉管长度的50%;因苛性脆化产生的裂纹;因疲劳产生的裂纹。

(3)承压部件的变形不超过下述规定可予以保留监控,变形超过规定时一般应进行修理(复位、挖补、更换):筒体变形高度不超过原直径的 1.5%,且不大于 20 mm;管板变形高度不超过管板直径的 1.5%,且不大于 25 mm;碳钢管子直径胀粗量不超过原直径的 3.5%、合金钢管子直径胀粗量不超过原直径的 2.5%,且局部鼓包高度不大于 3 mm;水管管子直段弯曲变形量不超过其长度的 2%或不超过管子直径;烟管管子直段弯曲变形量不超过其直径。

(4)承压部件的材质发生过烧,应判定其范围,必要时进行挖补或更换。

(5)承压部件内部拉撑件的裂纹和开裂应进行更换。

(6)承压部件由于严重腐蚀或磨损减薄,应进行强度校核计算,若实测壁厚低于强度计算值,应进行修复(堆焊后磨平、挖补、更换)。

(7)承压部件上的渗漏部位应修理。

(8)锅炉内部的水垢,应根据水垢的情况按照《锅炉化学清洗规则》进行处理。

二、电站锅炉内部检验

(一)电站锅炉的概念

电站锅炉是指以发电或热、电联产为主要目的的锅炉,一般是指额定工作压力大于等于 3.8 MPa 的锅炉。

(二)电站锅炉内部检验程序

电站锅炉在进行内部检验之前,锅炉的使用单位应向检验单位提供锅炉定期检验计划、大修计划,并与检验单位协商有关检验的准备工作、辅助工作、检验条件、检验期限、安全保护措施等事宜。

(三)检验人员应查阅的技术资料

检验人员应首先对锅炉的技术资料进行查阅。对于首次检验的锅炉,应对技术资料做全面审查;对于非首次检验的锅炉,重点审核新增加和有变更的部分。主要资料包括以下几方面:

(1)锅炉设计、制造质量资料:锅炉竣工图,包括总图、承压部件图、热膨胀图和基础荷重图等;承压部件强度计算书或汇总表;锅炉设计说明书和使用说明书;热力计算书或汇总表;过热器和再热器壁温计算书;安全阀排量计算书;锅炉质量证明书。

(2)锅炉安装、调试资料。

(3)修理、改造及变更的图纸和资料,包括修理、改造及变更方案及审批文件;设计图样、计算资料;质量检验和验收报告。

(4)记录及档案资料,包括锅炉技术登记簿和使用登记证;历次定期检验计划及报告;运行记录,事故、故障记录,超温超压记录;承压部件损坏记录和缺欠处理记录;检修记录,质量验收卡,大修技术总结;金属监督、化学监督技术资料档案;安全阀校验及仪表、保护装置的整定、校验记录。

(5)检验人员认为需要查阅的其他资料。

(四)检验编制方案

在对技术资料初步审核的基础上,检验人员应根据被检锅炉的实际情况和电厂提供的大修计划编制检验方案,并征求锅炉使用单位的意见。对于运行时间超过 10 万小时的锅炉,在确定检验方案时应增加检验项目,重点检查材质变化状况。

(五)检验前,使用单位应准备的工作

(1)设备的风、烟、水、汽、电和燃料系统必须可靠隔断;

(2)根据检验需要搭设必要的脚手架;

(3)检验部位的人孔门、手孔盖全部打开,并经通风换气冷却;

(4)炉膛及后部受热面清理干净,露出金属表面;

(5)拆除受检部位的保温材料和妨碍检验的锅内部件;

(6)准备好安全照明和工作电源;

(7)进入锅筒、炉膛、烟道等进行检验时,应有可靠通风和专人监护。

(六)检验重点

1.锅筒检验重点

(1)检验内表面是否有裂纹、腐蚀等缺欠,必要时应进行测厚、无损探伤、腐蚀产物及垢分析。

(2)检查下降管孔、给水套管及管孔、加药管孔、再循环管孔、安全阀座等有无裂纹、腐蚀、冲刷情况,必要时应进行探伤检查。

(3)内部预埋件的焊缝有无裂纹,必要时进行表面探伤检查。

(4)水位计的汽水连通管、压力表连通管、蒸汽加热管、汽水取样管、连续排污管等是否完好、畅通,加强型管座是否有裂纹,必要时应进行无损探伤检查。

(5)锅筒与吊挂装置接触是否良好,90°内圆弧应吻合,吊杆装置牢固,受力均匀;支座的预留膨胀间隙足够,方向正确。

(6)对于运行时间超过 5 万小时的锅炉锅筒还应增加以下的无损探伤检验:①对内表面纵、环焊缝及热影响区应进行不少于 25%的表面探伤(应包括所有的 T 形焊缝);②对纵、环焊缝进行超声波探伤或射线探伤抽查,探伤比例一般为,纵缝 25%、环缝 10%(应包括所有的 T 形焊口);③对集中下降管、给水管角焊缝进行 100%超声波探伤检查;④对安全阀、对空排气阀、引入管、引出管等管座角焊缝进行表面探伤抽查,发现裂纹时应进行超声波探伤复查。

2.水冷壁检验重点

(1)应定点监测管壁厚度和胀粗情况。

(2)热负荷较高或水循环流速较低区域水冷壁管是否有过热、变形、鼓包、磨损、高温腐蚀、胀粗、裂纹等缺欠,必要时应增加测厚、胀粗量、变形量、割管和金相检查。

(3)燃烧器周围、各门孔两侧、水冷壁底部、沸腾炉的埋管、液态除渣炉的出渣口及炉底耐火混凝土与水冷壁管交界处等处是否有碰伤、砸扁、磨损、开裂、腐蚀等缺欠,必要时应增加测厚和变形量测量。

(4)顶棚水冷壁管是否有过热、变形、胀粗等缺欠。

(5)折焰角处水冷壁管是否有过热、变形、胀粗、磨损等缺欠。

(6)防渣管是否有过热、胀粗、变形、鼓包和疲劳裂纹等缺欠,必要时应增加测厚或表面探伤检查。

(7)吹灰器附近和炉膛出口窗的水冷壁管是否有磨损减薄,必要时应附加测厚检查。

(8)膜式水冷壁是否有开裂和严重变形,固定件是否有损坏、脱落现象。

3．水冷壁上下集箱检验的重点

(1)抽查集箱内外表面有无严重腐蚀,必要时应测厚。

(2)管座角焊缝有无超标缺欠、裂纹,必要时应进行表面探伤。

(3)对于内部有挡板的集箱,应用内窥镜检查挡板是否完好、有无开裂,连通管是否被堵,水冷壁入口节流圈有无脱落、结垢、磨损。

(4)集箱支座接触是否良好,吊耳与集箱焊缝有无裂纹,必要时应进行表面探伤。

(5)对于已运行 10 万小时或调峰机组的锅炉,应对集箱封头焊缝、孔桥部位、管座角焊缝、环形集箱弯头对接焊缝进行表面探伤,探伤比例应不少于 25%,必要时应进行超声波探伤。

4．省煤器检验的重点

(1)定点检测每组上部管排、弯头附近管子和烟气走廊管子的壁厚。

(2)整体管排有无变形、磨损;支吊架、管卡、阻流板、防磨瓦等有无烧坏、脱落、磨损。

(3)低温省煤器管排处有无严重积灰和低温腐蚀。

(4)膜式省煤器膜片焊缝两端有无裂纹。

(5)对于已运行 5 万小时的锅炉,应检查入口端管子内部的氧腐蚀情况,必要时应进行割管抽样检查。

5．省煤器进出口集箱检查重点

(1)抽查集箱内部是否有腐蚀和水渣、泥垢。

(2)检查省煤器入口集箱内部的氧腐蚀情况。

(3)集箱短管角焊缝是否有裂纹,必要时应进行表面探伤。

(4)集箱支座接触是否良好,吊耳或吊挂管与集箱焊缝是否有裂纹,必要时应进行表面探伤。

(5)对于已运行 10 万小时的集箱,应对集箱封头焊缝进行表面探伤,探伤比例应不少于 25%。

6．过热器和再热器的检验重点

(1)对高温出口段管子的外径和金相进行定点监测,并计算蠕胀值。

(2)过热器、再热器管是否有磨损、腐蚀、氧化、变形、鼓包等缺欠。

(3)过热器、再热器管排间距是否均匀,有无变形、移位。

(4)过热器、再热器管穿墙和烟气走廊部分以及包墙等过热器有无磨损。

(5)过热器、再热器管束的悬吊结构件、固定卡、管卡、阻流板、防磨板等是否有烧坏、脱落、变形、移位、磨损等情况。

(6)吹灰器附近的管子是否有严重磨损,必要时应进行测厚。

(7)抽查过热器、再热器管弯头是否有裂纹和蠕变。

(8)对运行时间已达 10 万小时的,与不锈钢连接的异种钢接头进行无损探伤抽查、必要时可进行割管检查。

7．过热器、再热器集箱和集汽箱的检查重点

(1)抽查表面有无严重氧化、腐蚀情况。

(2)环焊缝是否有裂纹等缺欠，必要时应进行无损探伤。

(3)吊耳、支座与集箱和管座角焊缝是否有裂纹，必要时应进行无损探伤。

(4)与集箱连接的大直径管等焊缝是否有裂纹等缺欠，必要时应进行无损探伤。

(5)集箱筒体是否能自由膨胀。

(6)对运行时间已达 5 万小时的，应对集箱外表面的主焊缝和角焊缝进行表面探伤检查，探伤比例应不少于 25％，必要时应进行超声波探伤或射线探伤。

(7)检查炉顶各集箱有无由于炉漏烟而产生集箱及板梁的永久变形。

(8)对出口集箱引入管孔桥部位宜进行超声波探伤检查，以确定是否有内部裂纹。

(9)对于使用时间超过 10 万小时的，应增加硬度和金相检查，同时应检查集汽箱有无胀粗、变形情况，特别是孔桥部位。

8．减温器的检验重点

(1)筒体表面有无严重氧化、腐蚀情况，必要时应进行测厚、硬度和金相检查。

(2)筒体环焊缝、封头焊缝是否有裂纹等缺欠，必要时应进行无损探伤。

(3)吊耳、支座与集箱和管座角焊缝是否有裂纹，必要时应进行表面探伤。

(4)对于混合式减温器，应用内窥镜检查内衬套及喷嘴是否有裂纹；喷口是否有磨损；内壁是否有腐蚀、裂纹等缺欠。

(5)对于面式减温器应进行抽芯抽查，内壁和管板是否有腐蚀、裂纹等缺欠；对于运行 5 万小时的，应对不少于 50％的芯管进行不低于 1.25 倍工作压力的水压试验。

(6)筒体是否能自由膨胀。

(7)对运行时间已达 5 万小时的，应对筒体外表面的主焊缝和角焊缝进行表面探伤检查，探伤比例应不少于 25％，必要时应进行超声波探伤或射线探伤。

9．外置式分离器、集中下降管及分配管检验的重点

(1)表面是否有腐蚀、裂纹、变形等缺欠，必要时应进行测厚和无损探伤。

(2)固定装置是否完好。

10．锅炉范围的管道的检验重点

(1)导汽管、主蒸汽管、再热蒸汽管、给水管、旁路管等是否有腐蚀、裂纹等缺欠，抽查弯头厚度；应用无损探伤检查是否有裂纹或其他缺欠；对于运行时间已达 10 万小时的主蒸汽管和再热蒸汽管，还应对弯曲部位等进行硬度、蠕变裂纹和金相检查。

(2)其他承压管道是否有腐蚀、裂纹、变形等缺欠，必要时应进行测厚和无损探伤。

(3)管道支吊装置是否完好牢固。

11．炉顶、炉墙检验重点

炉顶密封结构是否完好；炉墙保温有无开裂、凸鼓、漏烟现象；冷灰斗、后竖井炉墙密封是否完好，能否自由膨胀。

12．膨胀指示装置和主要承重部件检验重点

(1)对于首次进行检验的锅炉，检验所有膨胀指示装置是否安装指示正确；检验大板梁挠度，应不大于 1/850，无明显变形。

(2)检验大板梁焊缝是否有裂纹等缺欠。

(3)各承力柱及梁的表面是否有腐蚀,油漆是否完好。

(4)吊杆是否有松动、过热氧化、腐蚀、裂纹等情况。

(七)检验人员需要对缺欠进行处理的情况

检验人员对在内部检验中发现的缺陷问题,应进行分析,必要时应增加相应的检验项目以对缺陷进行定性、定量分析,并根据实际情况进行处理。对于下列情况应进行更换:

(1)管子减薄较大,应进行强度校核计算,对于已不能保证安全运行到下一次大修时的。

(2)受热面碳钢管胀粗量超过公称直径的3.5%或合金钢管胀粗量超过公称直径的2.5%时,集箱、管道胀粗量超过公称直径的1%时。

(3)集箱、管子腐蚀点深度大于壁厚的30%时。

(4)碳钢、钼钢的石墨化程度参照《碳钢石墨化检验及评级标准》达四级以上时。

(5)高温过热器管和高温再热器管表面氧化皮厚度超过0.6 mm,且晶界氧化裂纹深度超过3~5晶粒时。

(6)已产生蠕变裂纹或疲劳裂纹时。

三、内部检验结论

内部检验结论有以下四个:

(1)允许运行。

(2)整改后运行。应注明须修理缺欠的性质、部位。

(3)限制条件运行。检验员提出缩短检验周期的应注明原因,对于需降压运行的应附加强度校核计算书。

(4)停止运行。应注明原因。

四、检验结论依据

(1)允许运行:内部检验合格,未发现缺欠或只有轻度不影响安全的缺欠。

(2)整改后运行:发现影响锅炉安全运行的缺欠,必须对缺欠部位进行处理。

(3)限制条件运行:不能保证锅炉在原额定参数下安全运行,或需缩短检验周期。

(4)停止运行:锅炉损坏严重,不能保证锅炉安全运行。

第三节　外部检验

一、外部检验内容

外部检验包括锅炉管理检查、锅炉本体检验、安全附件、自控调节及保护装置检验、辅机和附件检验、水质管理和水处理设备检验等方面。检验方法以宏观检验为主,并配合对一些安全装置、设备的功能确认,但不得因检验而出现不安全因素。

二、使用单位应做的准备工作

(1)锅炉外部的清理工作。

(2)准备好锅炉的技术档案资料。

(3)准备好司炉人员和水质化验人员的资格证件。

(4)检验时,锅炉使用单位的锅炉管理人员和司炉班长应到场配合,协助检验工作,并提供检验员需要的其他资料。

三、锅炉管理方面的检查内容

(1)上次检验报告中所提出的问题是否已解决。

(2)在岗司炉人员是否持证操作,其类别是否与所操作的设备相适应,人员数量和持证司炉总数是否满足设备运行需要。

(3)锅炉房管理制度是否符合要求,各种记录是否齐全、真实。

(4)对于电站锅炉还应查核金属监督制度的执行情况。

(5)锅炉周围的安全通道是否畅通。

(6)电站锅炉必要的系统图是否齐全、是否符合实际并醒目挂放。

(7)各种照明是否满足操作要求并是否完好。

(8)防火、防雷、防风、防雨、防冻、防腐等设施是否完好。

四、外检本体检验的内容

(1)从窥视孔、门孔等观察受压部件可见部件是否有变形、泄漏、结焦、积灰,耐火砌筑或卫燃带是否有破损、脱落。

(2)管接头可见部位、阀门、法兰及人孔、手孔、头孔、检查孔、汽水取样孔周围是否有腐蚀、渗漏。

(3)装有膨胀指示器的锅炉,膨胀指示器是否完好,其指示值是否在规定的范围之内。

(4)炉顶、炉墙、保温是否密封良好,有无漏烟现象,是否有开裂、凸鼓、脱落等缺欠。

(5)承重结构和支、吊架等是否有过热、变形、裂纹、腐蚀、卡死。

五、安全附件与自控调节及保护装置检验的主要内容

(一)安全阀

(1)安全阀的安装、数量、规格是否符合《蒸汽锅炉安全技术监察规程》(以下简称《规程》)的要求。

(2)对安全阀进行自动排放试验对其进行校验,其整定压力、回座压力、密封性等检验结果应记入锅炉档案,并对安全阀加锁或铅封;若安全阀仍在校验有效期内(查看校验记录),可在不低于75%的工作压力下进行手动排放试验,检验安全阀阀芯是否锈死和密封性。

对于控制式安全阀,除进行上述自动排放试验外,还应检验其控制源和控制回路等是否完好、可靠。

(3)检验阀体和法兰是否有泄漏,排汽、疏水是否畅通,排汽管、放水管是否引到安全地点。

(二)压力表

(1)压力表的数量、安装、表盘直径、量程、精度等是否符合《规程》要求。

(2)压力表是否在校验有效期内,有无铅封。

(3)蒸汽空间的压力表与锅筒或集箱之间是否有存水弯管,存水弯管与压力表之间有无三通阀门;吹洗压力表的连接管,检查压力表的连接管是否畅通。

(4)同一部件内各压力表的读数是否一致、正确。

(三)水位表

(1)水位表的数量、安装等是否满足《规程》的要求。

(2)水位表上是否有最低、最高安全水位和正常水位的明显标志,水位是否清晰可见,玻璃管水位表是否有防护罩,照明是否良好,事故照明电源是否完好。

(3)两只水位表显示的水位是否一致;同一水位检测系统中,一次仪表与二次仪表显示的水位是否一致。

(4)在检验员的观察下,由司炉工冲洗水位表,检验汽、水连管是否畅通。

(四)水位示控装置

检验锅炉水位示控装置的设置是否符合《规程》的要求,其功能(高、低水位报警,自动进水、低水位连锁保护)是否齐全;在检验员的指导下,由司炉工进行模拟功能试验,检验其是否灵敏、可靠。

(五)温度仪表

温度仪表的安装位置、量程是否符合《规程》要求,温度仪表是否在经法定计量单位的校验有效期内。

(六)超温报警和连锁装置

检验超温报警装置的设置是否符合《规程》的要求,在检验员的指导下,由司炉工进行功能试验,或查询有关超温报警记录,以证实报警装置灵敏、可靠。

(七)超压报警和连锁装置

检验超压报警装置和连锁装置的设置是否符合《规程》的要求,在检验员的指导下,由司炉工进行功能试验,检查报警和连锁压力值是否正确。

(八)点火程序、熄火保护装置

检查燃油、燃气、燃煤粉锅炉是否有点火程序及熄火保护装置;在检验员的指导下,由司炉进行功能试验,检查其是否灵敏、可靠。

(九)防爆门

对于有防爆门的锅炉,应检验防爆门是否完好。

六、辅机和附件检验主要内容

(一)排污装置

排污阀与排污管道是否有渗漏;在检验员的指导下,由司炉工进行排污试验,检查排污管是否畅通,排污时是否有震动。

(二)给水系统

给水设备、阀门是否能保证可靠地向锅炉供水。

(三)循环泵

循环泵和备用循环泵是否正常。

(四)吹灰器

检查吹灰器的运转是否正常,冷却是否良好,吹嘴及角度是否正常。

(五)燃烧系统

检查燃烧设备、燃料供应设备及管道、除渣机、鼓风机、引风机运转是否正常。

(六)热水锅炉的附加检验

集气、排气装置、除污器、定压和循环水的膨胀装置等是否符合《规程》要求。

七、水质管理和水处理设备检验主要内容

(1)水质化验员是否持证操作。

(2)汽水取样装置及取样点设置是否符合规定,化验记录和化验项目是否齐全,汽水品质是否符合国家标准。

(3)水处理设备是否满足制水量的需要。

(4)水处理设备运转或实施情况是否正常。

(5)对于电站锅炉,还应查核化学监督制度的执行情况。

(6)必要时可现场取汽水样分析。

八、外部检验结论

外部检验结论有以下三个:

(1)允许运行。

(2)监督运行。检验员应注明解决的缺欠问题和期限。

(3)停止运行。检验员应注明原因,并提出进行内部检验、进行修理或其他进一步的要求。

九、检验结论依据

(1)允许运行:未发现或只有轻度不影响安全的缺欠问题。

(2)监督运行:发现一般缺欠问题,经使用单位采取措施后能保证锅炉安全运行。

(3)停止运行:发现严重的缺欠问题,不能保证锅炉安全运行。

第四节 水压试验

一、水压试验前检验人员与锅炉使用单位准备工作

(1)检验员应认真查阅锅炉的技术资料,尤其是本次内部检验或修理、改造后的检验记录和报告。

(2)清理受压部件表面的烟灰和污物,对于需要重点进行检查的部位还应拆除炉墙和保温层,以利于观察。

(3)对于参加水压试验的连通部件(如锅炉范围以外的管路、安全阀等),应采取可靠的隔断措施。

(4)锅炉应装两只在校验合格期内的压力表,其量程应为试验压力的1.5~3倍,精度应不低于1.5级。

(5)调试试压泵,使之能确保压力按照规定的速率缓慢上升。

(6)水压试验时,周围的环境温度不应低于5 ℃,否则应采取有效的防冻措施。

(7)水压试验的用水应防止对锅炉材料有腐蚀,对奥氏体材料的受压部位,水中的氯离子浓度不得超过25 mg/L,否则应有相应的措施。

(8)水压试验的用水温度不低于大气的露点温度,一般选取20~70 ℃;对合金钢材料的受压部件,水温应高于所用钢种的脆性转变温度或按照锅炉制造厂规定的数据控制。

(9)水压试验加压前,参加试验的各个部件内都应上满水,不得残留气体。

(10)水压试验时,锅炉使用单位的管理人员应到场。

二、水压试验规定

锅筒(锅壳)的水压试验压力见表9-1。

表 9-1 锅筒(锅壳)的水压试验压力

锅筒(锅壳)工作压力 p	试验压力
<0.8 MPa	$1.5p$ 但不小于 0.2 MPa
0.8~1.6 MPa	$p+0.4$ MPa
>1.6 MPa	$1.25p$

再热器(再热器管道除外)的水压试验压力为 $1.5p_1$(p_1 为再热器的工作压力)。

直流锅炉本体的水压试验压力为介质出口压力的1.25倍,且不小于省煤器进口压力的1.1倍。

三、水压试验的步骤

(1)缓慢升压至工作压力,升压速率应不超过每分钟0.5 MPa。

(2)暂停升压,检查是否有泄漏或异常现象。

(3)继续升压至试验压力,升压速率应不超过每分钟0.2 MPa,并注意防止超压。

(4)试验压力至少保持20 min,保持期间压降应满足:①对于不能进行内部检验的锅炉,在保压期间不允许有压力下降现象;②对于其他锅炉,在保压期间的压力下降值 Δp

一般应满足表 9-2 的要求。

表 9-2　允许压降 $\triangle p$ 值

锅筒(锅壳)工作压力 p	允许压降 $\triangle p$
$p<0.8$ MPa	$\triangle p \leqslant 0.05$ MPa
0.8 MPa$\leqslant p \leqslant 1.6$ MPa	$\triangle p \leqslant 0.1$ MPa
1.6 MPa$< p <3.8$ MPa	$\triangle p \leqslant 0.15$ MPa
3.8 MPa$\leqslant p <9.8$ MPa	$\triangle p \leqslant 0.3$ MPa
$p \geqslant 9.8$ MPa	$\triangle p \leqslant 0.5$ MPa

(5)缓慢降压至工作压力。

(6)在工作压力下,检查所有参加水压试验的承压部件表面、焊缝、胀口等处是否有渗漏、变形以及管道、阀门、仪表等连接部位是否有渗漏。

(7)缓慢泄压。

(8)检查所有参加水压试验的承压部件是否有残余变形。

四、水压试验合格判别

(1)在受压元件金属壁和焊缝上没有水珠和水雾。

(2)当降到工作压力后胀口处不滴水珠。

(3)铸铁锅炉锅片的密封处在降到额定出水压力后不滴水珠。

(4)水压试验后,没有明显残余变形。

附录1　特种设备安全监察条例

（国务院令第 373 号　2003 年 6 月 1 日起施行）

第一章　总　则

第一条　为了加强特种设备的安全监察,防止和减少事故,保障人民群众生命和财产安全,促进经济发展,制定本条例。

第二条　本条例所称特种设备是指涉及生命安全、危险性较大的锅炉、压力容器(含气瓶,下同)、压力管道、电梯、起重机械、客运索道、大型游乐设施。

前款特种设备的目录由国务院负责特种设备安全监督管理的部门(以下简称国务院特种设备安全监督管理部门)制订,报国务院批准后执行。

第三条　特种设备的生产(含设计、制造、安装、改造、维修,下同)、使用、检验检测及其监督检查,应当遵守本条例,但本条例另有规定的除外。

军事装备、核设施、航空航天器、铁路机车、海上设施和船舶以及煤矿矿井使用的特种设备的安全监察不适用本条例。

房屋建筑工地和市政工程工地用起重机械的安装、使用的监督管理,由建设行政主管部门依照有关法律、法规的规定执行。

第四条　国务院特种设备安全监督管理部门负责全国特种设备的安全监察工作,县以上地方负责特种设备安全监督管理的部门对本行政区域内特种设备实施安全监察(以下统称特种设备安全监督管理部门)。

第五条　特种设备生产、使用单位应当建立健全特种设备安全管理制度和岗位安全责任制度。

特种设备生产、使用单位的主要负责人应当对本单位特种设备的安全全面负责。

特种设备生产、使用单位和特种设备检验检测机构,应当接受特种设备安全监督管理部门依法进行的特种设备安全监察。

第六条　特种设备检验检测机构,应当依照本条例规定,进行检验检测工作,对其检验检测结果、鉴定结论承担法律责任。

第七条　县级以上地方人民政府应当督促、支持特种设备安全监督管理部门依法履行安全监察职责,对特种设备安全监察中存在的重大问题及时予以协调、解决。

第八条　国家鼓励推行科学的管理方法,采用先进技术,提高特种设备安全性能和管理水平,增强特种设备生产、使用单位防范事故的能力,对取得显著成绩的单位和个人,给予奖励。

第九条　任何单位和个人对违反本条例规定的行为,有权向特种设备安全监督管理部门和行政监察等有关部门举报。

特种设备安全监督管理部门应当建立特种设备安全监察举报制度,公布举报电话、信箱或者电子邮件地址,受理对特种设备生产、使用和检验检测违法行为的举报,并及时予以处理。

特种设备安全监督管理部门和行政监察等有关部门应当为举报人保密，并按照国家有关规定给予奖励。

第二章 特种设备的生产

第十条 特种设备生产单位，应当依照本条例规定以及国务院特种设备安全监督管理部门制定并公布的安全技术规范(以下简称安全技术规范)的要求，进行生产活动。

特种设备生产单位对其生产的特种设备的安全性能负责。

第十一条 压力容器的设计单位应当经国务院特种设备安全监督管理部门许可，方可从事压力容器的设计活动。

压力容器的设计单位应当具备下列条件：

(一)有与压力容器设计相适应的设计人员、设计审核人员；

(二)有与压力容器设计相适应的健全的管理制度和责任制度。

第十二条 锅炉、压力容器中的气瓶(以下简称气瓶)、氧舱和客运索道、大型游乐设施的设计文件，应当经国务院特种设备安全监督管理部门核准的检验检测机构鉴定，方可用于制造。

第十三条 按照安全技术规范的要求，应当进行型式试验的特种设备产品、部件或者试制特种设备新产品、新部件，必须进行整机或者部件的型式试验。

第十四条 锅炉、压力容器、电梯、起重机械、客运索道、大型游乐设施及其安全附件、安全保护装置的制造、安装、改造单位，以及压力管道用管子、管件、阀门、法兰、补偿器、安全保护装置等(以下简称压力管道元件)的制造单位，应当经国务院特种设备安全监督管理部门许可，方可从事相应的活动。

前款特种设备的制造、安装、改造单位应当具备下列条件：

(一)有与特种设备制造、安装、改造相适应的专业技术人员和技术工人；

(二)有与特种设备制造、安装、改造相适应的生产条件和检测手段；

(三)有健全的质量管理制度和责任制度。

第十五条 特种设备出厂时，应当附有安全技术规范要求的设计文件、产品质量合格证明、安装及使用维修说明、监督检验证明等文件。

第十六条 锅炉、压力容器、电梯、起重机械、客运索道、大型游乐设施的维修单位，应当有与特种设备维修相适应的专业技术人员和技术工人以及必要的检测手段，并经省、自治区、直辖市特种设备安全监督管理部门许可，方可从事相应的维修活动。

第十七条 锅炉、压力容器、起重机械、客运索道、大型游乐设施的安装、改造、维修，必须由依照本条例取得许可的单位进行。

电梯的安装、改造、维修，必须由电梯制造单位或者其通过合同委托、同意的依照本条例取得许可的单位进行。电梯制造单位对电梯质量以及安全运行涉及的质量问题负责。

特种设备安装、改造、维修的施工单位应当在施工前将拟进行的特种设备安装、改造、维修情况书面告知直辖市或者设区的市的特种设备安全监督管理部门，告知后即可施工。

第十八条 电梯井道的土建工程必须符合建筑工程质量要求。电梯安装施工过程中,电梯安装单位应当遵守施工现场的安全生产要求,落实现场安全防护措施。电梯安装施工过程中,施工现场的安全生产监督,由有关部门依照有关法律、行政法规的规定执行。

电梯安装施工过程中,电梯安装单位应当服从建筑施工总承包单位对施工现场的安全生产管理,并订立合同,明确各自的安全责任。

第十九条 电梯的制造、安装、改造和维修活动,必须严格遵守安全技术规范的要求。电梯制造单位委托或者同意其他单位进行电梯安装、改造、维修活动的,应当对其安装、改造、维修活动进行安全指导和监控。电梯的安装、改造、维修活动结束后,电梯制造单位应当按照安全技术规范的要求对电梯进行校验和调试,并对校验和调试的结果负责。

第二十条 锅炉、压力容器、电梯、起重机械、客运索道、大型游乐设施的安装、改造、维修竣工后,安装、改造、维修的施工单位应当在验收后 30 日内将有关技术资料移交使用单位。使用单位应当将其存入该特种设备的安全技术档案。

第二十一条 锅炉、压力容器、压力管道元件、起重机械、大型游乐设施的制造过程和锅炉、压力容器、电梯、起重机械、客运索道、大型游乐设施的安装、改造、重大维修过程,必须经国务院特种设备安全监督管理部门核准的检验检测机构按照安全技术规范的要求进行监督检验;未经监督检验合格的不得出厂或者交付使用。

第二十二条 气瓶充装单位应当经省、自治区、直辖市的特种设备安全监督管理部门许可,方可从事充装活动。

气瓶充装单位应当具备下列条件:

(一)有与气瓶充装和管理相适应的管理人员和技术人员;

(二)有与气瓶充装和管理相适应的充装设备、检测手段、场地厂房、器具、安全设施和一定的气体储存能力,并能够向使用者提供符合安全技术规范要求的气瓶;

(三)有健全的充装安全管理制度、责任制度、紧急处理措施。

气瓶充装单位应当对气瓶使用者安全使用气瓶进行指导,提供服务。

第三章 特种设备的使用

第二十三条 特种设备使用单位,应当严格执行本条例和有关安全生产的法律、行政法规的规定,保证特种设备的安全使用。

第二十四条 特种设备使用单位应当使用符合安全技术规范要求的特种设备。特种设备投入使用前,使用单位应当核对其是否附有本条例第十五条规定的相关文件。

第二十五条 特种设备在投入使用前或者投入使用后 30 日内,特种设备使用单位应当向直辖市或者设区的市的特种设备安全监督管理部门登记。登记标志应当置于或者附着于该特种设备的显著位置。

第二十六条 特种设备使用单位应当建立特种设备安全技术档案。安全技术档案应当包括以下内容:

(一)特种设备的设计文件、制造单位、产品质量合格证明、使用维护说明等文件以及安装技术文件和资料;

(二)特种设备的定期检验和定期自行检查的记录;

(三)特种设备的日常使用状况记录;

(四)特种设备及其安全附件、安全保护装置、测量调控装置及有关附属仪器仪表的日常维护保养记录；

(五)特种设备运行故障和事故记录。

第二十七条 特种设备使用单位应当对在用特种设备进行经常性日常维护保养，并定期自行检查。

特种设备使用单位对在用特种设备应当至少每月进行一次自行检查，并作出记录。特种设备使用单位对在用特种设备进行自行检查和日常维护保养时发现异常情况的，应当及时进行处理。

特种设备使用单位应当对在用特种设备的安全附件、安全保护装置、测量调控装置及有关附属仪器仪表进行定期校验、检修，并作出记录。

第二十八条 特种设备使用单位应当按照安全技术规范的定期检验要求，在安全检验合格有效期届满前 1 个月向特种设备检验检测机构提出定期检验要求。

检验检测机构接到定期检验要求后，应当按照安全技术规范的要求及时进行检验。

未经定期检验或者检验不合格的特种设备，不得继续使用。

第二十九条 特种设备出现故障或者发生异常情况，使用单位应当对其进行全面检查，消除事故隐患后，方可重新投入使用。

第三十条 特种设备存在严重事故隐患，无改造、维修价值，或者超过安全技术规范规定使用年限，特种设备使用单位应当及时予以报废，并应当向原登记的特种设备安全监督管理部门办理注销。

第三十一条 特种设备使用单位应当制定特种设备的事故应急措施和救援预案。

第三十二条 电梯的日常维护保养必须由依照本条例取得许可的安装、改造、维修单位或者电梯制造单位进行。

电梯应当至少每 15 日进行一次清洁、润滑、调整和检查。

第三十三条 电梯的日常维护保养单位应当在维护保养中严格执行国家安全技术规范的要求，保证其维护保养的电梯的安全技术性能，并负责落实现场安全防护措施，保证施工安全。

电梯的日常维护保养单位，应当对其维护保养的电梯的安全性能负责。接到故障通知后，应当立即赶赴现场，并采取必要的应急救援措施。

第三十四条 电梯、客运索道、大型游乐设施等为公众提供服务的特种设备运营使用单位，应当设置特种设备安全管理机构或者配备专职的安全管理人员；其他特种设备使用单位，应当根据情况设置特种设备安全管理机构或者配备专职、兼职的安全管理人员。

特种设备的安全管理人员应当对特种设备使用状况进行经常性检查，发现问题的应当立即处理；情况紧急时，可以决定停止使用特种设备并及时报告本单位有关负责人。

第三十五条 客运索道、大型游乐设施的运营使用单位在客运索道、大型游乐设施每日投入使用前，应当进行试运行和例行安全检查，并对安全装置进行检查确认。

电梯、客运索道、大型游乐设施的运营使用单位应当将电梯、客运索道、大型游乐设施的安全注意事项和警示标志置于易于为乘客注意的显著位置。

第三十六条 客运索道、大型游乐设施的运营使用单位的主要负责人应当熟悉客运索道、大型游乐设施的相关安全知识,并全面负责客运索道、大型游乐设施的安全使用。

客运索道、大型游乐设施的运营使用单位的主要负责人至少应当每月召开一次会议,督促、检查客运索道、大型游乐设施的安全使用工作。

客运索道、大型游乐设施的运营使用单位,应当结合本单位的实际情况,配备相应数量的营救装备和急救物品。

第三十七条 电梯、客运索道、大型游乐设施的乘客应当遵守使用安全注意事项的要求,服从有关工作人员的指挥。

第三十八条 电梯投入使用后,电梯制造单位应当对其制造的电梯的安全运行情况进行跟踪调查和了解,对电梯的日常维护保养单位或者电梯的使用单位在安全运行方面存在的问题,提出改进建议,并提供必要的技术帮助。发现电梯存在严重事故隐患的,应当及时向特种设备安全监督管理部门报告。电梯制造单位对调查和了解的情况,应当作出记录。

第三十九条 锅炉、压力容器、电梯、起重机械、客运索道、大型游乐设施的作业人员及其相关管理人员(以下统称特种设备作业人员),应当按照国家有关规定经特种设备安全监督管理部门考核合格,取得国家统一格式的特种作业人员证书,方可从事相应的作业或者管理工作。

第四十条 特种设备使用单位应当对特种设备作业人员进行特种设备安全教育和培训,保证特种设备作业人员具备必要的特种设备安全作业知识。

特种设备作业人员在作业中应当严格执行特种设备的操作规程和有关的安全规章制度。

第四十一条 特种设备作业人员在作业过程中发现事故隐患或者其他不安全因素,应当立即向现场安全管理人员和单位有关负责人报告。

第四章 检验检测

第四十二条 从事本条例规定的监督检验、定期检验、型式试验检验检测工作的特种设备检验检测机构,应当经国务院特种设备安全监督管理部门核准。

特种设备使用单位设立的特种设备检验检测机构,经国务院特种设备安全监督管理部门核准,负责本单位一定范围内的特种设备定期检验、型式试验工作。

第四十三条 特种设备检验检测机构,应当具备下列条件:

(一)有与所从事的检验检测工作相适应的检验检测人员;

(二)有与所从事的检验检测工作相适应的检验检测仪器和设备;

(三)有健全的检验检测管理制度、检验检测责任制度。

第四十四条 特种设备的监督检验、定期检验和型式试验应当由依照本条例经核准的特种设备检验检测机构进行。

特种设备检验检测工作应当符合安全技术规范的要求。

第四十五条 从事本条例规定的监督检验、定期检验和型式试验的特种设备检验检测人员应当经国务院特种设备安全监督管理部门组织考核合格,取得检验检测人员证书,方可从事检验检测工作。

检验检测人员从事检验检测工作,必须在特种设备检验检测机构执业,但不得同时在两个以上检验检测机构中执业。

　　第四十六条　特种设备检验检测机构和检验检测人员进行特种设备检验检测,应当遵循诚信原则和方便企业的原则,为特种设备生产、使用单位提供可靠、便捷的检验检测服务。

　　特种设备检验检测机构和检验检测人员对涉及的被检验检测单位的商业秘密,负有保密义务。

　　第四十七条　特种设备检验检测机构和检验检测人员应当客观、公正、及时地出具检验检测结果、鉴定结论。检验检测结果、鉴定结论经检验检测人员签字后,由检验检测机构负责人签署。

　　特种设备检验检测机构和检验检测人员对检验检测结果、鉴定结论负责。

　　国务院特种设备安全监督管理部门应当组织对特种设备检验检测机构的检验检测结果、鉴定结论进行监督抽查。县以上地方负责特种设备安全监督管理的部门在行政区域内也可以组织监督抽查,但是要防止重复抽查。监督抽查结果应当向社会公布。

　　第四十八条　特种设备检验检测机构和检验检测人员不得从事特种设备的生产、销售,不得以其名义推荐或者监制、监销特种设备。

　　第四十九条　特种设备检验检测机构进行特种设备检验检测,发现严重事故隐患,应当及时告知特种设备使用单位,并立即向特种设备安全监督管理部门报告。

　　第五十条　特种设备检验检测机构和检验检测人员利用检验检测工作故意刁难特种设备生产、使用单位,特种设备生产、使用单位有权向特种设备安全监督管理部门投诉,接到投诉的特种设备安全监督管理部门应当及时进行调查处理。

第五章　监督检查

　　第五十一条　特种设备安全监督管理部门依照本条例规定,对特种设备生产、使用单位和检验检测机构实施安全监察。

　　对学校、幼儿园以及车站、客运码头、商场、体育场馆、展览馆、公园等公众聚集场所的特种设备,特种设备安全监督管理部门应当实施重点安全监察。

　　第五十二条　特种设备安全监督管理部门根据举报或者取得的涉嫌违法证据,对涉嫌违反本条例规定的行为进行查处时,可以行使下列职权:

　　(一)向特种设备生产、使用单位和检验检测机构的法定代表人、主要负责人和其他有关人员调查、了解与涉嫌从事违反本条例的生产、使用、检验检测有关的情况;

　　(二)查阅、复制特种设备生产、使用单位和检验检测机构的有关合同、发票、账簿以及其他有关资料;

　　(三)对有证据表明不符合安全技术规范要求的或者有其他严重事故隐患的特种设备或者其主要部件,予以查封或者扣押。

　　第五十三条　依照本条例规定,实施许可、核准、登记的特种设备安全监督管理部门,应当严格依照本条例规定条件和安全技术规范要求对有关事项进行审查;不符合本条例规定条件和安全技术规范要求的,不得许可、核准、登记。

　　未依法取得许可、核准、登记的单位擅自从事特种设备的生产、使用或者检验检测活动的,特种设备安全监督管理部门应当予以取缔或者依法予以处理。

已经取得许可、核准、登记的特种设备的生产、使用单位和检验检测机构,特种设备安全监督管理部门发现其不再符合本条例规定条件和安全技术规范要求的,应当依法撤销原许可、核准、登记。

第五十四条 特种设备安全监督管理部门在办理本条例规定的有关行政审批事项时,其受理、审查、许可、核准的程序必须公开,并应当自受理申请之日起30日内,作出许可、核准或者不予许可、核准的决定;不予许可、核准的,应当书面向申请人说明理由。

第五十五条 地方各级特种设备安全监督管理部门不得以任何形式进行地方保护和地区封锁,不得对已经依照本条例规定在其他地方取得许可的特种设备生产单位重复进行许可,也不得要求对依照本条例规定在其他地方检验检测合格的特种设备,重复进行检验检测。

第五十六条 特种设备安全监督管理部门的安全监察人员(以下简称特种设备安全监察人员)应当熟悉相关法律、法规、规章和安全技术规范,具有相应的专业知识和工作经验,并经国务院特种设备安全监督管理部门考核,取得特种设备安全监察人员证书。

特种设备安全监察人员应当忠于职守、坚持原则、秉公执法。

第五十七条 特种设备安全监督管理部门对特种设备生产、使用单位和检验检测机构实施安全监察时,应当有两名以上特种设备安全监察人员参加,并出示有效的特种设备安全监察人员证件。

第五十八条 特种设备安全监督管理部门对特种设备生产、使用单位和检验检测机构实施安全监察,应当对每次安全监察的内容、发现的问题及处理情况作出记录,并由参加安全监察的特种设备安全监察人员和被检查单位的有关负责人签字后归档。被检查单位的有关负责人拒绝签字的,特种设备安全监察人员应当将情况记录在案。

第五十九条 特种设备安全监督管理部门对特种设备生产、使用单位和检验检测机构进行安全监察时,发现有违反本条例和安全技术规范的行为或者在用的特种设备存在事故隐患的,应当以书面形式发出特种设备安全监察指令,责令有关单位及时采取措施,予以改正或者消除事故隐患。紧急情况下需要采取紧急处置措施的,应当随后补发书面通知。

第六十条 特种设备安全监督管理部门对特种设备生产、使用单位和检验检测机构进行安全监察,发现重大违法行为或者严重事故隐患时,应当在采取必要措施的同时,及时向上级特种设备安全监督管理部门报告。接到报告的特种设备安全监督管理部门应当采取必要措施,及时予以处理。

对违法行为或者严重事故隐患的处理需要当地人民政府和有关部门的支持、配合时,特种设备安全监督管理部门应当报告当地人民政府,并通知其他有关部门。当地人民政府和其他有关部门应当采取必要措施,及时予以处理。

第六十一条 国务院特种设备安全监督管理部门和省、自治区、直辖市特种设备安全监督管理部门应当定期向社会公布特种设备安全状况。

公布特种设备安全状况,应当包括下列内容:

(一)在用的特种设备数量;

(二)特种设备事故的情况、特点、原因分析、防范对策;

(三)其他需要公布的情况。

第六十二条 特种设备发生事故,事故发生单位应当迅速采取有效措施,组织抢救,防止事故扩大,减少人员伤亡和财产损失,并按照国家有关规定,及时、如实地向负有安全生产监督管理职责的部门和特种设备安全监督管理部门等有关部门报告。不得隐瞒不报、谎报或者拖延不报。

第六十三条 特种设备发生事故的,按照国家有关规定进行事故调查,追究责任。

第六章 法律责任

第六十四条 未经许可,擅自从事压力容器设计活动的,由特种设备安全监督管理部门予以取缔,处5万元以上20万元以下罚款;有违法所得的,没收违法所得;触犯刑律的,对负有责任的主管人员和其他直接责任人员依照刑法关于非法经营罪或者其他罪的规定,依法追究刑事责任。

第六十五条 锅炉、气瓶、氧舱和客运索道、大型游乐设施的设计文件,未经国务院特种设备安全监督管理部门核准的检验检测机构鉴定,擅自用于制造的,由特种设备安全监督管理部门责令改正,没收非法制造的产品,处5万元以上20万元以下罚款;触犯刑律的,对负有责任的主管人员和其他直接责任人员依照刑法关于生产、销售伪劣产品罪、非法经营罪或者其他罪的规定,依法追究刑事责任。

第六十六条 按照安全技术规范的要求应当进行型式试验的特种设备产品、部件或者试制特种设备新产品、新部件,未进行整机或者部件型式试验的,由特种设备安全监督管理部门责令限期改正;逾期未改正的,处2万元以上10万元以下罚款。

第六十七条 未经许可,擅自从事锅炉、压力容器、电梯、起重机械、客运索道、大型游乐设施及其安全附件、安全保护装置的制造、安装、改造以及压力管道元件的制造活动的,由特种设备安全监督管理部门予以取缔,没收非法制造的产品,已经实施安装、改造的,责令恢复原状或者责令限期由取得许可的单位重新安装、改造,处5万元以上20万元以下罚款;触犯刑律的,对负有责任的主管人员和其他直接责任人员依照刑法关于生产、销售伪劣产品罪、非法经营罪、重大责任事故罪或者其他罪的规定,依法追究刑事责任。

第六十八条 特种设备出厂时,未按照安全技术规范的要求附有设计文件、产品质量合格证明、安装及使用维修说明、监督检验证明等文件的,由特种设备安全监督管理部门责令改正;情节严重的,责令停止生产、销售,处违法生产、销售货值金额30%以下罚款;有违法所得的,没收违法所得。

第六十九条 未经许可,擅自从事锅炉、压力容器、电梯、起重机械、客运索道、大型游乐设施的维修或者日常维护保养的,由特种设备安全监督管理部门予以取缔,处1万元以上5万元以下罚款;有违法所得的,没收违法所得;触犯刑律的,对负有责任的主管人员和其他直接责任人员依照刑法关于非法经营罪、重大责任事故罪或者其他罪的规定,依法追究刑事责任。

第七十条 锅炉、压力容器、电梯、起重机械、客运索道、大型游乐设施的安装、改造、维修的施工单位,在施工前未将拟进行的特种设备安装、改造、维修情况书面告知直辖市或者设区的市的特种设备安全监督管理部门即行施工的,或者在验收后 30 日内未将有关技术资料移交锅炉、压力容器、电梯、起重机械、客运索道、大型游乐设施的使用单位的,由特种设备安全监督管理部门责令限期改正;逾期未改正的,处 2 000 元以上 1 万元以下罚款。

第七十一条 锅炉、压力容器、压力管道元件、起重机械、大型游乐设施的制造过程和锅炉、压力容器、电梯、起重机械、客运索道、大型游乐设施的安装、改造、重大维修过程,未经国务院特种设备安全监督管理部门核准的检验检测机构按照安全技术规范的要求进行监督检验,出厂或者交付使用的,由特种设备安全监督管理部门责令改正,没收违法生产、销售的产品,已经实施安装、改造或者重大维修的,责令限期进行监督检验,处 5 万元以上20 万元以下的罚款;有违法所得的,没收违法所得;情节严重的,撤销制造、安装、改造或者维修单位已经取得的许可,并由工商行政管理部门吊销其营业执照;触犯刑律的,对负有责任的主管人员和其他直接责任人员依照刑法关于生产、销售伪劣产品罪或者其他罪的规定,依法追究刑事责任。

第七十二条 未经许可,擅自从事气瓶充装活动的,由特种设备安全监督管理部门予以取缔,没收违法充装的气瓶,处 5 万元以上 20 万元以下罚款;有违法所得的,没收违法所得;触犯刑律的,对负有责任的主管人员和其他直接责任人员依照刑法关于非法经营罪或者其他罪的规定,依法追究刑事责任。

第七十三条 电梯制造单位有下列情形之一的,由特种设备安全监督管理部门责令限期改正;逾期未改正的,予以通报批评:

(一)未依照本条例第十九条的规定对电梯进行校验、调试的;

(二)对电梯的安全运行情况进行跟踪调查和了解时,发现存在严重事故隐患,未及时向特种设备安全监督管理部门报告的。

第七十四条 特种设备使用单位有下列情形之一的,由特种设备安全监督管理部门责令限期改正;逾期未改正的,处 2 000 元以上 2 万元以下罚款;情节严重的,责令停止使用或者停产停业整顿:

(一)特种设备投入使用前或者投入使用后 30 日内,未向特种设备安全监督管理部门登记,擅自将其投入使用的;

(二)未依照本条例第二十六条的规定,建立特种设备安全技术档案的;

(三)未依照本条例第二十七条的规定,对在用特种设备进行经常性日常维护保养和定期自行检查的,或者对在用特种设备的安全附件、安全保护装置、测量调控装置及有关附属仪器仪表进行定期校验、检修,并作出记录的;

(四)未按照安全技术规范的定期检验要求,在安全检验合格有效期届满前 1 个月向特种设备检验检测机构提出定期检验要求的;

(五)使用未经定期检验或者检验不合格的特种设备的;

(六)特种设备出现故障或者发生异常情况,未对其进行全面检查、消除事故隐患,继续投入使用的;

(七)未制定特种设备的事故应急措施和救援预案的;

(八)未依照本条例第三十二条第二款的规定,对电梯进行清洁、润滑、调整和检查的。

第七十五条 特种设备存在严重事故隐患,无改造、维修价值,或者超过安全技术规范规定的使用年限,特种设备使用单位未予以报废,并向原登记的特种设备安全监督管理部门办理注销的,由特种设备安全监督管理部门责令限期改正;逾期未改正的,处 5 万元以上 20 万元以下罚款。

第七十六条 电梯、客运索道、大型游乐设施的运营使用单位有下列情形之一的,由特种设备安全监督管理部门责令限期改正;逾期未改正的,责令停止使用或者停产停业整顿,处 1 万元以上 5 万元以下罚款:

(一)客运索道、大型游乐设施每日投入使用前,未进行试运行和例行安全检查,并对安全装置进行检查确认的。

(二)未将电梯、客运索道、大型游乐设施的安全注意事项和警示标志置于易于为乘客注意的显著位置的。

第七十七条 特种设备使用单位有下列情形之一的,由特种设备安全监督管理部门责令限期改正;逾期未改正的,责令停止使用或者停产停业整顿,处 2 000 元以上 2 万元以下罚款:

(一)未依照本条例规定设置特种设备安全管理机构或者配备专职、兼职的安全管理人员的;

(二)从事特种设备作业的人员,未取得相应特种作业人员证书,上岗作业的;

(三)未对特种设备作业人员进行特种设备安全教育和培训的。

第七十八条 特种设备使用单位的主要负责人在本单位发生重大特种设备事故时,不立即组织抢救或者在事故调查处理期间擅离职守或者逃匿的,给予降职、撤职的处分;触犯刑律的,依照刑法关于重大责任事故罪或者其他罪的规定,依法追究刑事责任。

特种设备使用单位的主要负责人对特种设备事故隐瞒不报、谎报或者拖延不报的,依照前款规定处罚。

第七十九条 特种设备作业人员违反特种设备的操作规程和有关的安全规章制度操作,或者在作业过程中发现事故隐患或者其他不安全因素,未立即向现场安全管理人员和单位有关负责人报告的,由特种设备使用单位给予批评教育、处分;触犯刑律的,依照刑法关于重大责任事故罪或者其他罪的规定,依法追究刑事责任。

第八十条 未经核准,擅自从事本条例所规定的监督检验、定期检验、型式试验等检验检测活动的,由特种设备安全监督管理部门予以取缔,处 5 万元以上 20 万元以下罚款;有违法所得的,没收违法所得;触犯刑律的,对负有责任的主管人员和其他直接责任人员依照刑法关于非法经营罪或者其他罪的规定,依法追究刑事责任。

第八十一条 特种设备检验检测机构,有下列情形之一的,由特种设备安全监督管理部门处 2 万元以上 10 万元以下罚款;情节严重的,撤销其检验检测资格:

(一)检验检测工作不符合安全技术规范的要求;

(二)聘用未经特种设备安全监督管理部门组织考核合格并取得检验检测人员证书的人员,从事相关检验检测工作的;

(三)在进行特种设备检验检测中,发现严重事故隐患,未及时告知特种设备使用单位,并立即向特种设备安全监督管理部门报告的。

第八十二条 特种设备检验检测机构和检验检测人员,出具虚假的检验检测结果、鉴定结论或者检验检测结果、鉴定结论严重失实的,由特种设备安全监督管理部门对检验检测机构没收违法所得,处5万元以上20万元以下罚款,情节严重的,撤销其检验检测资格;对检验检测人员处5 000元以上5万元以下罚款,情节严重的,撤销其检验检测资格,触犯刑律的,依照刑法关于中介组织人员提供虚假证明文件罪、中介组织人员出具证明文件重大失实罪或者其他罪的规定,依法追究刑事责任。

特种设备检验检测机构和检验检测人员,出具虚假的检验检测结果、鉴定结论或者检验检测结果、鉴定结论严重失实,造成损害的,应当承担赔偿责任。

第八十三条　特种设备检验检测机构或者检验检测人员从事特种设备的生产、销售,或者以其名义推荐或者监制、监销特种设备的,由特种设备安全监督管理部门撤销特种设备检验检测机构和检验检测人员的资格,处5万元以上20万元以下罚款;有违法所得的,没收违法所得。

第八十四条　特种设备检验检测机构和检验检测人员利用检验检测工作故意刁难特种设备生产、使用单位,由特种设备安全监督管理部门责令改正;拒不改正的,撤销其检验检测资格。

第八十五条　检验检测人员,从事检验检测工作,不在特种设备检验检测机构执业或者同时在两个以上检验检测机构中执业的,由特种设备安全监督管理部门责令改正,情节严重的,给予停止执业6个月以上2年以下的处罚;有违法所得的,没收违法所得。

第八十六条　特种设备安全监督管理部门及其特种设备安全监察人员,有下列违法行为之一的,对直接负责的主管人员和其他直接责任人员,依法给予降级或者撤职的行政处分;触犯刑律的,依照刑法关于受贿罪、滥用职权罪、玩忽职守罪或者其他罪的规定,依法追究刑事责任:

(一)不按照本条例规定的条件和安全技术规范要求,实施许可、核准、登记的;

(二)发现未经许可、核准、登记,擅自从事特种设备的生产、使用或者检验检测活动不予取缔或者不依法予以处理的;

(三)发现特种设备生产、使用单位不再具备本条例规定的条件而不撤销其原许可,或者发现特种设备生产、使用违法行为不予查处的;

(四)发现特种设备检验检测机构不再具备本条例规定的条件而不撤销其原核准,或者对其出具虚假的检验检测结果、鉴定结论或者检验检测结果、鉴定结论严重失实的行为不予查处的;

(五)对依照本条例规定在其他地方取得许可的特种设备生产单位重复进行许可,或者对依照本条例规定在其他地方检验检测合格的特种设备,重复进行检验检测的;

(六)发现有违反本条例和安全技术规范的行为或者在用的特种设备存在严重事故隐患,不立即处理的;

(七)发现重大的违法行为或者严重事故隐患,未及时向上级特种设备安全监督管理部门报告,或者接到报告的特种设备安全监督管理部门不立即处理的。

第八十七条　特种设备的生产、使用单位或者检验检测机构,拒不接受特种设备安全监督管理部门依法实施的安全监察的,由特种设备安全监督管理部门责令限期改正;逾期未改正的,责令停产停业整顿,处2万元以上10万元以下的罚款;触犯刑律的,依照刑法关于妨害公务罪或者其他罪的规定,依法追究刑事责任。

第七章　附　则

第八十八条　本条例下列用语的含义是:

锅炉,是指利用各种燃料、电或者其他能源,将所盛装的液体加热到一定的参数,并承载一定压力的密闭设备,其范围规定为容积大于或者等于 30 L 的承压蒸汽锅炉;出口水压大于或者等于 0.1 MPa(表压),且额定功率大于或者等于 0.1 MW 的承压热水锅炉;有机热载体锅炉。

压力容器,是指盛装气体或者液体,承载一定压力的密闭设备,其范围规定为最高工作压力大于或者等于 0.1 MPa(表压),且压力与容积的乘积大于或者等于 2.5 MPa·L 的气体、液化气体和最高工作温度高于或者等于标准沸点的液体的固定式容器和移动式容器;盛装公称工作压力大于或者等于 0.2 MPa(表压),且压力与容积的乘积大于或者等于 1.0 MPa·L 的气体、液化气体和标准沸点等于或者低于 60 ℃ 液体的气瓶、氧舱等。

压力管道,是指利用一定的压力,用于输送气体或者液体的管状设备,其范围规定为最高工作压力大于或者等于 0.1 MPa(表压)的气体、液化气体、蒸汽介质或者易燃、易爆、有毒、有腐蚀性、最高工作温度高于或者等于标准沸点的液体介质,且公称直径大于 25 mm 的管道。

电梯,是指动力驱动,利用沿刚性导轨运行的箱体或者沿固定线路运行的梯级(踏步),进行升降或者平行运送人、货物的机电设备,包括载人(货)电梯、自动扶梯、自动人行道等。

起重机械,是指用于垂直升降或者垂直升降并水平移动重物的机电设备,其范围规定为额定起重量大于或者等于 0.5 t 的升降机;额定起重量大于或者等于 1 t,且提升高度大于或者等于 2 m 的起重机和承重形式固定的电动葫芦等。

客运索道,是指动力驱动,利用柔性绳索牵引箱体等运载工具运送人员的机电设备,包括客运架空索道、客运缆车、客运拖牵索道等。

大型游乐设施,是指用于经营目的,承载乘客游乐的设施,其范围规定为设计最大运行线速度大于或者等于 2 m/s,或者运行高度距地面高于或者等于 2 m 的载人大型游乐设施。

特种设备包括其附属的安全附件、安全保护装置和与安全保护装置相关的设施。

第八十九条　压力管道设计、安装、使用的安全监督管理办法由国务院另行制定。

第九十条　特种设备检验检测机构依照本条例规定实施检验检测,收取费用,依照国家有关规定执行。

第九十一条　本条例自 2003 年 6 月 1 日起施行。1982 年 2 月 6 日国务院发布的《锅炉压力容器安全监察暂行条例》同时废止。

附录2 锅炉压力容器使用登记管理办法

(国质检锅[2003]207号 2003年9月1日起执行)

第一章 总 则

第一条 为了加强锅炉压力容器使用登记管理,规范使用登记行为,根据《特种设备安全监察条例》的规定,制定本办法。

第二条 使用下列锅炉压力容器应当办理使用登记:

(一)《蒸汽锅炉安全技术监察规程》、《热水锅炉安全技术监察规程》和《有机热载体炉安全技术监察规程》适用范围内的锅炉。

(二)《压力容器安全技术监察规程》、《超高压容器安全技术监察规程》、《医用氧舱安全管理规定》适用范围内的固定式压力容器、移动式压力容器(铁路罐车、汽车罐车、罐式集装箱)和氧舱。

第三条 使用锅炉压力容器的单位和个人(以下统称使用单位)应当按照本办法的规定办理锅炉压力容器使用登记,领取《特种设备使用登记证》(以下简称使用登记证,见附件1)。未办理使用登记并领取使用登记证的锅炉压力容器不得擅自使用。

军事装备、核设施、航空航天器、铁路机车、海上设施和船舶使用的锅炉压力容器不适用本办法。

第四条 锅炉压力容器使用登记证在锅炉压力容器定期检验合格期间内有效。

第五条 国家质量监督检验检疫总局(以下简称国家质检总局)负责全国锅炉压力容器使用登记的监督管理工作,县以上地方质量技术监督部门(以下简称质监部门)负责本行政区域内锅炉压力容器使用登记的监督管理工作。

省级质监部门和设区的市的质监部门是锅炉压力容器使用登记机关。移动式压力容器、国家大型发电公司所属电站锅炉的使用登记由省级质监部门办理,其他锅炉压力容器的使用登记由设区的市的质监部门负责办理。

地级州、盟以及未设区的地级市等同于设区的市,负责办理本行政区域内锅炉压力容器的使用登记工作。

直辖市质监部门可以委托下一级质监部门,以直辖市质监部门的名义办理锅炉压力容器的使用登记工作。

第二章 使用登记

第六条 每台锅炉压力容器在投入使用前或者投入使用后30日内,使用单位应当向所在地的登记机关申请办理使用登记,领取使用登记证。

使用单位使用租赁的锅炉压力容器,除移动式压力容器外,均由产权单位向使用地登记机关办理使用登记证,交使用单位随设备使用。

第七条 使用单位申请办理使用登记应当按照下列规定,逐台向登记机关提交锅炉

压力容器及其安全阀、爆破片和紧急切断阀等安全附件的有关文件:

(一)安全技术规范要求的设计文件、产品质量合格证明、安装及使用维修说明、制造及安装过程监督检验证明;

(二)进口锅炉压力容器安全性能监督检验报告;

(三)锅炉压力容器安装质量证明书(附件 4);

(四)锅炉水处理方法及水质指标;

(五)移动式压力容器车辆行走部分和承压附件的质量证明书或者产品质量合格证以及强制性产品认证证书;

(六)锅炉压力容器使用安全管理的有关规章制度。

第八条 办理下列锅炉压力容器使用登记只需提交前条第(一)、(二)项文件:

(一)水容量小于 50 L 的蒸汽锅炉;

(二)额定蒸汽压力不大于 0.1 MPa 的蒸汽锅炉;

(三)额定出水温度小于 120 ℃ 且额定热功率不大于 2.8 MW 的热水锅炉;

(四)机器设备附属的且与机器设备为一体的压力容器。

锅炉房内的分汽(水)缸随锅炉一同办理使用登记,不单独领取使用登记证。

第九条 使用单位申请办理使用登记,应当逐台填写《锅炉登记卡》或者《压力容器登记卡》(以下简称登记卡,见附件 2、附件 3)一式 2 份,交予登记机关。

第十条 登记机关接到使用单位提交的文件和填写的登记卡(以下统称登记文件),应当按照下列规定及时审核、办理使用登记:

(一)能够当场审核的,应当当场审核。登记文件符合本办法规定的,当场办理使用登记证;不符合规定的,应当出具不予受理通知书,书面说明理由。

(二)当场不能审核的,登记机关应当向使用单位出具登记文件受理凭证。使用单位按照通知时间凭登记文件受理凭证领取使用登记证或者不予受理通知书。

(三)对于 1 次申请登记数量在 10 台以下的,应当自受理文件之日起 5 个工作日内完成审核发证工作,或者书面说明不予登记理由;对于 1 次申请登记数量在 10 台以上 50 台以下的,应当自受理文件之日起 15 个工作日内完成审核发证工作,或者书面说明不予登记理由;1 次申请登记数量超过 50 台的,应当自受理文件之日起 30 个工作日内完成审核发证工作,或者书面说明不予登记理由。

第十一条 登记机关办理使用登记证,应当按照《锅炉压力容器注册代码和使用登记证号码编制规定》(见附件 5),编写注册代码和使用登记证号码。

办理移动式压力容器使用登记证,同时核发记录出厂信息和使用登记信息的"移动式压力容器 IC 卡"。

第十二条 登记机关向使用单位发证时应当退还提交的文件和一份填写的登记卡。

使用单位应当建立安全技术档案,将使用登记证、登记文件妥善保存。

第十三条 使用单位应当将使用登记证悬挂在锅炉房内或者固定在压力容器本体上(无法悬挂或者固定的除外),并在锅炉压力容器的明显部位喷涂使用登记证号码。

第十四条 使用单位使用无制造许可证单位制造的锅炉压力容器的,登记机关不得给予登记。

第三章　变更登记

第十五条　锅炉压力容器安全状况发生变化、长期停用、移装或者过户的,使用单位应当向登记机关申请变更登记。

第十六条　锅炉压力容器安全状况发生下列变化的,使用单位应当在变化后 30 日内持有关文件向登记机关申请变更登记:

(一)锅炉压力容器经过重大修理改造或者压力容器改变用途、介质的,应当提交锅炉压力容器的技术档案资料、修理改造图纸和重大修理改造监督检验报告;

(二)压力容器安全状况等级发生变化的,应当提交压力容器登记卡、压力容器的技术档案资料和定期检验报告。

第十七条　锅炉压力容器拟停用 1 年以上的,使用单位应当封存锅炉压力容器,在封存后 30 日内向登记机关申请报停,并将使用登记证交回登记机关保存。重新启用应当经过定期检验,经检验合格的持定期检验报告向登记机关申请启用,领取使用登记证。

第十八条　在登记机关行政区域内移装锅炉压力容器的,使用单位应当在移装完成后投入使用前向登记机关提交锅炉压力容器登记文件和移装后的安装监督检验报告,申请变更登记。

第十九条　移装地跨原登记机关行政区域的,使用单位应当持原使用登记证和登记卡向原登记机关申请办理注销。原登记机关应当在登记卡上做注销标记并向使用单位签发《锅炉压力容器过户或者异地移装证明》(见附件 7)。

移装完成后,使用单位应当在投入使用前或者投入使用后 30 日内持《锅炉压力容器过户或者异地移装证明》、标有注销标记的登记卡、锅炉压力容器登记文件以及移装后的安装监督检验报告,向移装地登记机关申请变更登记,领取新的使用登记证。

第二十条　锅炉压力容器需要过户的,原使用单位应当持使用登记证、登记卡和有效期内的定期检验报告到原登记机关办理使用登记证注销手续。

原登记机关应当注销使用登记证,并在登记卡上做注销标记,向原使用单位签发《锅炉压力容器过户或者异地移装证明》。

第二十一条　原使用单位应当将《锅炉压力容器过户或者异地移装证明》、标有注销标志的登记卡、历次定期检验报告以及登记文件全部移交锅炉压力容器新使用单位。

第二十二条　锅炉压力容器只过户不移装的,新使用单位应当在投入使用前或者投入使用后 30 日内持全部移交文件向原登记机关申请变更登记,领取使用登记证。

原使用单位办理使用登记证注销和新使用单位办理变更登记可以同时在登记机关进行。

第二十三条　锅炉压力容器过户并在原登记机关行政区域内移装的,新使用单位应当在投入使用前或者投入使用后 30 日内持全部移交文件和移装后的安装监督检验报告向原登记机关申请变更登记,领取使用登记证。

第二十四条　锅炉压力容器过户并跨原登记机关行政区域移装的,新使用单位应当在投入使用前或者投入使用后 30 日内持全部移交文件和移装后的安装监督检验报告向移装地登记机关申请变更登记,领取使用登记证。

第二十五条 变更登记,原有的注册代码保持不变。

第二十六条 登记机关办理变更登记的工作时限同第十条的规定。

第二十七条 使用锅炉压力容器有下列情形之一的,不得申请变更登记:

(一)在原使用地未办理使用登记的;

(二)在原使用地未进行定期检验或定期检验结论为停止运行的;

(三)在原使用地已经报废的;

(四)擅自变更使用条件进行过非法修理改造的;

(五)无技术资料和铭牌的;

(六)存在事故隐患的;

(七)安全状况等级为4、5级的压力容器或者使用时间超过20年的压力容器。

第二十八条 锅炉压力容器报废时,使用单位应当将使用登记证交回登记机关,予以注销。

第四章 监督管理

第二十九条 登记机关应当采取在办公地点张贴悬挂登记程序流程图、提供免费文字介绍材料、网上公布等方式,公布锅炉压力容器使用登记的办理程序、要求,便于使用单位查询、了解。

具备条件的登记机关可以采用电子申报,以方便使用单位,提高工作效率。

第三十条 登记机关应当在本办法规定的时间内完成受理、审核、登记、变更工作,减少使用单位往返次数,不得刁难使用单位、无故拖延、缓办。

一次登记数量较大的,登记机关可以到使用单位现场办理登记、发证手续。

第三十一条 登记机关应当建档保存登记卡,并及时将登记卡和注册代码、使用登记证号码等信息输入计算机数据库,实施动态管理。

第三十二条 登记机关应当在发证后5个工作日内将登记信息传送使用地县级质监部门。县级质监部门接到登记信息后,应当及时对新增锅炉压力容器的使用情况实施安全监察。

第三十三条 上级登记机关每年应当组织对下一级登记机关的登记工作实施抽查。

第三十四条 实施定期检验的检验机构应当在设备检验合格后,将定期检验合格标记和下次检验日期标注在使用登记证上。对于不合格的设备,检验机构应当及时告知登记机关。

第三十五条 压力容器定期检验后,检验机构应当按照《压力容器安全状况等级划分及说明》(见附件6)的规定,确定压力容器安全状况等级。

安全状况等级为4级的固定式压力容器,一般不得继续使用。使用单位无法立即更换或者修理的,应当持定期检验报告、安全等级划分证明和使用登记证,向登记机关申请临时监控使用。准予监控使用的,登记机关应当在使用登记证上注明"临时监控使用"字样和期限,限期更换或者修理。

安全状况等级为4、5级的移动式压力容器或者安全状况等级为5级的固定式压力容器,应当予以注销,解体后报废。

第五章　附　则

　　第三十六条　使用登记卡、使用登记证样式由国家质检总局统一规定。移动式压力容器使用登记证,由国家质检总局按照本办法的规定制作,其他使用登记证和登记卡由登记机关按照本办法的规定印制。

　　第三十七条　本办法由国家质检总局锅炉压力容器安全监察局负责解释。

　　第三十八条　本办法自 2003 年 9 月 1 日起施行。原劳动人事部 1986 年公布的《锅炉使用登记办法》和原劳动部 1993 年公布的《压力容器使用登记管理规则》同时废止。

　　（附件略）

附录3 锅炉司炉人员考核管理规定

（国质检[2001]38号 2001年10月1日起施行）

第一章 总 则

第一条 锅炉是具有爆炸危险的设备,锅炉司炉人员(以下简称司炉)是特种技术作业人员。为了加强和规范司炉的安全技术培训、考核、发证和管理,确保锅炉安全运行,根据《锅炉压力容器安全监察暂行条例》的规定,制定本规定。

第二条 本规定适用于操作下列锅炉的司炉的安全管理:

(一)以水为介质的固定式承压锅炉(按《小型和常压热水锅炉安全监察规定》的小型和常压热水锅炉除外);

(二)有机热载体炉。

本规定不适用于核燃料锅炉司炉的安全管理。

锅炉使用单位及司炉、司炉培训考核单位,均应执行本规定。各级质量技术监督行政部门锅炉压力容器安全监察机构(以下简称安全监察机构)负责监督本规定的执行。

第三条 司炉须经培训、考试合格,并取得地市级以上安全监察机构或经授权的县级安全监察机构发放的司炉证后,方准独立操作相应类别的锅炉。

第二章 司炉的分类、基本条件

第四条 司炉分为四类,见下表:

类别	允许操作的锅炉
Ⅰ	蒸汽锅炉;热水锅炉;有机热载体炉
Ⅱ	工作压力小于等于3.8 MPa的蒸汽锅炉;热水锅炉;有机热载体炉
Ⅲ	工作压力小于等于1.6 MPa的蒸汽锅炉;额定功率小于等于7 MW的热水锅炉;有机热载体炉
Ⅳ	工作压力小于等于0.4 MPa且额定蒸发量小于等于1 t/h的蒸汽锅炉;额定功率小于等于0.7 MW的热水锅炉

第五条 司炉的基本条件是:

1. 年满18周岁;

2. 身体健康,没有妨碍司炉作业的疾病和生理缺陷;

3. 文化程度要求:Ⅰ、Ⅱ类司炉一般应具有高中以上文化程度,Ⅲ、Ⅳ类司炉一般应具有初中以上文化程度。

第三章　司炉的培训、考核和发证

第六条　司炉的培训和考核由安全监察机构统一管理和监督检查。当地安全监察机构负责检查组织司炉培训考试单位的条件;省级以上(含省级)安全监察机构负责组织对教学大纲和考试题库的统一审定工作;地、市级(或经授权的县级)安全监察机构负责审查教学程序、教案,监督检查教学质量,对考试现场及评分进行监督检查等。

第七条　组织司炉培训考核的单位,可以是锅炉检验单位,也可以是司炉数量特别集中的锅炉使用单位。这些单位必须提出组织司炉培训考试的书面申请,经地、市级(或经授权的县级)安全监察机构审查其条件,报上一级安全监察机构同意,方可开展这项工作。

电力系统电站锅炉司炉和运行人员的培训和考试工作,可由经省级安全监察机构审核同意的省级以上(含省级)电力公司司炉培训、考核委员会组织进行。

第八条　组织司炉培训考核的单位应当具备下列条件:

1. 具有相应的组织培训和考试的师资力量和管理机构;

2. 具有相应的组织培训和考试的场所、设施及器材;

3. 具有相应的组织培训和考试的教学程序、教案、管理制度。

第九条　司炉培训和考试包括取证培训考试和复审培训考试两种,内容应包括理论知识和实际操作两部分。

第十条　司炉理论培训教师和实际操作的主考人应由培训考核单位聘任,并将聘任人员名单报当地安全监察机构审定同意后,方可担任相应的培训教学和考试工作,其基本条件是:

1. 理论教师须是从事锅炉专业五年以上、中级职称以上的专业技术人员;

2. 实际操作主考人员须是从事锅炉运行管理五年以上的专业技术人员或持Ⅱ类以上司炉证且不低于所考类别的司炉人员。

第十一条　司炉首次参加培训前,应填写《锅炉司炉安全技术档案卡》(式样见附录),并提供文化程度证件。

第十二条　司炉培训的时间至少应满足以下要求:

1. 取证考试的培训时间。

(1)理论培训时间:Ⅰ类司炉一般不少于180学时,Ⅱ、Ⅲ类司炉一般不少于120学时,Ⅳ类司炉一般不少于60学时。

(2)实际操作培训或操作实习时:Ⅰ类司炉一般不少于6个月,Ⅱ、Ⅲ类司炉一般不少于3个月,Ⅳ类司炉一般不少于1个月。

2. 复审考试的培训时间应予以缩短。

第十三条　司炉考试命题应包括:

1. 理论知识部分

(1)压力、温度、介质、燃料、燃烧、传热、水循环等方面的基本知识;

(2)各种锅炉的结构及其特点;

(3)锅炉安全附件的作用、结构、原理及保证灵敏可靠的注意事项;

(4)各种热工仪表、自控和连锁保护的作用、维护管理要求和操作注意事项;

(5)锅炉附属设备如给水、水处理、燃烧、通风、除渣、吹灰、消烟除尘等辅助装置及有关循环系统的结构特点、作用及操作要领;

(6)锅炉水处理基本知识及常用水处理方法;

(7)锅炉运行的管理和操作要点;

(8)锅炉常见事故现象、原因、处理方法及预防;

(9)锅炉停炉维护保养的注意事项;

(10)锅炉安全法规规章中有关锅炉使用登记、安装、检验、修理改造、事故报告处理及运行管理规章制度的内容。

2．实际操作部分

(1)锅炉启动前的检查准备、点火、升压、正常运行、调整、压火、停炉等操作;

(2)安全附件的检查、维护和调整;

(3)各种辅机及附属设备的维护和操作;

(4)事故模拟演习。

第十四条 司炉考试应保证公正、严防作弊,并按下列要求加强管理:

1．考核单位对工业锅炉司炉的考试应从统一规定的题库中选题;对电站锅炉和特殊类型锅炉司炉的考试,考核单位应先按本规定的基本要求建立理论和实际考试的题库,并报省级安全监察机构审定。

2．安全监察机构应对考题进行确认。

3．考场须有严格的考场纪律。

4．考场须有安全监察机构人员或其授权人员监督检查。

5．主考人、监考人须在考卷及评分表上签字。

第十五条 司炉培训和考试的有关资料,应与《锅炉司炉安全技术档案卡》一起存档。

第十六条 当地安全监察机构对符合条件和考试合格的司炉,发放司炉证,并注明其类别。

电站锅炉的司炉,由省级安全监察机构发证。

第四章 监督管理

第十七条 司炉须持证上岗,且操作的锅炉应与司炉证类别允许操作的范围一致。

第十八条 持低类别司炉证的司炉要升为高类别时,应经过重新培训和考试,考试合格后更换司炉证。司炉在操作新炉型前,首先应对设备进行熟悉,必要时应进行补充培训。

第十九条 司炉证每四年由当地安全监察机构进行一次复审,复审时应先进行考核,复审不合格或超期未复审的司炉证作废。复审内容如下:

1．审查司炉证中有无违章记载;

2．审查复审培训情况和复审考试成绩。

第二十条 司炉证全国通用。司炉跨地区工作时,应持在有效期内的司炉证到当地安全监察机构办理备案手续。

第二十一条 持证司炉应履行以下职责:

1．司炉必须持有效证件操作；

2．认真执行国家有关锅炉安全管理规定，严格执行锅炉运行安全管理规章制度，精心操作，确保锅炉安全运行，对因违章操作造成的事故承担责任；

3．发现锅炉有异常现象和危及安全时，应采取紧急措施并及时报告有关负责人；

4．对任何有害锅炉安全运行的违章指挥，有权拒绝执行，并报告当地安全监察机构；

5．努力学习技术业务，不断提高操作水平。

第二十二条 锅炉使用单位应做好以下管理工作：

1．保证本单位司炉持有效司炉证，持证司炉人数应能满足正常运行操作和事故应急处理的需要；

2．加强对司炉的锅炉安全管理教育，定期组织司炉的业务技术学习；

3．制定锅炉运行操作规程并予督促检查；

4．改善司炉劳动条件，锅炉房应做到文明生产；

5．保持司炉队伍相对稳定；

6．制定并实施司炉奖罚制度。

第二十三条 锅炉使用单位、司炉培训考核单位和司炉违反本规定时，当地安全监察机构应视情节依据有关规定对有关单位和责任人予以处理，对司炉可暂扣或吊销司炉证。

第二十四条 安全监察机构违反本规定或对违反本规定的情况不予制止、不予处理，按有关规定追究监察机构的责任。

第五章 附 则

第二十五条 司炉证按有关规定印制。

第二十六条 小型和常压热水锅炉司炉的安全管理由各省安全监察机构根据本地区实际情况自行制定。

第二十七条 本规定由国家质量监督检验检疫总局负责解释。

第二十八条 本规定自2001年10月1日起施行。原劳动人事部1986年2月7日公布的《锅炉司炉工人安全技术考核管理办法》同时废止。

附录 4　蒸汽锅炉安全技术监察规程

（部发[1996]276号　1997年1月1日起执行）

第一章　总　则

第一条　为了确保锅炉安全运行,保护人身安全,促进国家经济的发展,根据《锅炉压力容器安全监察暂行条例》的有关规定,制定本规程。

第二条　本规程适用于承压的以水为介质的固定式蒸汽锅炉及锅炉范围内管道的设计、制造、安装、使用、检验、修理和改造。

汽水两用锅炉除应符合本规程的规定外,还应符合《热水锅炉安全技术监察规程》的有关规定。

本规程不适用于水容量小于 30 L 的固定式承压蒸汽锅炉和原子能锅炉。

第三条　各有关单位及其主管部门必须执行本规程的规定。

县级以上各级人民政府劳动行政部门负责锅炉安全监察工作。各级劳动行政部门锅炉压力容器安全监察机构(劳动行政部门锅炉压力容器安全监察机构以下简称安全监察机构)负责监督本规程的执行。

第四条　本规程的规定是锅炉安全管理和安全技术方面的基本要求。有关技术标准的要求如果与本规程的规定不符时,应以本规程为准。

第五条　进口固定式蒸汽锅炉或国内生产企业(含外商投资企业)引进国外技术按照国外标准生产且在国内使用的固定式蒸汽锅炉,也应符合本规程的基本要求。特殊情况如与本规程基本要求不符时,应事先征得劳动部安全监察机构同意。

第六条　有关单位若采用新结构、新工艺、新材料等新技术,如与本规程不符时,须将所做试验的条件和数据或者有关的技术资料和依据送省级安全监察机构审核同意后,报劳动部安全监察机构审批。

第二章　一般要求

第七条　锅炉的设计必须符合安全、可靠的要求。锅炉的结构应符合本规程第四章的要求。锅炉受压元件的强度应按《水管锅炉受压元件强度计算》或《锅壳锅炉受压元件强度计算》进行计算和校核。

第八条　锅炉产品出厂时,必须附有与安全有关的技术资料,其内容应包括:

1.锅炉图样(包括总图、安装图和主要受压部件图);

2.受压元件的强度计算书或计算结果汇总表;

3.安全阀排放量的计算书或计算结果汇总表;

4.锅炉质量证明书(包括出厂合格证、金属材料证明、焊接质量证明和水压试验证明);

5.锅炉安装说明书和使用说明书;

6.受压元件重大设计更改资料。

对于额定蒸汽压力大于或等于 3.8 MPa 的锅炉,至少还应提供以下技术资料:

1.锅炉热力计算书或热力计算结果汇总表;

2.过热器壁温计算书或计算结果汇总表;

3.烟风阻力计算书或计算结果汇总表;

4.热膨胀系统图。

对于额定蒸汽压力大于或等于 9.8 MPa 的锅炉,还应提供以下技术资料:

1.再热器壁温计算书或计算结果汇总表;

2.锅炉水循环(包括汽水阻力)计算书或计算结果汇总表;

3.汽水系统图;

4.各项保护装置整定值。

第九条 锅炉产品出厂时,应在明显的位置装设金属铭牌,铭牌上应载明下列项目:

1.锅炉型号;

2.制造厂锅炉产品编号;

3.额定蒸发量(t/h)或额定功率(MW);

4.额定蒸汽压力(MPa);

5.额定蒸汽温度(℃);

6.再热蒸汽进、出口温度(℃)及进、出口压力(MPa);

7.制造厂名称;

8.锅炉制造许可证级别和编号;

9.锅炉制造监检单位名称和监检标记;

10.制造年月。

对散件出厂的锅炉,还应在锅筒、过热器集箱、再热器集箱、水冷壁集箱、省煤器集箱以及减温器和启动分离器等主要受压部件的封头或端盖上打上钢印,注明该部件的产品编号。

第十条 锅炉的安装除应符合本规程外,对于额定蒸汽压力小于或等于 2.5 MPa 的锅炉,可参照《机械设备安装工程施工及验收规范》中第六册 TJ231(六)《破碎粉磨设备、卷扬机、固定式柴油机、工业锅炉安装》的有关规定。对于额定蒸汽压力大于 2.5 MPa 的锅炉,可参照 SDJ245《电力建设施工及验收技术规范(锅炉机组篇)》的有关规定。

第十一条 锅炉在安装前和安装过程中,安装单位如发现受压部件存在影响安全使用的质量问题时,应停止安装并报告当地安全监察机构,安全监察机构对所提出的质量问题应尽快提出处理意见。

第十二条 锅炉安装质量的分段验收和水压试验,由锅炉安装单位和使用单位共同进行。总体验收时,除锅炉安装单位和使用单位外,一般还应有安全监察机构派员参加。

锅炉安装验收合格后,安装单位应将安装锅炉的技术文件和施工质量证明资料等,移交使用单位存入锅炉技术档案。

第十三条 锅炉的使用单位应按照原劳动人事部颁发的《锅炉使用登记办法》逐台办理登记手续,未办理登记手续的锅炉,不得投入使用。

第十四条 锅炉的使用单位应按照原劳动人事部颁发的《锅炉司炉工人安全技术考核管理办法》对司炉工人进行管理。无与锅炉相应类别的合格司炉工人,锅炉不得投入使用。

第十五条 电力系统的发电用锅炉的使用管理和操作人员的管理考核应按《电力工业锅炉监察规程》的有关规定执行。

第十六条 锅炉的使用单位及其主管部门,应指定专职或兼职人员负责锅炉设备的安全管理,按照本规程的要求做好锅炉的使用管理工作。

锅炉的使用单位应根据锅炉的结构型式、燃烧方式和使用要求制定保证锅炉安全运行的操作规程和防爆、防火、防毒等安全管理制度以及事故处理办法,并认真执行。

锅炉的使用单位应制定和实行锅炉及其安全附件的维护保养和定期检测制度,对具有自动控制系统的锅炉,还应建立定期对自动仪表进行校验检修的制度。

第十七条 锅炉受压元件的重大修理,如锅筒(锅壳)、炉胆、回燃室、封头、炉胆顶、管板、下脚圈、集箱的更换、挖补、主焊缝的补焊、管子胀接改焊接以及大量更换受热面管子等,应有图样和施工技术方案。修理的技术要求可参照锅炉专业技术标准和有关技术规定。修理完工后,锅炉的使用单位应将图样、材料质量证明书、修理质量检验证明书等技术资料存入锅炉技术档案内。

第十八条 在用锅炉修理时,严禁在有压力或锅水温度较高的情况下修理受压元件。采用焊接方法修理受压元件时,禁止带水焊接。

第十九条 锅炉及其受压元件的改造,施工技术要求可参照锅炉专业技术标准和有关技术规定。提高锅炉运行参数的改造,在改造方案中必须包括必要的计算资料。由于结构和运行参数的改变,水处理措施和安全附件应与新参数相适应。

第二十条 锅炉改造竣工后,锅炉的使用单位应将锅炉改造的图样、材料质量证明书、施工质量检验证明书等技术资料存入锅炉技术档案内。

第三章 材 料

第二十一条 锅炉受压元件所用的金属材料及焊接材料等应符合有关国家标准和行业标准。材料制造单位必须保证材料质量,并提供质量证明书。金属材料和焊缝金属在使用条件下应具有规定的强度、韧性和伸长性以及良好的抗疲劳性能和抗腐蚀性能。锅炉受压元件修理用的钢板、钢管和焊接材料应与所修部件原来的材料牌号相同或性能类似。

第二十二条 制造锅炉受压元件的金属材料必须是镇静钢。对于板材其 20 ℃时的伸长率 δ_5 应不小于 18%。对于碳素钢和碳锰钢室温时的夏比("V"形缺口试样)冲击吸收功不低于 27 J。

第二十三条 用于锅炉受压元件的金属材料应按如下规定选用:

1. 钢板

表 3-1　锅炉用钢板

钢的种类	钢　号	标准编号	适用范围	
			工作压力(MPa)	壁温(℃)
碳素钢	Q235-A,Q235-B	GB700	≤1.0	见注①
	Q235-C,Q235-D	GB3274		—
	15,20	GB710,GB711 GB13237	≤1.0	
	20R②	GB6654 YB(T)40	≤5.9	≤450
	20g 22g	GB713 YB(T)41	≤5.9③	≤450
合金钢	12Mng,16Mng	GB713 YB(T)41	≤5.9	≤400
	16MnR②	GB6654 YB(T)40	≤5.9	≤400

注:①用于额定蒸汽压力超过 0.1 MPa 的锅炉受压元件时,元件不得与火焰接触。

　　②应补做时效冲击试验合格。

　　③制造不受辐射热的锅筒(锅壳)时,工作压力不受限制。

2. 钢管

表 3-2　锅炉用钢管

钢的种类	钢　号	标准编号	适用范围		
			用　途	工作压力 (MPa)	壁温 (℃)
碳素钢	10,20	GB8163	受热面管子	≤1.0	
			集箱、蒸汽管道		
	10,20	GB3087 YB(T)33	受热面管子	≤5.9	≤480
			集箱、蒸汽管道		≤430
	20G	GB5310 YB(T)32	受热面管子	不限	≤480
			集箱、蒸汽管道		≤430①
合金钢	12CrMoG	GB5310	受热面管子	不限	≤560
	15CrMoG		集箱、蒸汽管道		≤550
	12Cr1MoVG		受热面管子		≤580
			集箱、蒸汽管道		≤565
	12Cr2MoWVTiB 12Cr3MoVSiTiB	GB5310	受热面管子		≤600②

注:①要求使用寿命在 20 年内,可提高至 450 ℃

　　②在强度计算考虑到氧化损失时,可用到 620 ℃。

· 150 ·

3.锻件

表 3-3 锅炉用锻件

钢的种类	钢 号	标准编号	适用范围	
			工作压力(MPa)	壁温(℃)
碳素钢	Q235-A,Q235-B Q235-C,Q235-D	GB700	≤2.5①	≤350
	20,25	GB699	≤5.9②	≤450
合金钢	12CrMo	ZBJ98016	不 限	≤540
	15CrMo			≤550
	12Cr1MoV			≤565
	30CrMo 35CrMo			≤450
	25Cr2MoVA			≤510

注:①不与火焰接触锻件,工作压力不限。
②除各种形式的法兰外,符合下列要求的空心圆筒形管件可用表中相应钢号轧制或锻制圆钢经机加工而成:
　a. 碳素钢管件外径不大于 160 mm,合金钢管件或管帽类管件外径不大于 114 mm;
　b.加工后的管件经无损探伤合格;
　c.管件纵轴线与圆钢的轴线平行。

4.铸钢件

表 3-4 锅炉用铸钢件

钢的种类	钢 号	标准编号	适用范围	
			工作压力(MPa)	壁温(℃)
碳素钢	ZG200-400	GB11352 ZBJ98015	≤6.3	≤450
	ZG230-450		不 限	≤450
合金钢	ZG20CrMo	ZBJ98015	不 限	≤510
	ZG20CrMoV			≤540
	ZG15Cr1Mo1V			≤570

5.铸铁件

表 3-5　锅炉用铸铁件

铸铁种类	牌 号	标准编号	适 用 范 围		
			附件公称通径 (mm)	工作压力 (MPa)	介质温度 (℃)
灰铸铁	不低于 HT150	GB9439 JB/T2639	≤300	≤0.8	<230
			≤200	≤1.6	<230
可锻铸铁	KTH300-06 KTH300-08 KTH300-10 KTH350-12	GB9440	≤100	≤1.6	<300
球墨铸铁	QT400-18	GB1348 JB/T2637	≤150	≤1.6	<300
			≤100	≤2.5	
	QT450-10	GB1348	≤150	≤1.6	<300
			≤100	≤2.5	

注:①不得用灰铸铁制造排污阀和排污弯管。
　　②额定蒸汽压力小于或等于 1.6 MPa 的锅炉及蒸汽温度小于或等于 300 ℃ 的过热器,其放水阀和排污阀的阀
　　　壳可用上表中的可锻铸铁或球墨铸铁制造。
　　③额定蒸汽压力小于或等于 1.6 MPa 的锅炉的方形铸铁省煤器和弯头,允许采用牌号不低于 HT150 的灰铸铁。
　　　额定蒸汽压力小于或等于 2.5 MPa 的锅炉的方形铸铁省煤器和弯头,允许采用牌号不低于 HT200 的灰铸铁。
　　　在制造厂内,应对省煤器上使用的铸铁部分进行水压试验,其试验压力应等于锅炉工作压力的 2.5 倍。
　　④用于承压部位的铸铁件不准补焊。

6. 紧固零件

表 3-6　锅炉用紧固零件

钢的种类	钢 号	标准编号	适 用 范 围	
			工作压力(MPa)	介质温度(℃)
碳素钢	Q235-A,Q235-B Q235-C,Q235-D	GB700	≤1.6	≤350
	20,25	GB699	不限	≤350
	35		不限	≤420
合金钢	40Cr	GB3077	不限	≤450
	35CrMo	JB/T74	不限	≤500
	25Cr2MoVA 25Cr2Mo1VA		不限	≤550
	20Cr1Mo1VNiTiB 20Cr1Mo1VTiB		不限	≤570
	2Cr12WMoVNbB		不限	≤600

注:螺母材料的硬度应低于螺柱(栓)材料的硬度。

7.拉撑件

锅炉拉撑件使用的钢材必须为镇静钢,且应符合 GB715《标准件用碳素钢热轧圆钢》的规定或 GB699《优质碳素结构钢技术条件》中 20 钢的规定。板拉撑件应是锅炉用钢。

8.焊接材料

焊接受压元件使用的焊条应符合 GB/T5117《碳钢焊条》、GB/T5118《低合金钢焊条》、GB983《不锈钢焊条》的规定;焊丝应符合 GB4242《焊接用不锈钢丝》、GB/T8110《气体保护电弧焊用碳钢,低合金钢焊丝》、GB10045《碳钢药芯焊丝》、GB/T14957《熔化焊用钢丝》、GB/T14958《气体保护焊用钢丝》的规定;焊剂应符合 GB5293《碳素钢埋弧焊用焊剂》、GB12470《低合金钢埋弧焊用焊剂》的规定。

第二十四条 锅炉受压元件代用的钢板和钢管,应采用化学成分和力学性能相近的锅炉用钢材。

锅炉受压元件和重要的承载元件的材料代用应满足强度和结构上的要求,且须经材料代用单位的技术部门(包括设计和工艺部门)同意。

采用没有列入国家标准、行业标准的钢材代用时,代用单位应提出技术依据并报省级安全监察机构审批。

第二十五条 锅炉受压元件的材料代用遇有下列情况之一时,除应征得原设计单位同意外,还应报原图样审批单位备案。

1.用强度低的材料代替强度高的材料;

2.用厚度小的材料代替厚度大的材料(用于额定蒸汽压力小于或等于 1.6 MPa 锅炉上的受热面管子除外);

3.代用的钢管公称外径不同于原来的钢管公称外径。

第二十六条 采用研制的新钢号材料试制锅炉受压元件之前,钢材制造厂必须对此新材料的试验工作进行技术评定,参加评定的单位应有冶金、制造、使用、安全监察机构、标准等有关部门和单位。

评定至少应包括下列内容:

1.化学成分。应提供确定化学成分上、下限的试验研究数据。

2.力学性能和组织稳定性。应提供在使用温度范围内(至超过最高允许工作温度 50 ℃)温度间隔为 20 ℃(有实际困难时,可按 50 ℃间隔)的抗拉强度 σ_b^t、屈服点 $\sigma_{0.2}^t$ 并提供伸长率 δ_5、断面收缩率 ψ、时效冲击值、室温夏比("V"形缺口试样)冲击吸收功、脆性转变温度。

对于工作温度高于350 ℃的碳素钢、低碳锰钢、低碳锰钒钢以及工作温度高于400 ℃的其他合金钢,应提供持久强度、抗蠕变性能以及长期时效稳定性数据。对于奥氏体钢,还应提供抗晶间腐蚀数据。

3.抗氧化性。对于使用温度高于 500 ℃的锅炉钢材,应提供在使用温度下(包括超过最高允许工作温度 20 ℃)的抗氧化数据。

4.抗热疲劳性。应提供在相应温度下的弹性模量(E)、平均线膨胀系数(α)和传热系数(λ)等。

5.焊接性能。应提供钢材的焊接性能及焊接接头力学性能数据。

6. 钢材的制造工艺。应提供相应的技术资料,如冶炼、铸造或锻轧、成品热处理等资料。

7. 钢材的热加工性能。应提供相应的技术资料,如热冲压、热卷、热弯、热处理等资料。

第二十七条 新钢号材料经技术评定得到认可后,锅炉制造厂才可按本规程第六条规定办理试制锅炉受压元件手续。

参加试制的锅炉制造厂应将新钢号材料的性能报告、复试报告、工艺试验报告和试制情况报劳动部安全监察机构备案。

第二十八条 新钢号材料批量生产前,必须进行产品鉴定。该鉴定应有冶金、制造、使用、安全监察机构、标准等部门的代表参加。

新钢号材料的制造厂应将鉴定意见、试用情况和成批生产的钢材质量稳定性情况报劳动部安全监察机构备案。

第二十九条 锅炉受压元件采用国外钢材,应符合以下要求:

1. 钢号应是国外锅炉用钢标准所列的钢号或者化学成分、力学性能、焊接性能与国内允许用于锅炉的钢材相类似,并列入钢材标准的钢号或成熟的锅炉用钢钢号。

2. 应按订货合同规定的技术标准和技术条件进行验收。对照国内锅炉钢标准如缺少检验项目,必要时还应补做所缺项目的检验,合格后才能使用。

3. 首次使用前,应进行焊接工艺评定和成型工艺试验,满足技术要求后才能使用。

4. 锅炉强度计算应采用该钢材的技术标准或技术条件所规定的性能数据进行。

5. 未列入标准的钢材或已列入标准的电阻焊锅炉管,应经劳动部安全监察机构同意。

第三十条 钢材生产单位生产国外钢号的钢材时,应完全按照该钢号国外标准的规定进行生产和验收,批量生产前应通过产品鉴定。

第三十一条 用于锅炉的主要材料如锅炉钢板、锅炉钢管和焊接材料等,锅炉制造厂应按有关规定进行入厂验收,合格后才能使用。

用于额定蒸汽压力小于或等于 0.4 MPa 锅炉的主要材料如原始质量证明书齐全,且材料标记清晰、齐全时,可免予复验。

对于质量稳定并取得劳动部安全监察机构产品安全质量认可的材料,可免予复验。否则,不能免予复验。

第三十二条 锅炉制造、安装和修理单位必须建立材料保管和使用的管理制度。锅炉受压元件用的钢材应有标记。用于受压元件的钢板切割下料前,应作标记移植,且便于识别。

第三十三条 锅炉受压元件用的焊接材料,使用单位必须建立严格的存放、烘干、发放、回收和回用管理制度。

第四章 结 构

第三十四条 锅炉结构应符合下列基本要求:

1. 各部分在运行时应能按设计预定方向自由膨胀;

2. 保证各循环回路的水循环正常,所有受热面都应得到可靠的冷却;

3. 各受压部件应有足够的强度;

4. 受压元、部件结构的形式、开孔和焊缝的布置应尽量避免或减少复合应力和应力集中;

5.水冷壁炉膛的结构应有足够的承载能力;

6.炉墙应具有良好的密封性;

7.承重结构在承受设计载荷时应具有足够的强度、刚度、稳定性及防腐蚀性;

8.便于安装、运行操作、检修和清洗内外部;

9.燃煤粉的锅炉,其炉膛和燃烧器的结构及布置应与所设计的煤种相适应,并防止炉膛结渣或结焦。

第三十五条 额定蒸汽压力大于或等于 3.8 MPa 的锅炉,锅筒和集箱上应装设膨胀指示器。悬吊式锅炉本体设计确定的膨胀中心应予固定。

第三十六条 对于水管锅炉,在任何情况下锅筒筒体的取用壁厚不得小于 6 mm;当受热面管与锅筒采用胀接连接时,锅筒筒体的取用壁厚不得小于 12 mm。

第三十七条 对于锅壳锅炉,当锅壳内径大于 1 000 mm 时,锅壳筒体的取用壁厚应不小于 6 mm;当锅壳内径不超过 1 000 mm 时,锅壳筒体的取用壁厚应不小于 4 mm。

第三十八条 锅壳锅炉的炉胆内径不应超过 1 800 mm,其取用壁厚应不小于 8 mm,且不大于 22 mm;当炉胆内径小于或等于 400 mm 时,其取用壁厚应不小于 6 mm;卧式内燃锅炉的回燃室,其壳板的取用壁厚不应小于 10 mm,且不大于 35 mm。

卧式锅壳锅炉平直炉胆的计算长度应不超过 2 000 mm,如炉胆两端与管板扳边对接连接时,平直炉胆的计算长度可放大至 3 000 mm。

第三十九条 喷水减温器的集箱与内衬套之间以及喷水管与集箱之间的固定方式,应能保证其相对膨胀,并能避免共振,且结构和布置应便于检修。

第四十条 水管锅炉锅筒的最低安全水位,应能保证下降管可靠供水。锅壳锅炉的最低安全水位,应高于最高火界 100 mm。对于直径小于或等于 1 500 mm 卧式锅壳锅炉的最低安全水位,应高于最高火界 75 mm。

锅炉的最低安全水位应在图样上标明。

第四十一条 凡属非受热面的元件,如由于冷却不够,壁温可能超过该元件所用材料的许用温度时,应予绝热。

第四十二条 集箱和防焦箱上的手孔,当孔盖与孔圈采用非焊接连接时,应避免直接与火焰接触。

第四十三条 装设空气预热器的燃油锅炉,尾部应装设可靠的吹灰及灭火装置。燃煤粉锅炉在炉膛和布置有过热器、再热器的对流烟道,应装设吹灰器。

第四十四条 装有可分式铸铁省煤器的锅炉,宜采用旁路烟道或其他有效措施,同时应装设旁通水路。

装有不可分式省煤器的锅炉,应装设再循环管或采取其他措施防止锅炉启动点火时省煤器烧坏。

第四十五条 膜式水冷壁鳍片与管子材料的膨胀系数应相近,鳍片管(屏)的制造和检验应符合 JB/T5255《焊制鳍片管(屏)技术条件》,鳍片宽度应保证鳍片各部分在锅炉运行中的温度不超过所用材料的许用温度。

第四十六条 为确保过热器、再热器在启动及甩负荷时的冷却,应采取向空排汽、装设蒸汽旁通管路或限制烟温等措施。

第四十七条 锅炉主要受压元件的主焊缝〔锅筒(锅壳)、炉胆、回燃室以及集箱的纵向和环向焊缝,封头、管板、炉胆顶和下脚圈的拼接焊缝等〕应采用全焊透的对接焊接。

第四十八条 额定蒸汽压力小于或等于 1.6 MPa 的卧式内燃锅壳锅炉除炉胆与回燃室(湿背式)、炉胆与后管板(干背式)、炉胆与前管板(回燃式)(见图 4-1)的连接处以外,在符合下列要求的情况下,其管板与炉胆、锅壳可采用 T 形接头的对接连接,但不得采用搭接连接:

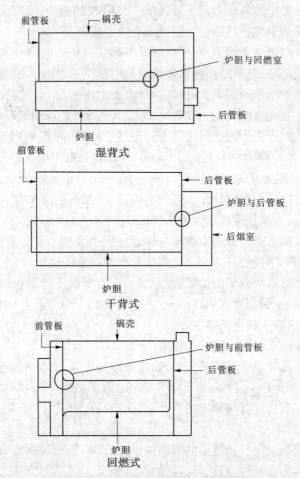

图 4-1 不允许采用 T 形接头连接的部位

1.必须采用全焊透的接头型式,且坡口经机械加工;

2.管板与锅壳、炉胆的连接焊缝应全部位于锅壳、炉胆的筒体上;

3.T 形接头连接部位的焊缝厚度应不小于管板的壁厚且其焊缝背部能封焊的部件均应封焊,不能封焊的部位应采用氩弧焊打底,并保证焊透;

4.T 形接头连接部位的焊缝应按有关规定进行超声波探伤。

凡采用 T 形接头连接的锅炉制造单位,对持有 D 级及其以上锅炉制造许可证的,应经省级安全监察机构批准;对持有 E_1 级或 E_2 级锅炉制造许可证的,应经劳动部安全监察机构批准。

第四十九条 锅炉的下降管与集箱连接时,应在管端或集箱上开全焊透型坡口。当下降管的外径小于或等于 108 mm 且采用插入式结构时可不开坡口。对于额定蒸汽压力大于或等于 3.8 MPa 的锅炉,集中下降管管接头与筒体和集箱的连接必须采用全焊透的接头型式,焊接时要保证焊透。额定蒸汽压力大于或等于 9.8 MPa 的锅炉,管子或管接头与锅筒、集箱、管道连接时,应在管端或锅筒、集箱、管道上开全焊透型坡口(长管接头除外)。

第五十条 凡能引起锅筒(锅壳)壁或集箱壁局部热疲劳的连接管(给水管、减温水管等),在穿过锅筒(锅壳)壁或集箱壁处应加装套管。额定蒸汽压力小于或等于 1.0 MPa 且额定蒸发量小于或等于 1 t/h 的锅炉,可不加装给水套管。

第五十一条 受压元件上管孔的布置应符合下列规定:

1. 胀接管孔中心与焊缝边缘及管板扳边起点的距离不应小于 $0.8d$(d 为管孔直径),且不小于 $0.5d + 12$ mm。胀接管孔不得开在锅筒筒体的纵向焊缝上,同时亦应避免开在环焊缝上。如结构设计不能避免时,在管孔周围 60 mm(若管孔直径大于 60 mm,则取孔径值)范围内的焊缝经射线探伤合格,且焊缝在管孔边缘上不存在夹渣,并对开孔部位的焊缝内外表面进行磨平和将受压部件整体热处理后,方可在环向焊缝上开胀接管孔。

2. 集中下降管的管孔不得开在焊缝上。其他焊接管孔亦应避免开在焊缝上及其热影响区。如不能避免时,在管孔周围 60 mm(若管孔直径大于 60 mm,则取孔径值)范围内的焊缝经射线或超声波探伤合格,并且焊缝在管孔边缘上不存在夹渣,管接头焊后经热处理消除应力的情况下,方可在焊缝上及热影响区开孔。

第五十二条 锅筒(筒体壁厚不相等的除外)、锅壳和炉胆上相邻两筒节的纵向焊缝,以及封头、管板、炉胆顶或下脚圈的拼接焊缝与相邻筒节的纵向焊缝,都不应彼此相连。其焊缝中心线间外圆弧长至少应为较厚钢板厚度的 3 倍,且不小于 100 mm。

第五十三条 扳边的元件(如封头、管板、炉胆顶等)与圆筒形元件对接焊接时,扳边弯曲起点至焊缝中心线的距离(L)应符合表 4-1 中的数值。

表 4-1 扳边弯曲起点至焊缝中心线距离

扳边元件的壁厚 t(mm)	距离 L(mm)
$t \leqslant 10$	$\geqslant 25$
$10 < t \leqslant 20$	$\geqslant t + 15$
$20 < t \leqslant 50$	$\geqslant 0.50t + 25$
$t > 50$	$\geqslant 50$

注:对于球形封头,可取 $L = 0$。

第五十四条 锅炉受热面管子直段上,对接焊缝间的距离不应小于 150 mm。

除盘管和无直段弯头外,受热面管子的对接焊缝中心线至管子弯曲起点、锅筒(锅壳)及集箱外壁、管子支、吊架边缘的距离至少为 50 mm;对于额定蒸汽压力大于 3.8 MPa 的锅炉至少为 70 mm。

对于管道上述距离应不小于管道外径,且不小于 100 mm。

受热面管子以及锅炉汽水管道如采用无直段弯头,无直段弯头应满足 GB12459《钢制对焊无缝管件》的有关要求,且无直段弯头与管道对接焊缝应经 100% 射线探伤合格。受热面管子上无直段弯头的弯曲部位不宜焊接任何元件。

第五十五条 受压元件主要焊缝及其邻近区域应避免焊接零件。如不能避免,则焊接零件的焊缝可穿过主要焊缝,而不应在焊缝及其邻近区域终止,以避免在这些部位发生应力集中。

第五十六条 锅壳锅炉的拉撑件不应采用拼接。

第五十七条 锅筒(锅壳)纵、环缝两边的钢板中心线应对齐。锅筒(锅壳)环缝两侧的钢板不等厚时,一般应采用中心线对齐,也允许一侧的边缘对齐。

公称壁厚不同的两元件或钢板对接时,两侧中任何一侧的名义边缘厚度差值若超过第七十四条规定的边缘偏差值,则厚板的边缘须削至与薄板边缘平齐,削出的斜面应平滑,并且斜率不大于1:4,必要时,焊缝的宽度可在斜面内,见图4-2。

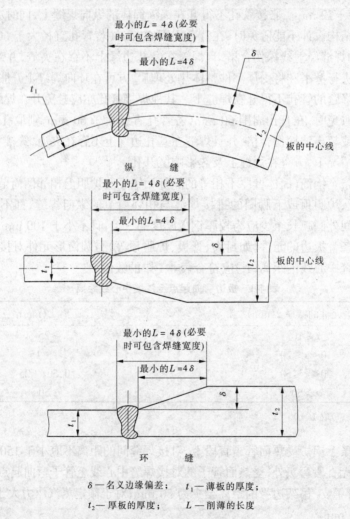

δ—名义边缘偏差; t_1—薄板的厚度;

t_2—厚板的厚度;   L—削薄的长度

图 4-2　不同厚度钢板(元件)的对接

第五十八条 额定蒸发量小于或等于 75 t/h 的水管锅炉,当采用煤粉、油或气体作燃料时,在炉膛和烟道等容易爆燃的部位一般应设置防爆门。防爆门的设置应不致危及人身的安全。

第五十九条　微正压燃烧的锅炉,炉墙、烟道和各部位门孔必须有可靠的密封,看火孔必须装设防止火焰喷出的连锁装置。

第六十条　锅炉上开设的人孔、头孔、手孔、清洗孔、检查孔、观察孔的数量和位置应满足安装、检修、运行监视和清洗的需要。

锅炉受压元件的人孔盖、头孔盖、手孔盖应采用内闭式结构。额定蒸汽压力小于或等于1.6 MPa的锅炉,其受压元件的人孔盖、头孔盖、手孔盖可采用法兰连接结构;额定蒸汽压力大于3.8 MPa的锅炉,其受压元件的手孔盖可采用焊接式结构。炉墙上人孔的门应装设坚固的门闩;炉墙上监视孔的孔盖应保证不会被烟气冲开。

第六十一条　锅筒内径大于或等于800 mm的水管锅炉和锅壳内径大于1 000 mm的锅壳锅炉,均应在筒体或封头(管板)上开设人孔。

锅筒内径小于800 mm的水管锅炉和锅壳内径为800~1 000 mm的锅壳锅炉,至少应在筒体或封头(管板)上开设一个头孔。

第六十二条　门孔的尺寸规定如下:

1. 锅炉受压元件上,椭圆人孔不应小于280 mm×380 mm,圆形人孔直径不应小于380 mm。人孔圈最小的密封平面宽度为18 mm。人孔盖凸肩与人孔圈之间总间隙不应超过3 mm(沿圆周各点上不超过1.5 mm),并且凹槽的深度应达到能完整地容纳密封垫片。

2. 锅炉受压元件上,椭圆头孔不得小于220 mm×320 mm,颈部或孔圈高度不应超过100 mm。

3. 锅炉受压元件上,手孔短轴不得小于80 mm,颈部或孔圈高度不应超过65 mm。

4. 锅炉受压元件上,清洗孔内径不得小于50 mm,颈部高度不应超过50 mm。

5. 炉墙上椭圆形人孔一般应不小于400 mm×450 mm,圆形人孔直径一般应不小于450 mm,矩形门孔一般应不小于300 mm×400 mm。若颈部或孔圈高度超过上述规定,孔的尺寸应适当放大。

第六十三条　操作人员立足地点距离地面(或转运层)高度超过3 000 mm的锅炉,应装设平台、扶梯和防护栏杆等设施。锅炉的平台、扶梯应符合下列规定:

1. 扶梯和平台的布置应保证操作人员能顺利通向需要经常操作和检查的地方。

2. 扶梯和平台应防滑,平台应有防火设施。

3. 扶梯、平台和需要操作及检查的炉顶周围,都应有铅直高度不小于1 000 mm的栏杆、扶手和高度不小于80 mm的挡脚板。

4. 扶梯的倾斜角度以45°~50°为宜。如布置上有困难时,倾斜角度可以适当增大。

5. 水位表前的平台到水位表中间的铅直高度应为1 000~1 500 mm。

第五章　受压元件的焊接

(一)一般要求

第六十四条　采用焊接方法制造、安装、修理和改造锅炉受压元件时,施焊单位应制定焊接工艺指导书并进行焊接工艺评定,符合要求后才能用于生产。

第六十五条 焊接锅炉受压元件的焊工,必须按原劳动人事部颁发的《锅炉压力容器焊工考试规则》进行考试,取得焊工合格证后,可从事考试合格项目范围内的焊接工作。

焊工应按焊接工艺指导书或焊接工艺卡施焊。

第六十六条 锅炉受压元件的焊缝附近应打上低应力的焊工代号钢印。

第六十七条 焊接设备的电流表、电压表、气体流量计等仪表、仪器以及规范参数调节装置应定期进行检定。上述表、计、装置失灵时,不得进行焊接。

第六十八条 锅炉受压元件的焊接接头质量应进行下列项目的检查和试验:

1. 外观检查;

2. 无损探伤检查;

3. 力学性能试验;

4. 金相检验和断口检验;

5. 水压试验。

第六十九条 每台锅炉的焊接质量证明除应载明第六十八条各项检验内容和结果外,还应记录产品焊后热处理的方式、规范和焊缝的修补情况等。

第七十条 焊接质量检验报告及无损探伤记录(包括底片),由施焊单位妥善保存至少 5 年或移交使用单位长期保存。

(二)焊接工艺要求和焊后热处理

第七十一条 锅炉产品焊接前,焊接单位应按附录Ⅰ的规定对下列焊接接头进行焊接工艺评定。

1. 受压元件之间的对接焊接接头。

2. 受压元件之间或者受压元件与承载的非受压元件之间连接的要求全焊透的 T 形接头或角接接头。

第七十二条 锅炉制造过程中,焊接环境温度低于 0 ℃时,没有预热措施,不得进行焊接。锅炉安装、修理现场焊接时,如环境温度低于 0 ℃时,应符合焊接工艺文件的规定。

下雨、下雪时不得露天焊接。

第七十三条 除设计规定的冷拉焊接接头外,焊件装配时不得强力对正。焊件装配和定位焊的质量符合工艺文件的要求后才允许焊接。

第七十四条 锅筒(锅壳)纵、环向焊缝以及封头(管板)拼接焊缝或两元件的组装焊缝的装配须符合以下规定。

1. 纵缝或封头(管板)拼接焊缝两边钢板的实际边缘偏差值不大于名义板厚的 10%,且不超过 3 mm;当板厚大于 100 mm 时,不超过 6 mm。

2. 环缝两边钢板的实际边缘偏差值(包括板厚差在内)不大于名义板厚的 15% 加 1 mm,且不超过 6 mm;当板厚大于 100 mm 时,不超过 10 mm。

不同厚度的两元件或钢板对接并且边缘已削薄的,按钢板相同对待,上述的名义板厚指薄板;不同厚度的钢板对接但不需削薄的,则上述的名义板厚指厚板。

第七十五条 锅筒(锅壳)的任何同一横截面上最大内径与最小内径之差不应大于名义内径的 1%。

锅筒(锅壳)纵向焊缝的棱角度应不大于 4 mm。

第七十六条 额定蒸汽压力大于或等于 9.8 MPa 的锅炉,锅筒和集箱上管接头的组合焊缝以及管子和管件的手工焊对接接头,应采用氩弧焊打底或其他能保证焊透的焊接方法。

第七十七条 锅炉受压元件的焊后热处理应符合下列规定:

1.低碳钢受压元件,其壁厚大于 30 mm 的对接接头或内燃锅炉的筒体或管板的壁厚大于 20 mm 的 T 形接头,必须进行焊后热处理。合金钢受压元件焊后需要进行热处理的厚度界限,按锅炉专业技术标准的规定。

2.异种钢接头焊后需要进行消除应力热处理时,其温度应不超过焊接接头两侧任一钢种的下临界点 A_{c_1}。

3.对于焊后有产生延迟裂纹倾向的钢材,焊后应及时进行后热消氢或热处理。

4.锅炉受压元件焊后热处理宜采用整体热处理。如果采用分段热处理,则加热的各段至少有 1 500 mm 的重叠部分,且伸出炉外部分应有绝热措施减小温度梯度。环缝局部热处理时,焊缝两侧的加热宽度应各不小于壁厚的 3 倍。

5.焊件与它的检查试件(产品试板)热处理时,其设备和规范应相同。

6.焊后热处理过程中,应详细记录热处理规范的各项参数。

第七十八条 需要焊后热处理的受压元件、接管、管座、垫板和非受压元件等与其连接的全部焊接工作,应在最终热处理之前完成。

已经热处理过的锅炉受压元件,如锅筒和集箱等,应避免直接在其上焊接非受压元件。如不能避免,在同时满足下列条件下,焊后可不再进行热处理:

1.受压元件为碳素钢或碳锰钢材料;

2.角焊缝的计算厚度不大于 10 mm;

3.应按经评定合格的焊接工艺施焊;

4.应对角焊缝进行 100 % 表面探伤。

此外,锅炉制造单位应对受压件现场焊接连接件提出检验方法和质量保证措施。

(三)外观检查

第七十九条 锅炉受压元件的全部焊缝(包括非受压元件与受压元件的连接焊缝)应进行外观检查,表面质量应符合如下要求:

1.焊缝外形尺寸应符合设计图样和工艺文件的规定,焊缝高度不低于母材表面,焊缝与母材应平滑过渡;

2.焊缝及其热影响区表面无裂纹、夹渣、弧坑和气孔;

3.锅筒(锅壳)、炉胆和集箱的纵、环焊缝及封头(管板)的拼接焊缝无咬边,其余焊缝咬边深度不超过 0.5 mm,管子焊缝两侧咬边总长度不超过管子周长的 20 %,且不超过 40 mm。

第八十条 对接焊接的受热面管子,按 JB/T1611《锅炉管子技术条件》进行通球试验。

(四)无损探伤检查

第八十一条 无损探伤人员应按劳动部颁发的《锅炉压力容器无损检测人员资格考

核规则》考核,取得资格证书,可承担与考试合格的种类和技术等级相应的无损探伤工作。

第八十二条 锅筒(锅壳)的纵向和环向对接焊缝、封头(管板)、下脚圈的拼接焊缝以及集箱的纵向对接焊缝无损探伤检查的数量如下:

1. 额定蒸汽压力小于或等于 0.1 MPa 的锅炉,每条焊缝应进行 10% 射线探伤(焊缝交叉部位必须在内)。

2. 额定蒸汽压力大于 0.1 MPa 但小于或等于 0.4 MPa 的锅炉,每条焊缝应进行 25% 射线探伤(焊缝交叉部位必须在内)。

3. 额定蒸汽压力大于 0.4 MPa 但小于 2.5 MPa 的锅炉,每条焊缝应进行 100% 射线探伤。

4. 额定蒸汽压力大于或等于 2.5 MPa 但小于 3.8 MPa 的锅炉,每条焊缝应进行 100% 超声波探伤加至少 25% 射线探伤,或进行 100% 射线探伤。焊缝交叉部位及超声波探伤发现的质量可疑部位应进行射线探伤。

5. 额定蒸汽压力大于或等于 3.8 MPa 的锅炉,每条焊缝应进行 100% 超声波探伤加至少 25% 射线探伤。焊缝交叉部位及超声波探伤发现的质量可疑部位必须进行射线探伤。

封头(管板)、下脚圈的拼接焊缝的无损探伤应在加工成型后进行。

电渣焊焊缝的超声波探伤应在焊缝正火热处理后进行。

第八十三条 炉胆的纵向和环向对接焊缝、回燃室的对接焊缝及炉胆顶的拼接焊缝及炉胆顶的拼接焊缝的无损探伤数量如下:

1. 额定蒸汽压力小于或等于 0.1 MPa 的锅炉,每条焊缝应进行 10% 射线探伤(焊缝交叉部位必须在内)。

2. 额定蒸汽压力大于 0.1 MPa 的锅炉,每条焊缝应进行 25% 射线探伤(焊缝交叉部位必须在内)。

第八十四条 额定蒸汽压力小于或等于 1.6 MPa 的内燃锅壳锅炉,其管板与炉胆、锅壳的角接连接焊缝的探伤数量如下:

1. 管板与锅壳的 T 形连接部位的每条焊缝应进行 100% 超声波探伤。

2. 管板与炉胆、回燃室的 T 形连接部位的焊缝应进行 50% 超声波探伤。

第八十五条 集箱、管子、管道和其他管件的环焊缝(受热面管子接触焊除外),射线或超声波探伤的数量规定如下:

1. 当外径大于 159 mm,或者壁厚大于或等于 20 mm 时,每条焊缝应进行 100% 探伤。

2. 外径小于或等于 159 mm 的集箱环缝,每条焊缝长度应进行 25% 探伤,也可不少于每台锅炉集箱环缝条数的 25%。

3. 工作压力大于或等于 9.8 MPa 的管子,其外径小于或等于 159 mm 时,制造厂内为接头数的 100%,安装工地至少为接头数的 25%。

4. 工作压力大于或等于 3.8 MPa 但小于 9.8 MPa 的管子,其外径小于或等于 159 mm 时,制造厂内至少为接头数的 50%,安装工地至少为接头数的 25%。

5. 工作压力大于或等于 0.10 MPa 但小于 3.8 MPa 的管子,其外径小于或等于 159 mm 时,制造厂内及安装工地应各至少抽查接头数的 10%。

第八十六条 额定蒸汽压力大于或等于 3.8 MPa 的锅炉,集中下降管的角接接头应进行 100% 射线或超声波探伤;每个锅筒和集箱上的其他管接头角接接头,应进行至少 10% 的无损探伤抽查。

第八十七条 对接接头的射线探伤应按 GB3323《钢熔化焊对接接头射线照相和质量分级》的规定执行。射线照相的质量要求不应低于 AB 级。

额定蒸汽压力大于 0.1 MPa 的锅炉,对接接头的质量不低于Ⅱ级为合格;额定蒸汽压力小于或等于 0.1 MPa 的锅炉,对接接头的质量不低于Ⅲ级为合格。

第八十八条 对接接头的超声波探伤,当壁厚小于或等于 120 mm 时,应按 JB1152《锅炉和钢制压力容器对接焊缝超声波探伤》的规定进行;当壁厚超过 120 mm 时,可按 GB11345《钢焊缝手工超声波探伤方法和探伤结果分级》的规定进行;管子和管道的对接接头超声波探伤可按 SDJ67《电力建设施工及验收技术规范(管道焊缝超声波检验篇)》的规定进行;超出 SDJ67 适用范围的,按企业标准执行。

采用超声波探伤时,对接接头的质量不低于Ⅰ级为合格。

第八十九条 集中下降管的角接接头的超声波探伤可按 JB3144《锅炉大口径管座角焊缝超声波探伤》的规定执行。

卧式内燃锅壳锅炉的管板与炉胆、锅壳的 T 形接头的超声波探伤按有关规定进行。

第九十条 焊缝用超声波和射线两种方法进行探伤时,按各自标准均合格者,方可认为焊缝探伤合格。

第九十一条 经过部分射线或超声波探伤检查的焊缝,在探伤部位任意一端发现缺陷有延伸可能时,应在缺陷的延长方向做补充射线或超声波探伤检查。在抽查或在缺陷的延长方向补充检查中有不合格缺陷时,该条焊缝应做抽查数量的双倍数目的补充探伤检查。补充检查后,仍有不合格时,该条焊缝应全部进行探伤。受压管道和管子对接接头做探伤抽查时,如发现有不合格的缺陷,应做抽查数量的双倍数目的补充探伤检查。如补充检查仍不合格,应对该焊工焊接的全部对接接头做探伤检查。

(五)焊接接头的力学性能试验

第九十二条 为检验产品焊接接头的力学性能,应焊制产品检查试件(板状试件称为检查试板),以便进行拉力、冷弯和必要的冲击韧性试验。

第九十三条 产品检查试件的数量和要求如下:

1. 每个锅筒(锅壳)的纵、环焊缝应各做一块检查试板。

2. 对于批量生产的额定蒸汽压力小于或等于 1.6 MPa 的锅炉,在质量稳定的情况下,允许同批生产(同钢号、同焊接材料和工艺)的每 10 个锅筒(锅壳)做纵、环缝检查试板各一块,不足 10 个锅筒(锅壳)也应做纵、环缝检查试板各一块。

3. 当环缝的母材和焊接工艺与纵缝相同时,可只做纵缝检查试板,免做环缝检查试板。

4. 封头、管板的拼接焊缝,当其母材与锅筒(锅壳)相同时,可免做检查试板,否则检查试板的数量应与锅筒(锅壳)筒体相同。

5. 炉胆、回燃室,其母材、焊接工艺与锅壳相同时,可免做检查试板,否则检查试板的数量应与锅壳筒体相同。

6. 集箱和管道的对接接头,当材料为碳素钢时,可免做检查试件;当材料为合金钢时,在同钢号、同焊接材料、同焊接工艺、同热处理设备和规范的情况下,每批做焊接接头数1%的模拟检查试件,但不得少于1个。

7. 受热面管子的对接接头,当材料为碳素钢时(接触焊对接接头除外),可免做检查试件;当材料为合金钢时,在同钢号、同焊接材料、同焊接工艺、同热处理设备和规范的情况下,从每批产品上切取接头数的0.5%作为检查试件,但不得少于1套试样所需接头数。在产品接头上直接切取检查试件确有困难的,如锅筒和集箱上管接头与管子连接的对接接头、膜式壁管子对接接头等,可焊接模拟的检查试件。

8. 额定蒸汽压力小于0.1 MPa的锅炉的锅壳以及封头、管板和下脚圈的拼接焊缝,可以免做产品检查试件。

9. 纵缝检查试板应作为产品纵缝的延长部分焊接(电渣焊除外),环缝检查试板可单独焊接。

10. 产品检查试件应由焊该产品的焊工焊接。试件材料、焊接材料、焊接设备和工艺条件等应与所代表的产品相同。试件焊成后应打上焊工代号钢印。

11. 检查试件的数量、尺寸应满足制备检验和复验所需的力学性能试样。安装工地焊制所用产品检查试件的母材,应由制造单位提供。

第九十四条 检查试件经过外观和无损探伤检查后,在合格部位制取试样。需要返修检查试件的焊缝时,其焊接工艺应与产品焊缝返修的焊接工艺相同。

第九十五条 为检查焊接接头整个厚度上的抗拉强度,应从检查试板上沿焊缝横向切取焊接接头全截面拉力试样。试样取样尺寸和数量见附录Ⅱ第1条。

第九十六条 当板厚大于20 mm,小于或等于70 mm时,应从纵缝检查试板上沿焊缝纵向切取全焊缝金属拉力试样一个;当板厚大于70 mm时,应取全焊缝金属拉力试样二个。试样的取样部位和尺寸见附录Ⅱ第2条。

第九十七条 管子对接接头的拉力试样应从检查试件上切取二个,亦可用一整根检查试件作拉力试样,代替剖管的两个拉力试样。试样的取样部位和尺寸见附录Ⅱ第3条、第4条。

第九十八条 试样的拉力试验应按GB228《金属拉伸试验方法》规定的方法进行,其合格标准如下:

1. 焊接接头的抗拉强度不低于母材规定值的下限。

2. 全焊缝金属试样的抗拉强度和屈服点不低于母材规定值的下限。如果母材抗拉强度规定值下限大于490 MPa,且焊缝金属的屈服点高于母材规定值,则允许焊缝金属的抗拉强度比母材规定值下限低19.6 MPa。

3. 全焊缝金属试样的伸长率不小于母材伸长率(δ_5)规定值的80%。

第九十九条 应从检查试板上沿焊缝横向切取二个焊接接头弯曲试样,其中一个是面弯试样,一个是背弯试样。对于异种钢接头,可以用纵向弯曲试样代替横向弯曲试样。弯曲试样的尺寸和取样部位见附录Ⅱ第5条。

第一百条 管子对接焊接接头的弯曲试样应从检查试件上切取二个,一个面弯,一个背弯。

取样的部位和试样尺寸见附录Ⅱ第3条、第6条。

第一百零一条 试样的弯曲试验应按 GB232《金属弯曲试验方法》规定的方法进行。试样的焊缝中心线需对准弯轴中心。规定的试样弯曲角度见表5-1。

表5-1 试样弯曲角度

钢种		弯轴直径 D	支点距离	弯曲角度(°)
双面焊	碳素钢、奥氏体钢	$3t$	$5.2t$	180
	其他合金钢	$3t$	$5.2t$	100
单面焊	碳素钢、奥氏体钢	$3t$	$5.2t$	90
	其他合金钢	$3t$	$5.2t$	50

注:①接触焊的接头弯曲角度按双面焊的规定。

②有衬垫的单面焊弯曲角度按双面焊的规定。

③t:试样厚度。

弯曲试样冷弯到表5-1角度后,试样上任何方向最大缺陷的长度均不大于 3 mm 为合格。试样的棱角开裂不计。

第一百零二条 工作压力大于或等于 3.8 MPa 或壁温大于或等于 450 ℃ 的锅筒以及合金钢材料的集箱和对接管道,如壁厚大于或等于 12 mm(单面焊焊件厚度大于或等于16 mm),应从其检查试件上取三个焊接接头的冲击试样。试样缺口应开在有最后焊道的焊缝侧面内,如有要求,可开在熔合线或热影响区内。试样的形式、尺寸、加工和试验方法应符合 GB/T229《金属夏比冲击试验方法》中 V 形制品的规定。

第一百零三条 三个试样的常温冲击及吸收功平均值应不低于母材规定值,如无母材规定值时,应不低于 27 J(试样截面尺寸为 10 mm×10 mm),并且至多允许有一个试样的冲击吸收功低于上述指标值,但不低于上述指标值的 70%。

第一百零四条 力学性能试验有某项不合格时,应从原焊制的检查试件中对不合格项目取双倍试样复验(对冲击试验项目是再取三个试样复验),或将原检查试件与产品再热处理一次后进行全面复验。

第一百零五条 若拉力和弯曲每个复验试样的试验结果都合格,六个冲击试样(包括三个初验试样和三个复验试样)的冲击吸收功平均值不低于母材规定值,如无母材规定值时应不低于 27 J(试样截面尺寸为 10 mm×10 mm),且至多有两个试样的冲击吸收功值低于上述指标值,而其中低于上述指标值 70% 的试样只有一个,则复验为合格,否则为不合格。

(六)金相检验和断口检验

第一百零六条 焊件的材料为合金钢时,下列焊缝应进行金相检验:

1.工作压力大于或等于 3.8 MPa 的锅筒的对接焊缝,工作压力大于或等于 9.8 MPa 或壁温大于 450 ℃ 的集箱、受热面管子和管道的对接焊缝;

2.工作压力大于或等于 3.8 MPa 的锅筒、集箱上管接头的角焊缝。

第一百零七条 金相检验的试样,应按下列规定切取:

1.锅筒和集箱,从每个检查试件上切取一个试样;

2.锅炉范围内管道、受热面管子,从每个(套)检查试件上切取一个试样;

3.锅筒和集箱上管接头的角焊缝,应将管接头分为壁厚大于 6 mm 和小于或等于 6 mm 两种,对每种管接头,每焊 200 个,焊一个检查试件,不足 200 个也应焊一个检查试件,并沿检查试件中心线切开作金相试样。

第一百零八条 金相检验的合格标准为:

1.没有裂纹、疏松;

2.没有过烧组织;

3.没有淬硬性马氏体组织。

第一百零九条 有裂纹、过烧、疏松之一者不允许复验,金相检验即为不合格。

仅因有淬硬性马氏体组织而不合格者,允许检查试件与产品再热处理一次,然后取双倍试样复验(合格后仍须复验力学性能),每个复验的试样复验合格后才为合格。

第一百一十条 额定蒸汽压力大于或等于 3.8 MPa 的锅炉,受热面管子的对接接头应做断口检验。每 200 个焊接接头抽查一个,不足 200 个的也应抽查一个。100%探伤合格或氩弧焊焊接(含氩弧焊打底手工电弧焊盖面)的对接接头可免做断口检验。

断口检验包括整个焊缝断面。断口检验的合格标准见表 5-2。

表 5-2　断口检验的合格标准

缺陷		壁厚 $t \leqslant 6$	壁厚 $t > 6$
裂纹		没有	
未熔合		没有	
未焊透		深度$\leqslant 15\% t$,且$\leqslant 1.5$mm。总长度$\leqslant 10\%$周长	
内凹(塌腰)		深度$\leqslant 25\% t$,且$\leqslant 1$ mm	深度$\leqslant 20\% t$,且$\leqslant 2$ mm
单个气孔	径向	$\leqslant 30\% t$,且$\leqslant 1.5$ mm	$\leqslant 25\% t$,且$\leqslant 4$ mm
	轴、径向	$\leqslant 2$ mm	$\leqslant 30\% t$,且$\leqslant 6$ mm
单个夹渣	径向	$\leqslant 25\% t$	$\leqslant 20\% t$,且$\leqslant 4$ mm
	轴、径向	$\leqslant 30\% t$	$\leqslant 25\% t$,且$\leqslant 4$ mm
密集气孔与夹渣		没有	每 1 cm² 面积内气孔及夹渣不超过 5 个,并且每 1 cm² 面积内气孔及夹渣的总面积不超过 3 mm²
沿圆周方向气孔和夹渣的总长		沿圆周方向 10 倍壁厚的范围内,气孔和夹渣的累计长度不超过壁厚	
沿壁厚方向同一直线上各种缺陷总长		$\leqslant 30\% t$,且$\leqslant 1.5$ mm	$\leqslant 20\% t$,且$\leqslant 4$ mm

凡不符合表 5-2 中任何一项规定者,则为不合格,允许取双倍试样复验。若每个复验试样的每项检验结果均合格,则复验为合格,否则复验为不合格,该试样代表的焊缝也不合格。

（七）水压试验

第一百一十一条 受压焊件的水压试验应在无损探伤和热处理后进行。

1.单个锅筒和整装出厂的焊制锅炉,应按本规程第二百零七条的试验压力在制造单位进行水压试验。

2.散件出厂锅炉的集箱及其类似元件,应以元件工作压力的 1.5 倍压力在制造单位进行水压试验,并在试验压力下保持 5 分钟,小于或等于 2.5 MPa 锅炉无管接头的集箱,可不单独进行水压试验。

3.对接焊接的受热面管子及其他受压管件,应在制造单位逐根逐件进行水压试验,试验压力应为元件工作压力的 2 倍(对于额定蒸汽压力大于或等于 13.7 MPa 的锅炉,此试验的压力可为 1.5 倍),并在此试验压力下保持 10~20 秒钟。如对接焊缝经氩弧焊打底并 100% 无损探伤检查合格,能够确保焊接质量,在制造单位内可不做此项水压试验。工地组装的受热面管子、管道的焊接接头可与本体同时进行水压试验。

水压试验方法应按照本规程第二百零八条的规定进行。

水压试验的结果应符合本规程第二百零九条的规定。

（八）焊接接头的返修

第一百一十二条 如果受压元件的焊接接头经无损探伤发现存在不合格的缺陷,施焊单位应找出原因,制订可行的返修方案,才能进行返修。补焊前,缺陷应彻底清除。补焊后,补焊区应做外观和无损探伤检查。要求焊后热处理的元件,补焊后应做焊后热处理。同一位置上的返修不应超过三次。

（九）用焊接方法的修理

第一百一十三条 锅炉受压元件因应力腐蚀、蠕变、疲劳而产生较大面积损伤要采用焊接方法修理时,一般应挖补或更换,不宜采用补焊方法。

第一百一十四条 锅炉受压元件进行挖补时,补板应是规则的形状,若采用方形补板时,四个角应为半径不小于 100 mm 的圆角(若补板的一边与原焊缝的位置重合,此边的两个角可除外)。

锅炉受压元件不得采用贴补的方法修理。

第一百一十五条 在锅筒(锅壳)挖补和补焊以前,修理单位应进行焊接工艺评定。工艺试件必须由修理单位焊接。工艺试件的化学成分分析和力学性能试验允许委托外单位做。

第一百一十六条 参加在用锅炉的集中下降管与锅筒 T 形连接焊接或类似焊缝修理工作的焊工,除应取得焊工合格证外,还应在补焊前按规定的焊接工艺进行模拟练习并达到技术要求。

第一百一十七条 采用堆焊修理锅筒(锅壳),堆焊后应进行渗透探伤或磁粉探伤。

第一百一十八条 额定蒸汽压力大于或等于 0.1 MPa 的锅炉,锅筒(锅壳)更换封头(管板)或筒节时,需要焊接模拟检查试件进行力学性能检验。

第一百一十九条 更换和修理受热面管子时,管子对接接头可不进行力学性能检验。

第一百二十条 受压元件更换、挖补、主焊缝补焊的焊缝,应按本章中有关规定进行无损探伤检查。

第一百二十一条 修理经热处理的锅炉受压元件时,焊接后原则上应参照原热处理规范进行焊后热处理。

第六章 胀 接

第一百二十二条 胀接前应进行试胀工作,以检查胀管器的质量和管材的胀接性能。在试胀工作中,要对试样进行比较性检查,检查胀口部分是否有裂纹,胀接过渡部分是否有剧烈变化,喇叭口根部与管孔壁的结合状态是否良好等,然后检查管孔壁与管子外壁的接触表面的印痕和啮合状况。根据检查结果,确定合理的胀管率。

需在安装现场进行胀接的锅炉出厂时,锅炉制造单位应提供适量同钢号的胀接试件(胀接试板应有管孔)。

第一百二十三条 施工单位应根据锅炉设计图样和试胀结果制定胀接工艺规程。

胀管操作人员应经过培训,并严格按照胀接工艺规程进行胀管操作。

第一百二十四条 胀接管子的锅筒(锅壳)和管板的厚度应不小于 12 mm。胀接管孔间的距离不应小于 19 mm。外径大于 102 mm 的管子不宜采用胀接。

第一百二十五条 胀接管子材料宜选用低于管板硬度的材料。若管端硬度大于管板硬度时,应进行退火处理。管端退火不得用煤炭作燃料直接加热,管端退火长度不应小于 100 mm。

第一百二十六条 当采用内径控制法时,胀管率一般应控制在 1% ~2.1% 范围内。胀管率可按下面公式计算:

$$H_n = (\frac{d_1 + 2t}{d} - 1) \times 100\%$$

式中 H_n——胀管率(%);

d_1——胀完后的管子实测内径,mm;

t——未胀时的管子实测壁厚,mm;

d——未胀时的管孔实测直径,mm。

第一百二十七条 管端伸出量以 6~12 mm 为宜。管端喇叭口的扳边应与管子中心线成 12°~15°角,扳边起点与管板(锅筒)表面以平齐为宜。

对于锅壳锅炉,直接与火焰(烟温 800 ℃ 以上)接触的烟管管端必须进行 90°扳边。扳边后的管端与管板应紧密接触,其最大间隙不得大于 0.4 mm,且间隙大于 0.1 mm 的长度不得超过管子周长的 20%。

第一百二十八条 胀接后,管端不应有起皮、皱纹、裂纹、切口和偏斜等缺陷。在胀接过程中,应随时检查胀口的胀接质量,及时发现和消除缺陷。

第一百二十九条 为了计算胀管率和核查胀管质量,施工单位应根据实际检查和测量结果,做好胀接记录。

第一百三十条 胀接全部完毕后,必须进行水压试验,检查胀口的严密性。

第七章　主要附件和仪表

（一）安全阀

第一百三十一条　每台锅炉至少应装设两个安全阀（不包括省煤器安全阀）。符合下列规定之一的，可只装一个安全阀：

1. 额定蒸发量小于或等于 0.5 t/h 的锅炉；

2. 额定蒸发量小于 4 t/h 且装有可靠的超压连锁保护装置的锅炉。

可分式省煤器出口处、蒸汽过热器出口处、再热器入口处和出口处以及直流锅炉的启动分离器，都必须装设安全阀。

第一百三十二条　锅炉的安全阀应采用全启式弹簧式安全阀、杠杆安全阀和控制式安全阀（脉冲式、气动式、液动式和电磁式等）。选用的安全阀应符合有关技术标准的规定。

对于额定蒸汽压力小于或等于 0.1 MPa 的锅炉可采用静重式安全阀或水封式安全装置。水封装置的水封管内径不应小于 25 mm，且不得装设阀门，同时应有防冻措施。

第一百三十三条　锅筒（锅壳）上的安全阀和过热器上的安全阀的总排放量，必须大于锅炉额定蒸发量，并且在锅筒（锅壳）和过热器上所有安全阀开启后，锅筒（锅壳）内蒸汽压力不得超过设计时计算压力的 1.1 倍。强制循环锅炉按锅炉出口处受压元件的计算压力计算。

第一百三十四条　蒸汽安全阀的排放量应按照下列方法之一进行计算：

1. 按 GB12241《安全阀一般要求》中的公式进行计算。

2. $E = 0.235A(10.2p + 1)K$

式中　E——安全阀的理论排放量，kg/h；

　　　p——安全阀入口处的蒸汽压力（表压），MPa；

　　　A——安全阀的流道面积，mm^2，可用 $\pi d^2/4$ 计算，d 为安全阀的流道直径，mm；

　　　K——安全阀入口处蒸汽比容修正系数，按下列计算：

$$K = K_p \cdot K_g$$

式中　K_p——压力修正系数；

　　　K_g——过热修正系数；

K、K_p、K_g 按表 7-1 选用和计算。

表 7-1　安全阀入口处各修正系数

p(MPa)		K_p	K_g	$K = K_p \cdot K_g$
$p \leqslant 12$	饱和	1	1	1
	过热	1	$\sqrt{V_b/V_g}^{\,*}$	$\sqrt{V_b/V_g}^{\,*}$
$p > 12$	饱和	$\sqrt{2.1/(10.2p+1)V_b}$	1	$\sqrt{2.1/(10.2p+1)V_b}$
	过热		$\sqrt{V_b/V_g}^{\,*}$	$\sqrt{2.1/(10.2p+1)V_g}$

注：* $\sqrt{V_b/V_g}$ 亦可以用 $\sqrt{1\,000/(1\,000+2.7T_g)}$ 代替。

表中：V_g 为过热蒸汽比容，m^3/kg；V_b 为饱和蒸汽比容，m^3/kg；T_g 为过热度，℃。

3.按照安全阀制造单位提供的计算公式及数据计算。

第一百三十五条 过热器和再热器出口处安全阀的排放量应保证过热器和再热器有足够的冷却。

直流锅炉启动分离器的安全阀排放量应大于锅炉启动时的产汽量。

省煤器安全阀的流道面积由锅炉设计单位确定。

第一百三十六条 对于额定蒸汽压力小于或等于 3.8 MPa 的锅炉,安全阀的流道直径不应小于 25 mm;对于额定蒸汽压力大于 3.8 MPa 的锅炉,安全阀的流道直径不应小于 20 mm。

第一百三十七条 安全阀应铅直安装,并应装在锅筒(锅壳)、集箱的最高位置。在安全阀和锅筒(锅壳)之间或安全阀和集箱之间,不得装有取用蒸汽的出汽管和阀门。

第一百三十八条 几个安全阀如共同装置在一个与锅筒(锅壳)直接相连接的短管上,短管的流通截面积应不小于所有安全阀流道面积之和。

第一百三十九条 采用螺纹连接的弹簧式安全阀,其规格应符合 JB2202《弹簧式安全阀参数》的要求。此时,安全阀应与带有螺纹的短管相连接,而短管与锅筒(锅壳)或集箱的筒体应采用焊接连接。

第一百四十条 安全阀应装设排汽管,排汽管应直通安全地点,并有足够的流通截面积,保证排汽畅通。同时排汽管应予以固定。

如排汽管露天布置而影响安全阀的正常动作时,应加装防护罩。防护罩的安装应不妨碍安全阀的正常动作与维修。

安全阀排汽管底部应装有接到安全地点的疏水管。在排汽管和疏水管上都不允许装设阀门。

省煤器的安全阀应装排水管,并通至安全地点。在排水管上不允许装设阀门。

第一百四十一条 安全阀排汽管上如装有消音器,应有足够的流通截面积,以防止安全阀排放时所产生的背压过高影响安全阀的正常动作及其排放量。消音板或其他元件的结构应避免因结垢而减少蒸汽的流通截面。

第一百四十二条 安全阀上必须有下列装置:

1.杠杆式安全阀应有防止重锤自行移动的装置和限制杠杆越出的导架。

2.弹簧式安全阀应有提升手把和防止随便拧动调整螺钉的装置。

3.静重式安全阀应有防止重片飞脱的装置。

4.控制式安全阀必须有可靠的动力源和电源:

(1)脉冲式安全阀的冲量接入导管上的阀门应保持全开并加铅封。

(2)用压缩气体控制的安全阀必须有可靠的气源和电源。

(3)液压控制式安全阀必须有可靠的液压传送系统和电源。

(4)电磁控制式安全阀必须有可靠的电源。

第一百四十三条 锅筒(锅壳)和过热器的安全阀整定压力应按表 7-2 的规定进行调整和校验。

表7-2　安全阀整定压力

额定蒸汽压力(MPa)	安全阀的整定压力
≤0.8	工作压力 + 0.03 MPa
	工作压力 + 0.05 MPa
0.8< p ≤5.9	1.04 倍工作压力
	1.06 倍工作压力
>5.9	1.05 倍工作压力
	1.08 倍工作压力

注:①锅炉上必须有一个安全阀,按表中较低的整定压力进行调整。对有过热器的锅炉,按较低压力进行调整的安全阀,必须为过热器上的安全阀,以保证过热器上的安全阀先开启。

②表中的工作压力,对于脉冲式安全阀系指冲量接出地点的工作压力,对其他类型的安全阀系指安全阀装置地点的工作压力。

省煤器、再热器、直流锅炉启动分离器的安全阀整定压力为装设地点工作压力的 1.1 倍。

第一百四十四条　安全阀启闭压差一般应为整定压力的 4%~7%,最大不超过 10%,当整定压力小于 0.3 MPa 时,最大启闭压差为 0.03 MPa。

第一百四十五条　对于新安装锅炉的安全阀及检修后的安全阀,都应校验其整定压力和回座压力。控制式安全阀应分别进行控制回路可靠性检验和开启性能试验。

第一百四十六条　在用锅炉的安全阀每年至少应校验一次。检验的项目为整定压力、回座压力和密封性等。安全阀的校验一般应在锅炉运行状态下进行。如现场校验困难或对安全阀进行修理后,可在安全阀校验台上进行,此时只对安全阀进行整定压力调整和密封性试验。

安全阀校验后,其整定压力、回座压力、密封性等检验结果应记入锅炉技术档案。

安全阀经校验后,应加锁或铅封。严禁用加重物、移动重锤、将阀瓣卡死等手段任意提高安全阀整定压力或使安全阀失效。锅炉运行中安全阀严禁解列。

第一百四十七条　为防止安全阀的阀瓣和阀座粘住,应定期对安全阀做手动的排放试验。

第一百四十八条　安全阀出厂时,应标有金属铭牌。铭牌上应载明下列项目:

1.安全阀型号;

2.制造厂名;

3.产品编号;

4.出厂年月;

5.公称压力,MPa;

6.阀门流道直径,mm;

7.开启高度,mm;

8.排量系数;

9.压力等级级别。

安全阀的排量系数,应由安全阀制造单位试验确定。

(二)压力表

第一百四十九条 每台锅炉除必须装有与锅筒(锅壳)蒸汽空间直接相连接的压力表外,还应在下列部位装设压力表:

1.给水调节阀前;

2.可分式省煤器出口;

3.过热器出口和主汽阀之间;

4.再热器出、入口;

5.直流锅炉启动分离器;

6.直流锅炉一次汽水系统的阀门前;

7.强制循环锅炉锅水循环泵出、入口;

8.燃油锅炉油泵进、出口;

9.燃气锅炉的气源入口。

第一百五十条 选用压力表应符合下列规定:

1.对于额定蒸汽压力小于 2.5 MPa 的锅炉,压力表精确度不应低于 2.5 级;对于额定蒸汽压力大于或等于 2.5 MPa 的锅炉,压力表的精确度不应低于 1.5 级。

2.压力表应根据工作压力选用。压力表表盘刻度极限值应为工作压力的 1.5 ~ 3.0 倍,最好选用 2 倍。

3.压力表表盘大小应保证司炉人员能清楚地看到压力指标值,表盘直径不应小于 100 mm。

第一百五十一条 选用的压力表应符合有关技术标准的要求,其校验和维护应符合国家计量部门的规定。压力表装用前应进行校验并注明下次的校验日期。压力表的刻度盘上应划红线指示出工作压力。压力表校验后应封印。

第一百五十二条 压力表装设应符合下列要求:

1.应装设在便于观察和吹洗的位置,并应防止受到高温、冰冻和震动的影响;

2.蒸汽空间设置的压力表应有存水弯管。存水弯管用钢管时,其内径不应小于 10 mm。

压力表与筒体之间的连接管上应装有三通阀门,以便吹洗管路、卸换、校验压力表。汽空间压力表上的三通阀门应装在压力表与存水弯管之间。

第一百五十三条 压力表有下列情况之一时,应停止使用:

1.有限止钉的压力表在无压力时,指针转动后不能回到限止钉处;没有限止钉的压力表在无压力时,指针离零位的数值超过压力表规定允许误差。

2.表面玻璃破碎或表盘刻度模糊不清。

3.封印损坏或超过校验有效期限。

4.表内泄漏或指针跳动。

5. 其他影响压力表准确指示的缺陷。

(三)水位表

第一百五十四条 每台锅炉至少应装两个彼此独立的水位表。但符合下列条件之一的锅炉可只装一个直读式水位表:

1. 额定蒸发量小于或等于 0.5 t/h 的锅炉;
2. 电加热锅炉;
3. 额定蒸发量小于或等于 2 t/h,且装有一套可靠的水位示控装置的锅炉;
4. 装有两套各自独立的远程水位显示装置的锅炉。

第一百五十五条 水位表应装在便于观察的地方。水位表距离操作地面高于 6 000 mm 时,应加装远程水位显示装置。远程水位显示装置的信号不能取自一次仪表。

第一百五十六条 用远程水位显示装置监视水位的锅炉,控制室内应有两个可靠的远程水位显示装置,同时运行中必须保证有一个直读式水位表正常工作。

第一百五十七条 水位表应有下列标志和防护装置。

1. 水位表应有指示最高、最低安全水位和正常水位的明显标志。水位表的下部可见边缘应比最高火界至少高 50 mm,且应比最低安全水位至少低 25 mm,水位表的上部可见边缘应比最高安全水位至少高 25 mm。
2. 为防止水位表损坏时伤人,玻璃管式水位表应有防护装置(如保护罩、快关阀、自动闭锁珠等),但不得妨碍观察真实水位。
3. 水位表应有放水阀门和接到安全地点的放水管。

第一百五十八条 水位表的结构和装置应符合下列要求:

1. 锅炉运行中能够吹洗和更换玻璃板(管)、云母片;
2. 用两个及两个以上玻璃板或云母片组成一组的水位表,能够保证连续指示水位;
3. 水位表或水表柱和锅筒(锅壳)之间的汽水连接管内径不得小于 18 mm,连接管长度大于 500mm 或有弯曲时,内径应适当放大,以保证水位表灵敏准确;
4. 连接管应尽可能地短。如连接管不是水平布置时,汽连管中的凝结水应能自行流向水位表,水连管中的水位能自行流向锅筒(锅壳),以防止形成假水位;
5. 阀门的流道直径及玻璃管的内径都不得小于 8 mm。

第一百五十九条 水位表(或水表柱)和锅筒(锅壳)之间的汽水连接管上,应装有阀门,锅炉运行时阀门必须处于全开位置。

(四)排污和放水装置

第一百六十条 锅筒(锅壳)、立式锅炉的下脚圈、每组水冷壁下集箱的最低处,都应装排污阀;过热器或再热器集箱、每组省煤器的最低处,都应装放水阀。有过热器的锅炉一般应装设连续排污装置。排污阀宜采用闸阀、扇形阀或斜截止阀。排污阀的公称通径为 20~65 mm,卧式锅壳锅炉锅壳上的排污阀的公称通径不得小于 40 mm。

第一百六十一条 额定蒸发量大于或等于 1 t/h 或额定蒸汽压力大于或等于 0.7 MPa 的锅炉,排污管应装两个串联的排污阀。

第一百六十二条 每台锅炉应装独立的排污管,排污管应尽量减少弯头,保证排污畅通并接到室外安全的地点或排污膨胀管。采用有压力的排污膨胀箱时,排污箱上应装安全阀。几台锅炉排污合用一根总排污管时,不应有两台或两台以上的锅炉同时排污。

第一百六十三条 锅炉的排污阀、排污管不应采用螺纹连接。

(五)测量温度的仪表

第一百六十四条 在锅炉的下列相应部位应装设测量温度的仪表:

1.过热器出口、再热器进出口的气温;

2.由几段平行管组组成的过热器的每组出口的汽温;

3.减温器前、后的汽温;

4.铸铁省煤器出口的水温;

5.燃煤粉锅炉炉膛出口的烟温;

6.再热器和过热器入口的烟温;

7.空气预热器空气出口的气温;

8.排烟处的烟温;

9.燃油锅炉燃烧器的燃油入口油温;

10.额定蒸汽压力大于或等于 9.8 MPa 的锅炉的锅筒上、下壁温;

11.额定蒸汽压力大于 9.8 MPa 的锅炉的过热器、再热器蛇形管金属壁温;

12.燃油锅炉空气预热器出口烟温。

有过热器的锅炉,还应装设过热蒸汽温度的记录仪表。

(六)保护装置

第一百六十五条 额定蒸发量大于或等于 2 t/h 的锅炉,应装设高低水位报警(高、低水位警报信号须能区分)、低水位连锁保护装置;额定蒸发量大于或等于 6 t/h 的锅炉,还应装蒸汽超压的报警和连锁保护装置。

低水位连锁保护装置最迟应在最低安全水位时动作。

超压连锁保护装置动作整定值应低于安全阀较低整定压力值。

第一百六十六条 用煤粉、油或气体作燃料的锅炉,应装有下列功能的连锁装置:

1.全部引风机断电时,自动切断全部送风和燃料供应;

2.全部送风机断电时,自动切断全部燃料供应;

3.燃油、燃气压力低于规定值时,自动切断燃油或燃气的供应。

第一百六十七条 用煤粉、油或气体作燃料的锅炉,必须装设可靠的点火程序控制和熄火保护装置。

在点火程序控制中,点火前的总通风量应不小于三倍的从炉膛到烟囱入口烟道总容积,且通风时间对于锅壳锅炉至少应持续 20 秒钟;对于水管锅炉至少应持续 60 秒钟;对于发电用锅炉一般应持续 3 分钟以上。

单位通风量一般应保持额定负荷下总燃烧空气量,对于发电用锅炉一般应保持额定负荷下的 25%～30% 的总燃烧空气量。

第一百六十八条 有再热器的锅炉,应装有下列功能的保护装置:

1. 再热器出口汽温达到最高允许值时,自动投入事故喷水;

2. 根据机组运行方式、自动控制条件和再热器设计,采用相应的保护措施,防止再热器金属壁超温。

第一百六十九条 直流锅炉,应有下列保护装置:

1. 任何情况下,当给水流量低于启动流量时的报警装置;

2. 锅炉进入纯直流状态运行后,中间点温度超过规定值时的报警装置;

3. 给水断水时间超过规定的时间时自动切断锅炉燃料供应的装置。

第一百七十条 锅炉运行时保护装置与连锁装置不得任意退出停用。连锁保护装置的电源应可靠。

第一百七十一条 几台锅炉共用一个总烟道时,在每台锅炉的支烟道内应装设烟道挡板。挡板应有可靠的固定装置,以保证锅炉运行时,挡板处在全开启位置,不能自行关闭。

(七)主要阀门及其他

第一百七十二条 锅炉管道上的阀门和烟风系统挡板均应有明显标志,标明阀门和挡板的名称、编号、开关方向和介质流动方向,主要调节阀门还应有开度指示。

阀门、挡板的操作机构均应装设在便于操作的地点。

第一百七十三条 主汽阀应装在靠近锅筒(锅壳)或过热器集箱的出口处。单元机组的锅炉,主汽阀可以装设在汽机入口处。立式锅壳锅炉的主汽阀可以装在锅炉房内便于操作的地方。锅炉与蒸汽母管连接的每根蒸汽管上,应装设两个切断阀门,切断阀门之间应装有通向大气的疏水管和阀门,其内径不得小于 18 mm。

第一百七十四条 额定蒸发量大于或等于 220 t/h 的锅炉应装设遥控的向空排汽阀。

第一百七十五条 不可分式省煤器入口的给水管上应装设给水切断阀和给水止回阀。对于单元式机组,锅炉的给水管上可不装给水止回阀。可分式省煤器的入口处和通向锅筒(锅壳)的给水管上都应分别装设给水切断阀和给水止回阀。

第一百七十六条 给水切断阀应装在锅筒(锅壳)(或省煤器入口集箱)和给水止回阀之间,并与给水止回阀紧密相连。

第一百七十七条 额定蒸发量大于 4 t/h 的锅炉,应装设自动给水调节器,并在司炉工人便于操作的地点装设手动控制给水的装置。

第一百七十八条 额定蒸汽压力大于或等于 3.8 MPa 的锅炉应在锅筒的最低安全水位和正常水位之间接出紧急放水管,放水管上应装阀门,一旦发生满水以便及时放水。此阀门在锅炉运行时必须处于关闭状态。

第一百七十九条 在锅筒(锅壳)、过热器、再热器和省煤器等可能集聚空气的地方都应装设排气阀。

第一百八十条 工作压力不同的锅炉应分别有独立的蒸汽管道和给水管道。如采用一根蒸汽母管时,较高压力的蒸汽管道上必须有自动减压装置,以及防止低压侧超压的安全装置(如止回阀)。给水压力差不超过其中最高工作压力的 20% 时,可以由总的给水系统向锅炉给水。

第一百八十一条 锅炉的给水系统,应保证安全可靠地供水。

锅炉房应有备用给水设备。给水系统的布置和备用给水设备的台数和容量,由锅炉房设计单位按设计规范确定。

第一百八十二条 额定蒸发量大于或等于 1 t/h 的锅炉应有锅水取样装置,对蒸汽品质有要求时,还应有蒸汽取样装置。取样装置和取样点位置应保证取出的水、汽样品具有代表性。

第八章 锅 炉 房

第一百八十三条 锅炉一般应装在单独建造的锅炉房内。

锅炉房不应直接设在聚集人多的房间(如公共浴室、教室、餐厅、影剧院的观众厅、候车室等)或在其上面、下面、相邻或主要疏散口的两旁。

新建的锅炉房不应与住宅相连。

第一百八十四条 锅炉房如设在多层或高层建筑的半地下室或第一层中,则必须同时符合以下条件:

1.每台锅炉的额定蒸发量不超过 10 t/h,额定蒸汽压力不超过 1.6 MPa;

2.每台锅炉必须有可靠的超压连锁保护装置和低水位连锁保护装置;

3.每台锅炉的安全附件和连锁保护装置要定期维护和试验,以保证其灵敏、可靠;

4.锅炉间的建筑结构应有相应的抗爆措施;

5.独立操作的司炉工人必须持有相应级别的司炉操作证,且连续操作同类别锅炉五年以上,未发生过事故;

6.必须有安全疏散通道。

第一百八十五条 锅炉房不宜设在高层或多层建筑的地下室,楼层中间或顶层,但由于条件限制需要设置时,除符合本规程第一百八十四条的要求外,还应符合以下条件,且锅炉房的设置应事先征得市、地级及以上安全监察机构同意:

1.每台锅炉的额定蒸发量不超过 4 t/h,额定蒸汽压力不超过 1.6 MPa;

2.必须是用油、气体作燃料或电加热的锅炉;

3.燃料供应管路的连接采用氩弧焊打底。

此外,当锅炉房设置在地下室时,应采取强制通风措施。

第一百八十六条 锅炉房不得与甲、乙类及使用可燃液体的丙类火灾危险性房间相连。若与其他生产厂房相连时,应用防火墙隔开。余热锅炉不受此限制。

第一百八十七条 锅炉房建筑的耐火等级和防火要求应符合《建筑设计防火规范》及《高层民用建筑设计防火规范》的要求。

锅炉间的外墙或屋顶至少应有相当于锅炉间占地面积 10% 的泄压面积(如玻璃窗、天窗、薄弱墙等)。泄压处不得与聚集人多的房间和通道相邻。

第一百八十八条 锅炉房应符合下列要求:

1.锅炉房内的设备布置应便于操作、通行和检修;

2.应有足够的光线和良好的通风以及必要的降温和防冻措施;

3.地面应平整无台阶,且应防止积水;

4.锅炉房承重梁柱等构件与锅炉应有一定距离或采取其他措施,以防止受高温损坏。

第一百八十九条 锅炉房每层至少应有两个出口,分别设在两侧。

锅炉前端的总宽度(包括锅炉之间的过道在内)不超过 12 m,且面积不超过 200 m² 单层锅炉房,可以只开一个出口。

锅炉房通向室外的门应向外开,在锅炉运行期间不准锁住或闩住,锅炉房的出入口和通道应畅通无阻。

第一百九十条 在锅炉房内的操作地点以及水位表、压力表、温度计、流量计等处,应有足够的照明。锅炉房应有备用的照明设备或工具。

第一百九十一条 露天布置的锅炉应有操作间,并应有可靠的防雨、防风、防冻、防腐的措施。

第九章 使用管理

第一百九十二条 锅炉房主管人员应熟悉锅炉安全知识,按章作业。

第一百九十三条 锅炉运行时,操作人员应执行有关锅炉安全运行的各项制度,做好运行值班记录和交接班记录。

锅炉操作间和主要用汽地点,应设有通讯或讯号装置。

第一百九十四条 锅炉运行中,遇有下列情况之一时,应立即停炉:

1.锅炉水位低于水位表最低可见边缘;

2.不断加大给水及采取其他措施,但水位仍继续下降;

3.锅炉水位超过最高可见水位(满水),经放水仍不能见到水位;

4.给水泵全部失效或给水系统故障,不能向锅炉进水;

5.水位表或安全阀全部失效;

6.设置在汽空间的压力表全部失效;

7.锅炉元件损坏且危及运行人员安全;

8.燃烧设备损坏,炉墙倒塌或锅炉构架被烧红等严重威胁锅炉安全运行;

9.其他异常情况危及锅炉安全运行。

第一百九十五条 当锅炉运行中发现受压元件泄漏、炉膛严重结焦、受热面金属超温又无法恢复正常以及其他重大问题时,应停止锅炉运行。

第一百九十六条 检修人员进入锅炉内进行工作时,应符合以下要求:

1.在进入锅筒(锅壳)内部工作前,必须用能指示出隔断位置的强度足够的金属堵板将连接其他运行锅炉的蒸汽、给水、排污等管道全部可靠地隔开,且必须将锅筒(锅壳)上的人孔和集箱上的手孔打开,使空气对流一定时间。

2.在进入烟道或燃烧室工作前,必须进行通风,并将与总烟道或其他运行锅炉的烟道相连的烟道闸门关严密,以防毒、防火、防爆。

3.用油或气体作燃料的锅炉,应可靠地隔断油、气的来源。

4.在锅筒(锅壳)和潮湿的烟道内工作而使用电灯照明时,照明电压应不超过 24 V;在比较干燥的烟道内,应有妥善的安全措施,可采用不高于 36 V 的照明电压。禁止使用明火照明。

5. 在锅筒(锅壳)内进行工作时,锅炉外面应有人监护。

第一百九十七条 对备用或停用的锅炉,必须采取防腐措施。

第一百九十八条 为了延长锅炉使用寿命,节约燃料,保证蒸汽品质,防止由于水垢、水渣、腐蚀而引起锅炉部件损坏或发生事故,使用锅炉的单位应按《锅炉水处理管理规则》的规定做好水质管理工作。

第一百九十九条 额定蒸汽压力小于或等于 2.5 MPa 的锅炉的水质,应符合 GB1576《低压锅炉水质》的规定。额定蒸汽压力大于或等于 3.8 MPa 的锅炉的水质,应符合 GB12145《火力发电机组及蒸汽动力设备水汽质量标准》的规定。没有可靠的水处理措施,不得投入运行。

第二百条 使用锅炉的单位应执行排污制度。定期排污应在低负荷下进行,同时严格监视水位。

第十章 检 验

第二百零一条 在用锅炉的定期检验工作包括外部检验、内部检验和水压试验。锅炉的使用单位必须安排锅炉的定期检验工作,各级安全监察机构对检验计划的执行情况和检验质量进行监督检查。

从事锅炉定期检验的单位及检验人员应按照《劳动部门锅炉压力容器检验机构资格认可规则》和《锅炉压力容器检验员资格鉴定考核规则》的规定取得相应资格。

第二百零二条 在用锅炉一般每年进行一次外部检验,每两年进行一次内部检验,每六年进行一次水压试验。当内部检验和外部检验同在一年进行时,应首先进行内部检验,然后再进行外部检验。

电力系统的发电用锅炉内部检验和水压试验周期可按照电厂大修周期进行适当调整。

对于不能进行内部检验的锅炉,应每三年进行一次水压试验。

第二百零三条 除定期检验外,锅炉有下列情况之一时,也应进行内部检验:

1. 移装锅炉投运前;

2. 锅炉停止运行一年以上需要恢复运行前;

3. 受压元件经重大修理或改造后及重新运行一年后;

4. 根据上次内部检验结果和锅炉运行情况,对设备安全可靠性有怀疑时。

第二百零四条 内部检验的重点是:

1. 上次检验有缺陷的部位;

2. 锅炉受压元件的内、外表面,特别在开孔、焊缝、扳边等处应检查有无裂纹、裂口和腐蚀;

3. 管壁有无磨损和腐蚀,特别是处于烟气流速较高及吹灰器吹扫区域的管壁;

4. 锅炉的拉撑以及与被拉元件的接合处有无裂纹、断裂和腐蚀;

5. 胀口是否严密,管端的受胀部分有无环形裂纹和苛性脆化;

6. 受压元件有无凹陷、弯曲、鼓包和过热;

7. 锅筒(锅壳)和砖衬接触处有无腐蚀；

8. 受压元件或锅炉构架有无因砖墙或隔火墙损坏而发生过热；

9. 受压元件水侧有无水垢、水渣；

10. 进水管和排污管与锅筒(锅壳)的接口处有无腐蚀、裂纹、排污阀和排污管连接部分是否牢靠。

第二百零五条 外部检验的重点是：

1. 锅炉房内各项制度是否齐全，司炉工人、水质化验人员是否持证上岗；

2. 锅炉周围的安全通道是否畅通，锅炉房内可见受压元件、管道、阀门有无变形、泄漏；

3. 安全附件是否灵敏、可靠，水位表、水表柱、安全阀、压力表等与锅炉本体连接通道有无堵塞；

4. 高低水位报警装置和低水位连锁保护装置动作是否灵敏、可靠；

5. 超压报警和超压连锁保护装置动作是否灵敏、可靠；

6. 点火程序和熄火保护装置是否灵敏、可靠；

7. 锅炉附属设备运转是否正常；

8. 锅炉水处理设备是否正常运转，水质化验指标是否符合标准要求。

第二百零六条 锅炉除一般六年进行一次水压试验外，锅炉受压元件经重大修理或改造后，也需要进行水压试验。

水压试验前应对锅炉进行内部检查，必要时还应进行强度核算。不得用水压试验的方法确定锅炉的工作压力。

第二百零七条 水压试验压力应符合表 10-1 的规定。

表 10-1　水压试验压力

名称	锅筒(锅壳)工作压力 p	试验压力
锅炉本体	＜0.8 MPa	1.5p 但不小于 0.2 MPa
锅炉本体	0.8～1.6 MPa	$p+0.4$ MPa
锅炉本体	＞1.6 MPa	1.25p
过热器	任何压力	与锅炉本体试验压力相同
可分式省煤器	任何压力	1.25$p+0.5$ MPa

再热器的试验压力为 $1.5p_1$（p_1 为再热器的工作压力）。直流锅炉本体的水压试验压力为介质出口压力的 1.25 倍，且不小于省煤器进口压力的 1.1 倍。

水压试验时，薄膜应力不得超过元件材料在试验温度下屈服点的 90%。

第二百零八条 锅炉进行水压试验时，水压应缓慢地升降。当水压上升到工作压力时，应暂停升压，检查有无漏水或异常现象，然后再升压到试验压力。锅炉应在试验压力下保持 20 分钟，然后降到工作压力进行检查。检查期间压力应保持不变。

水压试验应在周围气温高于 5 ℃时进行，低于 5 ℃时必须有防冻措施。水压试验用的水应保持高于周围露点的温度以防锅炉表面结露，但也不宜温度过高以防止引起汽化和过大的温差应力,一般 20~70 ℃。

合金钢受压元件的水压试验水温应高于所用钢种的脆性转变温度。

奥氏体受压元件水压试验时,应控制水中的氯离子质量浓度不超过 25 mg/L,如不能满足这一要求时,水压试验后应立即将水渍去除干净。

第二百零九条 锅炉进行水压试验,符合下列情况时为合格:

1. 在受压元件金属壁和焊缝上没有水珠和水雾;

2. 当降到工作压力后胀口处不滴水珠;

3. 水压试验后,没有发现残余变形。

第二百一十条 锅炉的检验报告应存入锅炉技术档案。

第十一章 附 则

第二百一十一条 锅炉发生事故时,发生事故的单位必须按《锅炉压力容器事故报告办法》报告和处理。

第二百一十二条 本规程自 1997 年 1 月 1 日起施行。原劳动人事部 1987 年 2 月 17 日颁布的《蒸汽锅炉安全技术监察规程》(劳人锅[1987]4 号)同时废止。

附录5 热水锅炉安全技术监察规程

（劳锅字[1997]8号 1998年1月1日起执行）

第一章 总 则

一、《热水锅炉安全技术监察规程》适用范围包括电加热热水锅炉和锅炉范围内管道。

二、进口固定式热水锅炉或国内生产企业（含外商投资企业）引进国外技术，按照国外标准生产且在国内使用的固定式热水锅炉，也应符合本规程的基本要求。特殊情况如与本规程基本要求不符时，应事先征得劳动部锅炉压力容器安全监察机构同意。

第1条 为了保证热水锅炉安全经济运行，促进国民经济发展，保护人身安全，根据《锅炉压力容器安全监察暂行条例》的有关规定，特制定本规程。

第2条 本规程适用于同时符合下列条件的以水为介质的固定式热水锅炉（以下简称锅炉）：

(1)额定热功率大于或等于0.1 MW。

(2)额定出水压力大于或等于0.1 MPa（表压，下同）。

对于上述范围以外的固定式承压锅炉，省级劳动部门锅炉压力容器安全监察机构可参照本规程结合本地具体情况制订安全监察规定。

汽水两用锅炉应符合《蒸汽锅炉安全技术监察规程》，并应符合本规程。

本规程不适用于电加热的锅炉。

第3条 锅炉的设计、制造、安装、使用、检验、修理和改造必须符合《锅炉压力容器安全监察暂行条例》的有关规定，并符合本规程。

各有关单位及其主管部门必须认真执行本规程。各级劳动部门锅炉压力容器安全监察机构负责监督本规程的执行。

第4条 本规程的规定是锅炉安全技术方面的基本要求。有关技术标准的要求如果低于本规程或与本规程相抵触，应以本规程为准。

第5条 有关单位由于采用新技术（如新结构、新工艺等），其要求与本规程不符时，应当进行必要的科学试验，并经省级主管部门和省级劳动部门锅炉压力容器安全监察机构审查同意后，在指定单位和一定时间内试用，同时报劳动部锅炉压力容器安全监察局备案。

第二章 一般要求

锅炉安装质量的分段验收和水压试验，由锅炉安装单位和使用单位共同进行。总体验收时，除锅炉安装单位和使用单位外，一般还应有劳动部门锅炉压力容器安全监察机构派员参加。

第 6 条　锅炉的设计必须符合安全、可靠的要求。钢制锅炉受压元件的强度应按 GB9222《水管锅炉受压元件强度计算》或 JB3622《锅壳式锅炉受压元件强度计算》进行计算和校核。

第 7 条　锅炉受压元件的制造应符合本规程的要求并符合锅炉专业技术标准的有关规定。锅炉安全附件的质量应符合有关技术标准。

安全阀、温度计、压力表、排污阀（或放水阀）、排气阀不全的锅炉不准出厂。

第 8 条　锅炉出厂时，必须附有下列与安全有关的技术资料：

(1)锅炉图样（总图、安装图和主要受压部件图）；

(2)受压元件的强度计算书；

(3)安全阀数量和流道直径（喉径）的计算书（对额定出口热水温度高于或等于 100 ℃ 的锅炉）；

(4)水流程图及水动力计算书（自然循环的锅壳式锅炉除外）；

(5)锅炉质量证明书；

(6)锅炉安装说明书和使用说明书；

(7)受压元件设计更改通知书。

第 9 条　新制造的锅炉必须有金属铭牌，并应装在明显的位置。金属铭牌上至少应载明下列项目：

(1)锅炉型号；

(2)制造厂锅炉产品编号；

(3)额定热功率（MW）；

(4)额定出水压力（MPa）；

(5)额定出口/进口水温（℃）；

(6)制造厂名；

(7)锅炉制造许可证级别和编号；

(8)制造年月。

对散装出厂的锅炉，还应在锅筒、集箱等主要受压部件的封头上打上钢印，注明该部件的产品编号。

第 10 条　锅炉的安装应符合 TJ231(六)《机械设备安装工程施工及验收规范》第六册《破碎粉磨设备、卷扬机、固定式柴油机、工业锅炉安装》及 GBJ242《采暖与卫生工程施工及验收规范》的有关规定。

安装质量的分段验收和总体验收，由安装锅炉的单位和使用单位共同进行，水压试验和总体验收时，应有市、地以上（含市、地）劳动部门锅炉压力容器安全监察机构派员参加。

第 11 条　锅炉安装锅炉前和安装过程中，安装单位如发现受压部件存在影响安全使用的质量问题时，应停止安装并报告市、地以上（含市、地）劳动部门锅炉压力容器安全监察机构。

第 12 条　安装锅炉的技术文件和施工质量证明资料，在安装完工后，应移交使用单位存入锅炉技术档案。

第 13 条 使用锅炉的单位应按照原劳动人事部颁发的《锅炉使用登记办法》逐台办理登记手续。

第 14 条 使用锅炉的单位及其主管部门应按照原劳动人事部颁发的《锅炉房安全管理规则》搞好锅炉及热水系统的使用管理工作。

第 15 条 锅炉受压元件损坏,不能保证安全运行至下一个检修期时,应及时修理。禁止在有压力的情况下修理锅炉受压件,修理时不应带水焊接。

第 16 条 锅炉受压元件的重大修理,如锅筒、炉胆、封头、管板、下脚圈、集箱的更换、矫形、挖补、主焊缝的补焊及管子的胀接改焊接等,应有图样和施工技术方案。修理的技术要求可参照锅炉专业技术标准和有关技术规定。修理完工后,使用锅炉的单位应将图样、材料质量证明书、修理质量检验证明书等技术资料存入锅炉技术档案内。

第 17 条 蒸汽锅炉改为热水锅炉或者热水锅炉受压元件的改造应有图样、水流程图、水动力计算书、强度计算书等计算资料,与锅炉配套的原水处理措施、安全附件、定压装置、循环水泵和补给水泵也应进行技术校核,并应有技术校核资料。施工的技术要求应符合锅炉制造和安装的有关技术标准。

锅炉改造完工后,使用锅炉的单位应将改造的图样、计算资料、材料质量证明书、施工质量检验证明书等技术资料存入锅炉技术档案内。

第三章 材 料

用于锅炉的主要材料如锅炉钢板、锅炉钢管和焊接材料等,锅炉制造厂应按有关规定进行入厂验收,合格后才能使用。

用于额定热功率小于或等于 4.2 MW 且额定出水温度小于 120 ℃ 锅炉的主要材料如原始质量证明书齐全,且材料标记清晰、齐全时,可免于复验。

对于质量稳定并取得劳动部锅炉压力容器安全监察机构产品安全质量认可的材料,可免于复验。否则,不能免于复验。

第 18 条 锅炉受压元件所用的金属材料及焊条、焊丝、焊剂等应符合有关的国家标准、行业标准或部标准的规定。材料制造厂必须保证材料质量,并提供质量证明书。金属材料、焊缝金属及承压铸件在使用条件下应具有规定的强度、韧性和延伸率并具有良好的抗腐蚀性。

钢制锅炉受压元件修理用的钢板、钢管和焊接材料应与所修部位原来的材料牌号相同或类似。

第 19 条 用于锅炉受压元件的金属材料应按如下规定选用:
(1)钢板

表 3-1

钢的种类	钢号	技术标准	适用的工作压力范围(MPa)
碳素钢	Q235 - A① Q235 - B① Q235 - C①	GB3274	≤1.0
	15①,20①	GB711	≤1.0
	20R②	GB6654	≤1.25
	20g	GB713	≤5.9
低合金钢	12Mng 16Mng	GB731	≤5.9
	16MnR②	GB6654	≤1.25

注:①限用于额定出口热水温度低于 120 ℃的锅炉。

②应补做时效冲击试验合格。

(2)钢管

表 3-2

钢的种类	钢 号	技术标准	适用范围	
			用途	工作压力(MPa)
碳素钢	10,20	GB8163	受热面管子	≤1.0
			集箱、管道	
	10,20	GB3087	受热面管子	≤5.9
			集箱、管道	
	20G	GB5310	受热面管子	不限
			集箱、管道	

注:GB8163 中 10、20 钢限用于额定出口热水温度低于 120 ℃的锅炉。

(3)锻件

表 3-3

钢的种类	钢 号	技术标准	适用范围	
			用途	工作压力(MPa)
碳素钢	Q235 - A Q235 - B	GB700	集箱端盖、法兰盘、手孔盖	≤2.5
	10,25	GB699		≤5.9

(4)铸钢件

表 3-4

钢的种类	钢号	技术标准	适用的公称压力范围(MPa)
碳素钢	ZG200 - 400	GB5676	≤6.3
	ZG230 - 450	GB979	不限

注:空心受压铸钢件按 GB1048 规定进行水压试验。

(5)铸铁件

表 3-5

铸铁名称	牌 号	技术标准	适用范围	
			公称通径(mm)	工作压力(MPa)
灰口铸铁	不低于 HT150	GB9439	<300	≤0.8
			<200	≤1.25
可锻铸铁	KTH300－06 KTH330－08 KTH350－10 KTH370－12	GB9440	<100	≤1.6
球墨铸铁	QT400－17 QT420－10	GB1348	<100	≤2.5

注:①不得用灰口铸铁制造排污阀、放水阀和排污弯管。

②锅炉额定出水压力小于或等于 1.6 MPa 的方形铸铁省煤器管和弯头允许采用牌号不低于 HT150 的灰口铸铁按 JB2192 制造。锅炉额定出水压力小于或等于 2.5 MPa 的方形铸铁省煤器管和弯头允许采用牌号不低于 HT200 的灰口铸铁按 JB2192 制造。在制造厂内,应对省煤器上使用的铸铁部分进行水压试验,其压力应等于锅炉额定出水压力的 2.5 倍。

③受压铸铁件除技术条件有专门规定外不准补焊。铸铁件的偏心不得超过图样上规定值。

(6)紧固零件

表 3-6

钢的种类	钢 号	技术标准	适用范围	
			用途	工作压力(MPa)
碳素钢	Q235－A·F Q235－B·F	GB700	双头螺栓、螺栓	≤1.25
			螺母	
	Q235－A Q235－B	GB700	双头螺栓、螺栓	≤1.6
			螺母	
	25	GB699	双头螺栓、螺栓	不限
			螺母	
	35	GB699	双头螺栓、螺栓	不限
			螺母	

(7)拉撑件

锅炉拉撑件使用的钢材必须为镇静钢,且应符合 GB715 的规定或者 GB699 中 20 钢的规定。板拉撑件采用表 3-1 中的钢。

(8)焊条、焊丝和焊剂

焊接受压元件使用的焊条应符合 GB5117、GB5118、GB983 的规定,焊丝应符合 GB1300 的规定,碳素钢埋弧焊用焊剂应符合 GB5293 的规定。

第 20 条　锅炉受压元件的材料代用必须经材料代用单位的技术部门(包括设计和工艺部门)同意。

若采用没有列入国家标准、行业标准或部标准的钢材代用时,代用单位应提出技术依据报省级劳动部门锅炉压力容器安全监察机构审批。

材料代用遇有下列情况之一时,还应征得原设计单位同意,并报原图样审批单位备案:

(1)用强度低的材料代替强度高的材料。

(2)用厚度小的材料代替厚度大的材料(受热面管子除外)。

(3)代用的钢管名义外径不同于原来的钢管名义外径。

第 21 条　锅炉受压元件采用国外钢材,应符合以下要求:

(1)钢号应是国外锅炉用钢标准所列的钢号或者化学成分、力学性能、焊接性能与国内允许用于锅炉的钢材相类似,并列入国外其他钢材标准的钢号。

(2)应按订货合同规定的技术标准和技术条件进行验收,合格后才能使用。

(3)首次使用前,应进行焊接工艺评定和成型工艺试验,满足技术要求后才能使用。

(4)应采用该钢材的技术标准和技术条件所规定的性能数据进行锅炉强度计算。

(5)采用未列入标准的钢材或已列入标准的电阻焊锅炉管,应经省级劳动部门锅炉压力容器安全监察机构同意。

国内钢厂若生产国外钢号的钢材,须事先征得国家技术监督局和冶金部的同意,应完全按照该钢号国外标准的规定进行生产和验收,批量生产前应通过技术鉴定。

第 22 条　锅炉制造、安装和修理单位必须建立材料保管和使用的管理制度。锅炉受压元件用的钢材应有标记。用于受压元件的钢板切割下料前,必须作标记移植,且便于识别。

第 23 条　对于锅炉受压元件用的焊接材料,使用单位必须建立严格的存放、烘干、发放和回收管理制度。

第四章　钢制锅炉的结构

一、受压元件上开胀接管孔应符合《蒸汽锅炉安全技术监察规程》第 51 条的规定。

二、锅炉受热面管子以及锅炉范围内管道可采用无直段弯头,采用无直段弯头的布置及技术要求应符合《蒸汽锅炉安全技术监察规程》第 54 条的规定。

三、对于卧式内燃锅壳热水锅炉,其炉胆与管板、锅壳采用 T 形对接连接的有关要求应符合《蒸汽锅炉安全技术监察规程》第 48 条、77 条、84 条的规定。

四、额定出水压力小于或等于 1.6 MPa 的锅炉,其受压元件的人孔盖、头孔盖、手孔盖可采用法兰连接结构。

第 24 条　钢制锅炉的结构应符合下列基本要求:

(1)设计时必须考虑结构各部分在运行时的热膨胀;

(2)锅炉各部分受热面应得到可靠的冷却并防止汽化,炉膛内各受热面管的外径应大于 38 mm;

(3)锅炉各受压部件应有足够的强度。受压元、部件结构的形式、开孔和焊缝的布置应尽量避免或减小复合应力和应力集中;

(4)锅炉必须装有可靠的安全保护设施;

(5)锅炉的排污结构应利于排污;

(6)锅炉的炉膛结构应有足够的承压能力和可靠的防爆措施,并应有良好的密封性;

(7)锅炉承重结构在承受设计载荷时应具有足够的强度、刚度、稳定性及防腐蚀性;

(8)锅炉结构应便于安装、运行操作、检修和清洗内外部。

第 25 条 锅炉受热面有并联回路时,应合理地分配水流量,尽量减小各回路之间的出水温差。

第 26 条 对于锅壳式卧式外燃锅炉,设计、制造单位必须采取技术措施解决管板裂纹或泄漏及锅壳鼓包等问题。

第 27 条 集箱和防焦箱上的手孔应避免直接与火焰接触。

第 28 条 为防止燃油锅炉尾部发生二次燃烧,应装设可靠的吹灰及灭火装置。

第 29 条 一切不作为受热面的元件,由于冷却不够,壁温超过该元件所用材料的许用温度时,应予绝热。

第 30 条 锅炉主要受压元件的主焊缝(锅筒、炉胆和集箱的纵向和环向焊缝,封头、管板、下脚圈的拼接焊缝等)应采用全焊透的对接焊接。

第 31 条 外径大于或等于 108 mm 的下降管与集箱连接时,应在管端或集箱上开坡口,以利焊透。

第 32 条 锅筒和炉胆上相邻筒节的纵向焊缝,以及封头、管板、炉胆顶或下脚圈的拼接焊缝与相邻筒节的纵向焊缝,都不应彼此相连,其焊缝中心线间外圆弧长至少应为较厚钢板厚度的 3 倍,且小于 100 mm。

第 33 条 扳边的元件(如封头、炉胆顶等)与圆筒形元件对接焊接时,扳边弯曲起点至焊缝中心线的距离(L)应符合表 4-1 的规定。

第 34 条 受热面管子以及锅炉范围内管道的对接焊缝不应布置在管子或管道的弯曲部分(盘旋管除外)。

表 4-1

扳边元件的壁厚 S(mm)	$S \leqslant 10$	$10 < S \leqslant 20$	$20 < S \leqslant 50$
距离 L(mm)	$\geqslant 25$	$\geqslant S + 15$	$\geqslant -S/2 + 25$

注:对于球形封头,可取 $L = 0$。

受热面管子直段上的对接焊缝的中心线至管子弯曲起点或锅筒、集箱的外壁以及管子支、吊架边缘的距离,不应小于 50 mm。锅炉范围内管道的直段上,对接焊缝的中心线至管道弯曲起点之间的距离不应小于管道的外径。

额定出口热水温度低于 120 ℃ 的锅炉可采用冲压弯头,对接焊缝可布置在弯曲起点。

锅炉受热面管子直段上,对接焊缝间的距离不应小于 150 mm。

第 35 条 在受压元件主要焊缝上及其邻近区域应避免焊接零件。如不能避免时,焊接零件的焊缝可穿过主要焊缝,而不要在焊缝上及其邻近区域终止,以避免这些部位发生应力集中。

第 36 条 锅筒内的拉撑件不得采用拼接。

第 37 条 锅筒纵缝两边的钢板中心线应对齐。锅筒环缝两边的钢板最好中心线对齐,也允许一侧的边缘对齐。

厚度不同的钢板对接时,两侧中任何一侧的名义边缘偏差值若超过第54条规定的边缘偏差值,则厚板的边缘须削至与薄板边缘平齐,削出的斜面应平滑,并且斜率不大于1:4。必要时,焊缝的宽度可包含在斜面内,见图4-1。

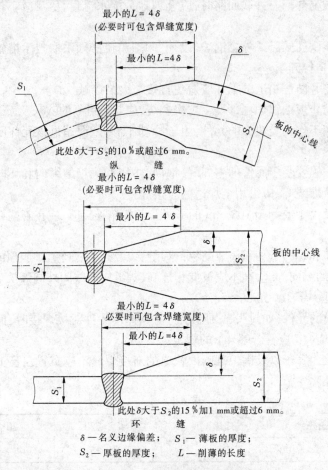

δ—名义边缘偏差;　　S_1—薄板的厚度;
S_2—厚板的厚度;　　　L—削薄的长度

图4-1　不同厚度钢板的对接

第38条　受压元件上管孔的布置应符合下列规定:

(1)胀接管孔不得开在焊缝上。胀接管孔中心与焊缝边缘及管板扳边起点的距离不应小于$0.8d$(d为管孔直径),且不小于$0.5d + 12$ mm。

(2)焊接管孔应尽量避免开在焊缝上,并避免管孔焊缝与相邻焊缝的热影响区互相重合。不能避免时,在管孔周围60 mm(若管孔直径大于60 mm,则取孔径值)范围内的焊缝经射线探伤合格(标准按本规程第64条),并且焊缝在管孔边缘上不存在夹渣,方可在焊缝上及其附近开孔。对于额定出口热水温度高于或等于120 ℃的锅炉,焊缝上的管接头在焊接后应进行消除应力热处理。

第39条　锅炉上开设的人孔、头孔、手孔、清洗孔、检查孔的数量和位置应满足安装、检修和清洗的需要。

锅炉受压元件的人孔盖、头孔盖应采用内闭式结构,手孔盖宜采用内闭式,盖的结构应保证衬垫不会吹出;炉墙上人孔的门应装设坚固的门闩;炉墙上监视孔的盖应保证不会被烟气冲开。

第40条 锅筒内径大于或等于 800 mm 的水管锅炉及锅筒内径大于 1 000 mm 的锅壳式锅炉,都应在封头(管板)或筒体上开设人孔。

锅筒内径为 800~1 000 mm 的锅壳式锅炉,至少应在封头(管板)或筒体上开设一个头孔。

锅壳式锅炉的管板下部若无人孔或头孔时,应开设清洗孔。

第41条 门孔的尺寸规定如下:

(1)锅炉受压元件上,椭圆人孔不得小于 280 mm×380 mm。人孔圈最小的密封平面宽度为 18 mm。人孔盖凸肩与人孔圈之间总间隙不应超过 3 mm(沿圆周各点上不超过 1.5 mm),并且凹槽的深度应达到能完整地容纳密封填片。

(2)锅炉受压元件上,椭圆头孔不得小于 220 mm×320 mm,颈部或孔圈高度不应超过 100 mm。

(3)锅炉受压元件上,手孔短轴不得小于 80 mm,颈部或孔圈高度不应超过 65 mm。

(4)锅炉受压元件上,清洗孔内径不得小于 50 mm,颈部高度不应超过 50 mm。

(5)炉墙上长方形人孔一般不应小于 400 mm×450 mm,圆形人孔直径一般不应小于 450 mm。

若颈部或孔圈高度超过上述规定,孔的尺寸应适当放大。

第42条 为了操作、检修的方便和安全,锅炉应装设扶梯,对于操作部位较高,操作人员立足地点距离地面(或运转层)高度超过 3 m 的锅炉,应装设平台和防护栏杆等设施。锅炉的平台、扶梯应符合下列规定:

(1)扶梯和平台的布置应保证操作人员能顺利通向需要经常操作和检查的地方。

(2)扶梯和平台应防火、防滑。

(3)扶梯、平台和需要操作及检查的炉顶周围,都应有铅直高度不小于 1 m 的栏杆、扶手和高度不小于 80 mm 的挡脚板。

(4)扶梯的倾斜角度以 45°~50°为宜。布置上确有困难时,倾斜角度可以适当增大。

第五章 受压元件的焊接

第一节 一般要求

一、经过部分射线探伤检查的焊缝,在探伤部位任意一端发现缺陷有延伸的可能时,应在缺陷的延长方向做补充射线探伤检查。在抽查或在缺陷的延长方向补充检查中有不合格缺陷时,该条焊缝应做抽查数量双倍数目的补充探伤检查。补充检查后,仍不合格时,该条焊缝应全部进行探伤。

受压管道和管子对接接头做探伤抽查时,如发现有不合格的缺陷,应做抽查数量的双倍数目的补充探伤检查。如补充检查仍不合格,应对该焊工焊接的全部对接接头做探伤检查。

二、产品检查试件的数量和要求如下：

1.每个锅筒(锅壳)的纵、环焊缝应各做一块检查试板。

当批量生产时，在质量稳定的情况下，允许同批生产(同钢号、同焊接材料和工艺)的每10个锅筒(锅壳)做纵、环缝检查试板各一块，不足10个锅筒(锅壳)也应做纵、环缝检查试板各一块。

2.对于额定出口热水温度低于120℃、额定热功率小于或等于2.8 MW的锅炉，可以免做产品检查试板。

3.封头、管板、炉胆的拼接焊缝，当其母材与锅筒(锅壳)相同时，可免做检查试板，否则检查试板的数量应与锅筒(锅壳)筒体相同。

4.集箱、管子、管道和其他管件可免做产品检查试件。

三、弯曲试样冷弯到《热水锅炉安全技术监察规程》中表5-2角度后，试样上任何方向最大缺陷的长度均不大于3 mm为合格。

第43条 用焊接方法制造、安装、修理和改造锅炉受压元件时，施焊单位应制订焊接工艺指导书并进行焊接工艺评定，符合要求后才能用于生产。

第44条 焊接锅炉受压元件的焊工，必须按原劳动人事部颁发的《锅炉压力容器焊工考试规则》进行考试，取得焊工合格证，方能担任考试合格范围内的焊接工作。

焊工应按焊接工艺指导书或焊接工艺卡施焊。

第45条 施焊单位应建立焊接工艺评定报告、焊工平时焊接锅炉受压元件的质量检查记录和定期(至少每季度一次)统计记录等技术档案。

第46条 焊接设备的电流表、电压表、气体流量计等仪表、仪器以及规范参数调节装置应定期进行检定。上述表、计、装置失灵时，该焊接设备不得使用。

第47条 锅炉受压元件的焊缝附近必须打上焊工代号钢印。

第48条 锅炉受压元件的焊接接头质量应从以下四个方面进行检查和试验：

(1)外观检查；

(2)无损探伤检查；

(3)力学性能试验；

(4)水压试验。

第49条 每台锅炉应有焊接质量证明书。该证明书除应载明第48条各项检验内容和结果外，尚应记录焊缝的修补情况以及产品焊后热处理的方式和规范等。

第50条 焊接质量检验报告及无损探伤记录(包括底片)由施焊单位妥善保存至少5年或移交使用单位长期保存。

第二节 焊接工艺要求和焊后热处理

第51条 在产品施焊前，施焊单位应按《蒸汽锅炉安全技术监察规程》附录Ⅰ的规定对下列焊接接头进行焊接工艺评定：

(1)锅炉受压元件的对接焊接接头。

(2)锅炉受压元件之间或者受压元件与承载的非受压元件之间连接的要求全焊透的T形接头或角接接头。

第52条 锅炉制造过程中,焊接环境温度低于0℃时,没有预热措施,不得进行焊接。

第53条 焊件装配时不应强力对正。焊件装配和定位焊的质量符合工艺文件的要求后才允许焊接。

第54条 锅筒对接焊缝的对接偏差应符合下列规定:

(1)纵缝或封头(管板)拼接焊缝两边钢板的中心线偏差值不大于名义板厚的10%,并且不超过3 mm。

(2)纵缝或封头(管板)拼接焊缝两边钢板的实际边缘偏差值不大于名义板厚的10%,并且不超过3 mm。

(3)环缝两边钢板的实际边缘偏差值(包括板厚差在内)不大于名义板厚的15%加1 mm,并且不超过6 mm。

不同厚度的钢板对接并且边缘已削薄的,按钢板厚度相同对待,此时的名义板厚指薄板;不同厚度的钢板对接但不须削薄的,此时的名义板厚指厚板。

第55条 锅筒的任何同一横截面上最大内径与最小内径之差不应大于名义内径的1%。

带有纵向焊缝的锅筒的棱角度不应大于4 mm。

第56条 锅炉受压元件的焊后热处理应符合下列规定:

(1)焊制的低碳钢受压元件,其厚度大于30 mm时,必须进行焊后热处理。低合金钢受压元件焊后需要进行热处理的厚度界限,按产品技术条件的规定。

(2)锅炉受压元件焊后热处理宜采用整体热处理。如果采用分段热处理,则加热的各段至少有1 500 mm的重叠部分,且伸出炉外部分应有绝热措施以减少温度梯度。环缝局部热处理时,焊缝两侧的加热宽度应各不小于壁厚的4倍。

(3)焊件与它的检查试件(产品试板)热处理时,其设备和规范应相同。

(4)焊后热处理过程中,应详细记录热处理规范的各项参数。

第57条 接管、管座、垫板和其他非受压元件与需要焊后热处理的受压元件连接的全部焊接工作,应在其最终热处理之前完成。

第三节 外观检查

第58条 锅炉受压元件的全部焊缝(包括非受压元件与受压元件的连接焊缝)应进行外观检查,其表面质量应符合以下要求:

(1)焊缝外形尺寸应符合设计图样和工艺文件的规定,焊缝表面不低于母材表面,焊缝与母材应圆滑过渡;

(2)焊缝及其热影响区表面无裂纹、未熔合、夹渣、弧坑和气孔;

(3)锅筒的纵、环焊缝及封头(管板)的拼接焊缝无咬边,其余焊缝咬边深度不超过0.5 mm。

第59条 对接焊接的受热面管子,按JB1611《锅炉管子制造技术条件》进行通球试验。

第四节 无损探伤检查

第60条 无损探伤人员应按原劳动人事部颁发的《锅炉压力容器无损检测人员资格

考核规则》考核,取得资格证书,且只能承担与考试合格的种类和技术等级相应的无损探伤工作。

第61条 锅筒的纵向和环向对接焊缝、封头(管板)的拼接焊缝以及集箱的纵向对接焊缝的射线探伤数量如下:

(1)对于额定出口热水温度高于或等于120 ℃的锅炉,每条焊缝100%。

(2)对于额定出口热水温度低于120 ℃的锅炉,每条焊缝至少25%(必须包括焊缝交叉部位)。

第62条 炉胆的纵向和环向对接焊缝,炉胆顶的拼接焊缝,其射线探伤数量为每条焊缝至少25%(必须包括焊缝交叉部位)。

第63条 对于集箱、管子、管道和其他管件的环焊缝,射线探伤的数量规定见表5-1。

表 5-1

外径 (mm)	锅炉额定出口热水温度(℃)			
	≥120		<120	
	集箱	管道、管子、管件	集箱	管道、管子、管件
>159	100%		≥25%*	
≤159	≥25%*	≥2%	≥10%*	可免查

注:* 按每条环缝的长度计算,允许按环缝的条数计算。

第64条 对接焊缝的射线探伤应按GB3323《钢熔化焊对接接头射线照相和质量分级》的规定执行。射线照相的质量要求不应低于AB级。

对于额定出口热水温度高于或等于120 ℃的锅炉,对接焊缝的质量不低于Ⅱ级为合格;对于额定出口热水温度低于120 ℃的锅炉,对接焊缝的质量不低于Ⅲ级为合格。

第65条 经过部分射线探伤检查的焊缝,在探伤部位两端发现有不允许的缺陷时,应在缺陷的延长方向做补充射线探伤检查。补充检查后,对焊缝质量仍有怀疑时,该焊缝应全部进行射线探伤。

锅炉范围内的受压管道和管子对接接头,如发现有不能允许的缺陷,应做双倍数目的补充探伤检查。如补充检查仍不合格,应对该焊工焊接的全部对接接头做探伤检查。

第五节 焊接接头的力学性能试验

第66条 为检验产品焊接接头的力学性能,应焊制产品检查试件(板状试件可称检查试板),以便进行拉伸和冷弯试验。

检查试件数量和要求如下:

(1)对于额定出口热水温度高于或等于120 ℃的锅炉,每个锅筒的纵、环焊缝应各做一块检查试板。

当批量生产时,允许同批生产(同钢号、同焊接材料和工艺)的每10个锅筒做纵、环缝检查试板各一块(不足10个锅筒也应做纵、环焊缝检查试板各一块),但必须符合以下

条件:

(甲)连续累计生产 50 个以上与该批锅筒钢号相同、焊接材料和工艺相同的锅筒以及连续半年以上生产的所有这类锅筒,其检查试板的力学性能试验都合格;

(乙)经制造单位技术总负责人批准,省级劳动部门锅炉压力容器安全监察机构备案。

当材料或工艺改变或出现检查试板性能试验不合格时,应立即恢复每个锅筒做纵、环缝检查试板各一块。

(2)对于额定出口热水温度低于 120 ℃、额定热功率大于 1.4 MW 的锅炉,当单台生产时;每台锅炉的锅筒应做纵、环缝检查试板各一块;当批量生产时,同批生产的每 10 个锅筒应做纵、环缝检查试板各一块,不足 10 个锅筒也应做纵、环缝检查试板各一块。

(3)对于额定出口热水温度低于 120 ℃、额定热功率小于或等于 1.4 MW 的锅炉,可以免做产品检查试板。

(4)当环缝的母材的焊接方法与纵缝相同时,可只做纵缝检查试板,免做环缝检查试板。

(5)纵缝检查试板应作为产品纵缝的延长部分焊接,环缝检查试板可模拟产品焊接工艺单独焊接。

(6)产品检查试板应由焊该产品的焊工焊接。试板材料、焊接材料、焊接设备和工艺条件等方面应与所代表的产品焊缝相同。试件焊成后应打上焊工代号钢印。检查试板的尺寸应满足制备检验和复验所需要的力学性能试样。

第 67 条 检查试件经过外观检查和无损探伤检查后,在合格部位制取试样。需要返修检查试件的焊缝时,其焊接工艺应与产品焊缝返修的焊接工艺相同。

第 68 条 为检查焊接接头整个厚度上的抗拉强度,应从检查试板上沿焊缝横向切取一个焊接接头拉伸试样。试样的形式和尺寸见图 5-1。拉伸试样上母材与焊缝表面的不平整部分应用机械方法除去。

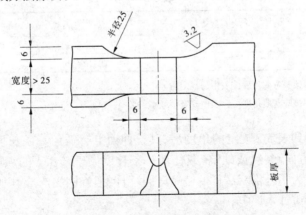

图 5-1 焊接接头拉伸试样

试样的拉伸试验应按 GB228《金属拉伸试验法》规定的方法进行。焊接接头的抗拉强度不低于母材规定值下限为合格。

第 69 条 焊接接头弯曲试样应从检查试板上沿焊缝横向切取两个,其中一个是面弯试样,一个是背弯试样。试样尺寸见图 5-2。图中试样宽度 B 为 30 mm,试样长度 $L \approx D$

$+2.5S_0+100$ mm(式中 D 为弯轴直径,mm;S_0 为试样加工后的厚度,mm)。当板厚小于或等于 20 mm 时,S_0 为板厚;当板厚大于 20 mm 时,S_0 为 20 mm。

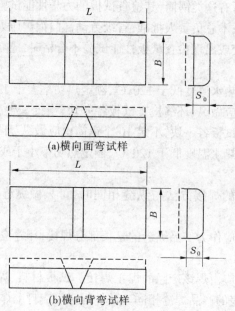

(a)横向面弯试样

(b)横向背弯试样

图 5-2　面弯和背弯试样

试样上高于母材表面的焊缝部分应用机械方法去除,试样的拉伸面应平齐且保留焊缝两侧中至少一侧的母材原始表面。试样拉伸面的棱角应修成半径不大于 2 mm 的圆角。

试样的弯曲试验应按 GB232《金属弯曲试验方法》规定的方法进行。试样的焊缝中心线须对准弯轴中心。规定的试样弯曲角度见表 5-2。

表 5-2

钢　种	弯轴直径 D	支点间距离	弯曲角度
碳素钢	$3S_0$	$5.2S_0$	$180°$
低合金钢	$3S_0$	$5.2S_0$	$100°$

注:①有衬垫的单面焊接头弯曲角度按表中的规定值。
　　②无衬垫的单面焊接头弯曲角度可比表中规定值减小一半。

弯曲试样冷弯到表 5-2 规定的角度后,其拉伸面上有任何一条长度大于 1.5 mm 的横向(沿试样宽度方向)裂纹或缺陷,或任何一条长度大于 3 mm 的纵向(沿试样长度方向)的裂纹或缺陷,为不合格。试样的棱角开裂不计,但确因夹渣或其他焊接缺陷引起试样棱角开裂的长度应计入评定。

第 70 条　力学性能试验有某项不合格时(面弯和背弯可各算一项),应从原焊制的检查试件中对不合格项目取双倍试样复验,或将原检查试件与产品再热处理一次后进行全面复验。

若拉伸和弯曲的每个复验试样的试验结果都合格,则复验为合格,否则为不合格,该试样代表的产品焊缝也不合格。

第六节　水压试验

第 71 条　受压焊件的水压试验应在无损探伤和热处理后进行。单个锅筒和整装出厂的焊制锅炉,应按本规程第 153 条的规定在制造单位进行水压试验。

散件出厂锅炉的集箱及其类似元件,应以元件工作压力的 1.5 倍的压力在制造单位进行水压试验,并在试验压力下保持 5 min。无管接头的集箱,可不单独进行水压试验。

对接焊接的受热面管子及其他受压管件,应在制造单位逐根逐件进行水压试验,试验压力为元件工作压力的 2 倍,在此试验压力下保持 10~20 s。工地组装的受热面管子、管道的焊接接头可与本体同时进行水压试验。

水压试验方法应按照本规程第 154 条的规定。水压试验的结果,应符合本规程第 155 条的规定。

第七节　焊接接头的返修

第 72 条　如果受压元件的焊接接头存在不允许的缺陷,施焊单位应找出原因,制订可行的返修方案才能进行返修。补焊前,缺陷应彻底清除。补焊后,补焊区应做外观和无损探伤检查。要求焊后热处理的元件,补焊后应做焊后热处理。同一位置上的返修不应超过三次。

第八节　用焊接方法的修理

第 73 条　锅炉受压元件进行挖补时,补板应是规则形状且四个角应为半径不小于 100 mm 的圆角。

锅炉受压元件不应采用贴补的方法修理。

第 74 条　在锅筒挖补、更换封头或管板、去除裂纹后的补焊之前,修理单位应进行焊接工艺评定。工艺试件必须由修理单位焊接。工艺试件的化学成分分析和力学性能试验允许委托外单位做。

第 75 条　在锅筒和炉胆挖补,更换封头或管板、去除裂纹后的补焊之后,应对焊缝按有关规定进行外观检查、射线探伤或超声波探伤、水压试验。

对接焊缝的超声波探伤应按 JB1152《锅炉和钢制压力容器对接焊缝超声波探伤》的规定执行。对于额定出口热水温度高于或等于 120 ℃ 的锅炉,对接焊缝质量达到 I 级为合格。对于额定出口热水温度低于 120 ℃ 的锅炉,对接焊缝质量不低于 II 级为合格。

第 76 条　修理经热处理的锅炉受压元件时,焊接后应进行焊后热处理。

第六章　胀　接

第 77 条　在正式胀接前应进行试胀,以检查胀管器的质量和管材的胀接性能。在试胀中,要对试样进行比较性检查,检查胀口部分是否有裂纹,胀接过渡部分是否有剧烈变化,喇叭口根部与管孔壁的结合状态是否良好等,然后检查管孔壁与管子外壁的接触表面的印痕和啮合状况。根据检查结果,确定合理的胀管率。

需在安装现场进行胀接的锅炉出厂时,锅炉制造单位应提供适量同钢号的胀接试件

（胀接试板应有管孔）。

第78条 施工单位应根据锅炉设计图样和试胀结果制订胀接工艺规程。

胀接操作人员应经过培训，严格按照胀接工艺规程进行操作。

第79条 胀接管子的锅筒或管板的厚度不应小于 12 mm 。胀接管孔间的距离不宜小于 19 mm。外径大于 102 mm 的管子不宜采用胀接。

第80条 胀接管子材料应选用低于管板硬度的材料。若管端硬度大于管板硬度或管端布氏硬度 HB 大于 170 时，应进行退火处理。管端退火长度不应小于 100 mm。

第81条 采用内径控制法时，胀管率一般应在 1% ～2.1% 范围内，并按下式计算：

$$H_n = [(d_1 + 2S)/d - 1] \times 100\%$$

式中：H_n——内径控制法的胀管率，% ；

d_1——胀完后的管子实测内径，mm；

S——末胀时管子实测壁厚，mm；

d——未胀时管孔实测内径，mm。

第82条 管端伸出量以 6～12 mm 为宜。管端喇叭口的扳边应与管子中心线成 12°～15°角，扳边起点与管板（锅筒）表面以平齐为宜。

对于锅壳式锅炉，直接与火焰（烟温 800 ℃以上）接触的烟管管端必须进行 90°扳边。扳边后的管端与管板的间隙不得大于 0.4 mm，并且间隙的长度不得大于周长的五分之一。

第83条 胀接管端不应有起皮、皱纹、裂纹、切口和偏斜等缺陷。在胀接过程中，应随时检查胀口的胀接质量，及时发现和消除缺陷。

第84条 为了计算胀管率和核查胀接质量，施工单位应根据实际检查和测量结果，做出胀接记录。

第85条 胀接全部完毕后，必须进行水压试验，检查胀口的严密性。

第七章　铸铁锅炉

第86条 额定出口热水温度 120 ℃且额定出水压力不超过 0.7 MPa 的锅炉可以用牌号不低于 HT150 的灰口铸铁制造，参数超过此范围的锅炉不应采用铸铁制造。

第87条 锅炉的结构必须是组合式的。锅片之间连接处必须可靠地密封。

第88条 锅片的最小壁厚一般为 10 mm，也可采用强度计算的方法确定最小壁厚。

制造单位应采取有效方法控制最小壁厚。对同批生产的锅片（同牌号、同结构型式、同铸造工艺）应进行不少于 20% 的壁厚测量，且不少于 1 片。每种锅片应有测点图，测点数量按产品技术条件的规定。

第89条 锅炉下部容易积垢的部位应设置内径不小于 25 mm 的检查孔。

第90条 有下列情况之一时，应进行锅片或锅炉的冷态爆破验证试验。

(1)首次采用的锅片结构。

(2)改变锅片材料的牌号。

锅片的爆破试验应取同种的三片锅片进行试验。锅炉的爆破试验应取锅炉前部、中部、后部各三片锅片进行试验。

对于额定出水压力小于或等于 0.4 MPa 的锅炉，爆破压力须大于 4P + 0.2 MPa（P

为锅炉额定出水压力,下同);对于额定出水压力大于 0.4 MPa 的锅炉,爆破压力须大于 5.25P。

第 91 条　制造单位应制订经过验证的受压铸件的铸造工艺规程,并按其实施。

第 92 条　受压铸件必须进行消除铸件内应力的处理,宜采用退火热处理。

第 93 条　受压铸件不允许有裂纹、穿透性气孔、缩孔、缩松、浇不到、冷隔等铸造缺陷。

第 94 条　受压铸件应按每个铁水罐或每片锅片制取拉伸试样。试样浇注按 GB9439《灰铸铁件》的规定进行,每罐或每片锅片应带有三根试样,其中一根做试样,两根做复验试样。

拉伸试验按 GB977《灰铸铁机械性能试验方法》的规定进行。试样的抗拉强度不低于所用铸铁牌号抗拉强度规定值下限为合格。若第一根试样不合格,则取另两根试样复验,若两根试样的试验均合格,则该受压铸件拉伸试验仍为合格;否则为不合格,该试样代表的锅片也不合格。

对于同一炉连续浇注的受压铸件,若最先和最后浇注的各一罐或各一片锅片其拉伸试验均合格,则该炉其余受压铸件的拉伸试验可免做,否则其余各罐或各片锅片均需做拉伸试验。

第 95 条　锅片毛坯件、机械加工后的锅片、修理后的锅片及其他受压铸件应逐件进行水压试验,锅炉组装后进行整体水压试验。试验压力及其保持时间应符合表 7-1 的规定。

表 7-1

名称	水压试验压力(MPa)	在试验压力下保持时间(min)
受压铸件	2P,且不小于 0.4	15
锅炉整体	1.5P,且不小于 0.2	30

注:表中 P 指锅炉额定出水压力。

水压试验的方法应按照本规程第 154 条的规定。水压试验的结果应符合本规程第 155 条的规定。

第 96 条　受压铸件的辐射受热面上及应力集中区域内的缺陷不应采用焊补或塞挤的方法进行修理。受压铸件如有裂纹、缩松或分散性夹砂(渣)缺陷,不应采用焊补的方法进行修理。

第 97 条　铸铁锅炉中钢制受压元件的材料和焊接、主要附件和仪表、锅炉房、使用管理、检验等应符合本规程其他章节的有关规定。

第八章　主要附件和仪表

第一节　安全阀

几个安全阀如共同装置在一个与锅筒(锅壳)直接相连接的短管上,短管的流通截面积应不小于所有安全阀流道面积之和。

第 98 条　额定热功率大于 1.4 MW 的锅炉,至少应装设两个安全阀。额定热功率小于或等于 1.4 MW 的锅炉至少应装设一个安全阀。

锅炉上设有水封安全装置时,可不装安全阀。水封装置的水封管内径不应小于 25 mm,且不得装设阀门,同时应有防冻措施。

第 99 条 安全阀的泄放能力应满足所有安全阀开启后锅炉内压力不超过设计压力的 1.1 倍。对于额定出口热水温度低于 100 ℃ 的锅炉,当额定热功率小于或等于 1.4 MW 时,安全阀流道直径不应小于 20 mm;当额定热功率大于 1.4 MW 时,安全阀流道直径不应小于 32 mm。对于额定出口热水温度高于或等于 100 ℃ 的锅炉,装在锅炉上的安全阀的数量及流道直径可参照下式计算:

$$ndh = (35.3Q/CP_S(i - i_j)) \times 10^4$$

式中:n——安全阀个数;

d——安全阀流道直径,cm;

h——安全阀开启高度,cm;

Q——锅炉额定热功率,MW;

C——排量系数,采用安全阀制造厂提供的可靠数据,或按下列数值选用:

当 $h/d \leqslant 1/20$ 时,$C = 135$

$h/d \geqslant 1/4$ 时,$C = 70$

P_s——安全阀的始启压力(绝对压力),MPa;

i——锅炉额定出水压力下的饱和蒸汽焓,kJ/kg;

i_j——进入锅炉的水焓,kJ/kg。

第 100 条 安全阀须铅直地安装,并尽可能装在锅筒、集箱的最高位置。在安全阀和锅筒之间或安全阀和集箱之间,不得装有取用热水的出水管和阀门。

第 101 条 若几个安全阀共同装置在一个与锅筒直接相连接的短管上,则短管的通路截面积不应小于所有安全阀排放面积的 1.25 倍。

第 102 条 安全阀上必须有下列装置:

(1)杠杆式安全阀要有防止重锤自行移动的装置和限制杠杆越出的导架;

(2)弹簧式安全阀要有提升手把和防止随便拧动调整螺钉的装置。

第 103 条 安全阀应装设泄放管,在泄放管上不允许装设阀门。泄放管应直通安全地点,并有足够的截面积和防冻措施,保证排污畅通。

第 104 条 锅炉在运行中,安全阀应定期进行手动排放试验。锅炉停用后又启用时,安全阀也应进行手动排放试验。

第 105 条 锅炉上的安全阀应按制造厂的要求或按表 8-1 规定的压力每年至少进行一次整定和校验。安全阀检修或更换后,也应按上述要求和规定进行整定。

安全阀经过校验后,应加锁或铅封。严禁用加重物、移动重锤、将阀芯卡死等手段任意提高安全阀始启压力或使安全阀失效。

安全阀校验后,始启压力、回座压力等校验结果应记录并归入档案。

表 8-1

安全阀的始启压力
1.12 倍工作压力但不小于工作压力 + 0.07 MPa
1.14 倍工作压力但不小于工作压力 0.10 MPa

注:①锅炉上必须有一个安全阀按表中较低的始启压力进行整定。

②这里的工作压力是指与安全阀直接连接部件的工作压力。

第 106 条 安全阀出厂时,应有金属铭牌,载明下列各项:

(1)安全阀型号;

(2)制造编号;

(3)制造厂名和制造年月;

(4)开启高度(mm);

(5)公称通径和流道直径(mm);

(6)公称压力(MPa);

(7)排量系数。

安全阀的排量系数,应由安全阀制造单位通过实验确定。

第二节 压力表

第 107 条 每台锅炉的进水阀出口和出水阀入口都应装一个压力表。

循环水泵的进水管和出水管上,也应装压力表。

第 108 条 选用压力表应符合下列规定:

(1)压力表精确度不应低于 2.5 级;

(2)压力表应根据工作压力选用。压力表表盘刻度极限值应为工作压力的 1.5~3 倍,最好选用 2 倍。

(3)压力表表盘大小应保证司炉工人能清楚地看到压力指示值,表盘公称直径不应小于 100 mm。

第 109 条 压力表的装设、校验和维护应符合国家计量部门的规定。压力表装用前应进行校验,并在刻度盘上划红线指出工作压力。压力表装用后每年至少校验一次。压力表校验后应封印。

第 110 条 压力表装设应符合下列要求:

(1)应装设在便于观察和冲洗的位置,并应防止受到高温、冰冻和震动的影响。

(2)应有缓冲弯管。弯管用钢管时,其内径不应小于 10 mm。

压力表和弯管之间应装有三通旋塞,以便冲洗管路,卸换压力表等。

第 111 条 压力表有下列情况之一时,应停止使用:

(1)有限止钉的压力表在无压力时,指针转动后不能回到限止钉处,没有限止钉的压力表在无压力时,指针离零位的数值超过压力表规定允许误差;

(2)表面玻璃破碎或表盘刻度模糊不清;

(3)封印损坏或超过校验有效期限;

(4)表面泄漏或指针跳动;

(5)其他影响压力表准确指示的缺陷。

第三节 测量温度的仪表

第112条 在锅炉的进、出水口均应装设测量温度的仪表。仪表应正确反映介质温度,并应便于观察。

对于额定热功率大于或等于 14MW 的锅炉,安装在锅炉出水口的测量温度仪表应是记录式的。

在燃油锅炉中还应装设用以测量燃油温度和空气预热器烟气出口烟温的测量温度仪表。

第113条 有表盘的测量温度仪表的量程应为正常温度的 1.5~2 倍。

第114条 测量温度仪表的校验和维护应符合国家计量部门的规定。装用后每年至少应校验一次。

第四节 排污及放水装置

第115条 锅筒及每个回路下集箱的最低处都应装排污阀或放水阀。排污阀或放水阀宜采用闸阀或直流式截止阀。阀的公称通径为 20~65 mm。卧式锅壳锅炉上的排污阀公称通径不得小于 40 mm。

第116条 额定出口热水温度高于或等于 120 ℃ 的锅炉的排污管上应装两个串联的排污阀。

锅炉的排污阀(或放水阀)、排污管(或放水管)不允许用螺纹连接。排污管口不应高出锅筒或集箱的内壁表面。

第117条 每台锅炉应装独立的排污或放水管,排污或放水管应尽量减少弯头,保证排污及放水畅通并接到安全的地点。

几台锅炉排污合用一根总排污管时,不应有两台或两台以上的锅炉同时排污。

第五节 保护装置

第118条 额定出口热水温度高于或等于 120 ℃ 的锅炉以及额定出口热水温度低于 120 ℃ 但额定热功率大于或等于 4.2 MW 的锅炉,应装设超温报警装置。

第119条 用煤粉、油或气体作燃料的锅炉,应装有下列功能的连锁装置:

(1)引风机断电时,自动切断全部送风和燃料供应;

(2)全部送风机断电时,自动切断全部燃料供应;

(3)燃油、燃气压力低于规定值时,自动切断燃油或燃气的供应;

(4)锅炉压力降低到会发生汽化或水温升高超过了规定值时,自动切断燃料供应;

(5)循环水泵突然停止运转时,自动切断燃料供应。

第120条 用煤粉、油或气体作燃料的锅炉,应装设熄火保护装置,并尽量装设点火程序控制装置。

第121条 层燃锅炉宜设有当锅炉的压力降低到会发生汽化或水温升高超过了规定

值以及循环水泵突然停止运转时,自动切断鼓、引风的装置。

第122条 对于正压燃烧的锅炉,炉墙、烟道和各部位门孔,必须可靠地密封,看火孔必须装设防止火焰喷出的装置。

第123条 几台锅炉共用一个总烟道时,在每台锅炉的支烟道内应装设供检修时隔断用的严密的烟道挡板。挡板应有可靠的固定装置,以保证锅炉运行时,挡板处在全开启位置,不能自行关闭。

第六节 锅炉的管道和附件

第124条 阀门应装设在便于操作的地点。

管道的截止阀门和调节阀门上应有明显的标记,指示水流动的方向和阀门的开关方向。

第125条 每台锅炉(包括与热水总管相连的锅炉)出水管上应装截止阀或闸阀。

锅炉给水、补给水管上应装设截止阀和止回阀。

第126条 锅炉的出水管一般应设在锅炉最高处。在出水阀前出水管的最高处应装设集气装置。

每一个回路的最高处以及锅筒最高处或出水管上都应装设公称通径不小于 20 mm 的排气阀。每台锅炉各回路最高处的排气管宜采用集中排列方式。

在强制循环锅炉的锅筒最高处或出水管上应装设内径不小于 25 mm 的泄放管,管子上应装泄放阀。装设泄放阀的锅炉,锅筒或出水管上可不装设排气阀。

第九章 热水系统及附属设施

第127条 钢制锅炉的出水压力不应低于额定出口热水温度加 20 ℃相应的饱和压力。

铸铁锅炉的出水压力不应低于额定出口热水温度加 40 ℃相应的饱和压力。

第128条 热水系统应根据 GBJ41《锅炉房设计规范》的规定进行设计,管道安装应符合 GBJ235《工业管道工程施工及验收规范(金属管道篇)》及 GBJ242《采暖与卫生工程施工及验收规范》的规定。

第129条 在热水系统的最高处及容易集气的位置上应装设集气装置。

第130条 热水循环系统必须有可靠的定压措施和循环水的膨胀装置。

采用高位水箱作定压装置时,应符合下列要求:

(1)高位水箱的最低水位应高于热水系统最高点 1 m 以上,并满足使系统不汽化的要求;

(2)设置在露天的高位水箱及其管道应有防压措施;

(3)高位膨胀水箱的膨胀管上不应装设阀门;

(4)高位补给水箱与系统连接的管道上应装设止回阀,系统中应有泄压装置。

采用气体加压罐作定压装置时,应符合下列要求:

(1)气体加压罐上应装设压力表;

(2)气体加压罐内的压力应保证系统不汽化;

(3)当采用不带隔膜的气体加压罐时,加压介质宜采用氮气或蒸汽,不应采用空气。

采用补给水泵作定压装置时,应符合下列要求:

(1)系统中应有膨胀水箱或泄压装置;

(2)间歇补水时,补给水泵停止运行期间,热水系统的压力降不得导致系统汽化。

第 131 条 热水系统应装自动补给水装置,并在司炉(司泵)操作地点装有手动控制补给水装置。

第 132 条 强制循环热水系统至少应有两台循环水泵,在其中一台停止运行时,其余水泵总流量应满足最大循环水量的需要。

在循环水泵前后的管路之间应安装一根带有止回阀的旁通管,以防止突然停泵发生水击。

第 133 条 热水系统的回水干管上,应装设除污器,并应定期排污。除污器应安装在便于除污的位置。

第十章　锅炉房

一、对于设在多层或高层建筑的半地下室或第一层的锅炉房,每台锅炉的额定热功率应小于或等于 7 MW 且额定出水温度小于或等于 120 ℃,且应满足《蒸汽锅炉安全技术监察规程》第 184 条相应条件。

二、对于由于条件限制需要在高层或多层建筑的地下室、楼层中间或顶层设置锅炉房时,每台锅炉的额定热功率应小于或等于 2.8 MW 且额定出水温度小于或等于 120 ℃,且应满足《蒸汽锅炉安全技术监察规程》第 185 条相应条件。

第 134 条 锅炉房建造位置的要求如下:

(1)锅炉一般应安装在单独建造的锅炉房内。

(2)锅炉不应直接设在聚集人多的房间(如公共浴室、教室、观众厅、商店、餐厅、候诊室等)或在其上面、下面、贴邻或主要疏散口的两旁。

(3)锅炉房若与住宅相连或设在多层建筑的地下室、半地下室、第一层或顶层中,则须同时符合以下条件:

(甲)锅炉的额定出口热水温度低于或等于 95 ℃;

(乙)每台锅炉须有超温报警装置;

(丙)用油或气体做燃料的锅炉须装设可靠的点火程序控制和熄火保护装置;

(丁)维护和定期试验每台锅炉的安全附件、报警装置、连锁保护装置,以保证它们灵敏、准确、可靠;

(戊)地下室和半地下室中的锅炉房须有安全疏散通道。

(4)锅炉房不宜设在高层建筑内,但由于条件限制需设在其地下室、半地下室、第一层或顶层内时,除应符合本条第 3 款的条件外,还应符合以下条件,并经省级劳动部门锅炉压力容器安全监察机构批准。

(甲)单台锅炉的额定热功率小于或等于 7 MW;

(乙)必须是用油或气体做燃料的锅炉;

(丙)每台锅炉应有超温报警及连锁保护装置;

(丁)锅炉间的建筑结构应有相应的抗爆措施。

(5)锅炉房不得与甲、乙类及使用可燃液体的丙类火灾危险性厂房相连,但若与其他生产厂房相连时,则其内只能安装额定出口热水温度低于120℃的锅炉,且锅炉房与生产厂房用防火墙隔开。余热锅炉不受此限制。

第135条 锅炉房建筑的耐火等级和防火要求应符合《建设设计防火规范》及《高层民用建筑设计防火规范》的有关规定。

锅炉间的外墙或屋顶至少应有相当于锅炉间占地面积10%的泄压面积(如:玻璃窗、天窗、薄弱墙等)。此处不得直接与聚集人多的房间和通道、装有易燃、易爆或其他危险物品的房间相连。

第136条 锅炉房应符合下列要求:

(1)锅炉房内的设备布置应便于操作、通行和检修;

(2)锅炉房应有足够的光线和良好的通风,以及必要的防冻措施;

(3)锅炉房应防止积水;

(4)锅炉房内地面应平整无台阶;

(5)锅炉房承重梁柱等构件,与锅炉应有一定距离或采取其他措施,以防止受高温损坏。

第137条 锅炉房每层至少应有两个出口,分别设在两侧。

锅炉前端的总宽度(包括锅炉之间的过道在内)不超过12 m,且面积不超过200 m² 的单层锅炉房,可以只开一个出口。

锅炉房通向室外的门应向外开,在锅炉运行期间,不准锁住或闩住。

第138条 在锅炉房内的操作地点,以及压力表、温度计、流量计等处,应有足够的照明。

第十一章 使用管理

第139条 司炉工人须按原劳动人事部颁发的《锅炉司炉工人安全技术考核管理办法》考试,取得司炉操作证后才能操作锅炉,且只能操作不高于考试合格类别的锅炉。

司炉工人应熟悉与运行锅炉有关的热水循环系统,搞好安全运行。

锅炉房主管人员应熟悉锅炉安全知识,定期检查锅炉运行状况,切实解决影响锅炉安全运行的问题。任何领导不得同意或强迫司炉违章作业。

第140条 锅炉运行时,值班人员应遵守劳动纪律,认真执行有关锅炉运行的各项制度,做好各项记录。锅炉压火以后,应保证锅炉水温不回升。

第141条 锅炉运行中,遇有下列情况之一时,应立即停炉:

(1)因水循环不良造成锅水汽化,或锅炉出口热水温度上升到与出水压力下相应饱和温度的差小于20℃(铸铁锅炉40℃)时;

(2)锅水温度急剧上升失去控制时;

(3)循环泵或补给水泵全部失效时;

(4)压力表或安全阀全部失效时;

(5)锅炉元件损坏,危及运行人员安全时;

(6)补给水泵不断给锅炉补水,锅炉压力仍然继续下降时;

(7)燃烧设备损坏、炉墙倒塌或锅炉构架被烧红等,严重威胁锅炉安全运行时;

(8)其他异常运行情况,且超过安全运行允许范围。

第142条 额定出口热水温度高于或等于120℃的锅炉,为了防止突然停电时产生汽化,应有可靠的定压装置或可靠的电源(备用电源或双路电源等)。

第143条　使用锅炉的单位应制订突然停电时的操作方法和程序,并使司炉掌握。

第144条　检修人员进入锅炉内进行工作时,应符合以下要求:

(1)在进入锅筒内部工作前,必须将与其他运行锅炉连接的热水、排污等管道全部可靠地隔开,将锅筒内的水放净,并且还须使锅筒内部有良好的通风。在锅筒内进行工作时,锅筒外应有人监护。

(2)在进入烟道或燃烧室工作前,烟道与燃烧室内必须进行通风,并将与总烟道或其他运行锅炉的烟道相连的烟道闸门关严密,以防毒、防火、防爆。

(3)用油或气体做燃料的锅炉,应可靠地隔断油、气的来源。

(4)在锅筒和潮湿的烟道工作而使用电灯照明时,照明电压不得超过 12 V;在比较干燥的烟道内,而且有妥善的安全措施,可采用不高于 36 V 的照明电压。禁止使用明火照明。

第145条　锅炉投入运行时,应先开动循环泵,待供热系统循环水循环后才能提高炉温。停炉时,不得立即停泵,只有锅炉出口水温降到 50 ℃ 以下时才能停泵。

若锅炉发生汽化后再启动时,启动前须先补水放汽,然后再开动循环泵。

第146条　对备用或停用锅炉,必须先将锅炉及除污器内部的水垢、污物、沉渣清除,然后采取防腐措施,并定期对锅炉内部进行检查,以保证防腐措施有效。采用湿法保养的锅炉,还应有防冻措施。

锅炉停用后,应及时清理受热面管子表面和烟道中沉积的烟炱和污物。

对长期停用的锅炉,还应将附属设备清刷干净。

第147条　使用锅炉的单位必须做好水质管理工作,采取有效的水处理措施,使锅炉运行时的锅水、补给水符合 GB1576《低压锅炉水质标准》的有关规定。

第148条　使用锅炉的单位应认真执行排污制度。排污的时间间隔及排污量应根据运行情况及水质化验报告确定。排污时应监视锅炉压力以防止产生汽化。当锅水温度低于 100 ℃ 时,才能进行排污。

第十二章　检　验

一、在用锅炉的定期检验工作包括外部检验、内部检验和水压试验。在用锅炉一般每年进行一次外部检验,每两年进行一次内部检验,每六年进行一次水压试验。

当内部检验和外部检验同在一年进行时,应首先进行内部检验,然后再进行外部检验。

对于不能进行内部检验的锅炉,应每三年进行一次水压试验。

二、锅炉内部检验和外部检验的重点按《蒸汽锅炉安全技术监察规程》第 204 条和第 205 条的相应条款进行。

三、水压试验压力应符合下表的规定。

名称	锅炉额定出水压力 P	试验压力
锅炉本体	<0.8 MPa	1.5P 但不小于 0.2 MPa
锅炉本体	0.8~1.6 MPa	P + 0.4 MPa
锅炉本体	>1.6 MPa	1.25 MPa
省煤器	任何压力	1.25P + 0.5 MPa

四、锅炉应在试验压力下保持 20 分钟,然后降到额定出水压力进行检查。检查期间压力应保持不变。

第 149 条 在用锅炉的检验工作包括运行状态下定期外部检验、定期停炉内外部检验和水压试验。定期检验和水压试验计划应报送主管部门和市、地以上(含市、地)劳动部门锅炉压力容器安全监察机构。各级劳动部门锅炉压力容器安全监察机构对检验计划的执行情况和检验质量进行监督检查。

第 150 条 在用锅炉每两年进行一次运行状态下外部检验,一般每两年按《在用锅炉定期检验规则》进行一次停炉内外部检验,一般每六年进行一次水压试验。

除定期检验外,锅炉有下列情况之一时,也应进行内外部检验:

(1)移装或停止运行一年以上,需要投入或恢复运行时;

(2)受压元件经重大修理或改造后(还应进行水压试验);

(3)发生重大事故后;

(4)根据锅炉运行情况,对设备状态有怀疑,必须进行检验时。

第 151 条 定期停炉检验的重点如下:

(1)上次检验有缺陷的部位;

(2)锅炉受压元件的内、外表面,特别在开孔、焊缝、扳边等处有无裂纹、裂口或腐蚀;

(3)管壁有无磨损和腐蚀,特别是处于烟气流速较高及吹灰器吹扫区域的管壁及低温区管壁;

(4)胀口是否严密,管端的受胀部分有无环形裂纹;

(5)锅炉的拉撑以及与被拉元件的结合处有无断裂、腐蚀和裂纹;

(6)受压元件有无凹陷、弯曲、鼓包和过热;

(7)锅筒和衬砖接触处有无腐蚀;

(8)受压元件或锅炉构架有无因砖墙或隔火墙损坏而发生过热;

(9)进水管和排污管与锅筒的接口处有无腐蚀、裂纹,排污阀和排污管连接部分是否牢靠;

(10)安全附件是否灵敏、可靠,安全阀、压力表等与锅炉本体连接的通道是否堵塞;

(11)自动控制、讯号系统及仪表是否灵敏、可靠;

(12)水侧内部的水垢、水渣是否过多。

第 152 条 水压试验前,应进行内外部检验,如必要时还应作强度核算。不得用水压试验的方法确定锅炉的工作压力。

第 153 条 水压试验压力应符合表 12-1 的规定。

水压试验时,压力不得超过元件材料在试验温度下屈服强度的 90%。

表 12-1

名称	锅炉额定出水压力 P	试验压力
锅炉主体	<0.6 MPa	$1.5P$ 但不小于 0.2 MPa
锅炉本体	0.6~1.2 MPa	$P+0.3$ MPa
锅炉本体	>1.2 MPa	$1.25P$
省煤器	任何压力	$1.25P+0.5$ MPa

第 154 条　锅炉进行水压试验时,水压应缓慢地升降,当水压上升到额定出水压力时,应暂停升压,检查有无漏水或异常现象,然后再升压到试验压力。焊接的锅炉应在试验压力下保持 5 min,然后降到额定出水压力进行检查。检查期间压力应保持不变。

水压试验应在环境温度高于 5 ℃时进行,否则必须有防冻措施。水压试验用的水应保持高于周围露点的温度,以防锅炉表面结露,但也不宜温度过高以防止引起汽化和过大的温差应力,一般为 20~70 ℃。

第 155 条　锅炉进行水压试验,符合下列情况为合格:

(1)在受压元件金属壁和焊缝上没有水珠和水雾;

(2)胀口处在降到额定出水压力后不滴水珠;

(3)铸铁锅炉锅片的密封处在降到额定出水压力后不滴水珠;

(4)水压试验后,无可见的残余变形。

第 156 条　锅炉检验结果应记入锅炉技术档案,并有检验人员签字。

附录6 有机热载体炉安全技术监察规程

(劳部发[1993]356号   1993年11月28日起执行)

第一章 总 则

第一条 为了提高有机热载体炉设计、制造、使用等方面安全技术管理水平,保证有机热载体炉安全运行,根据《锅炉压力容器安全监察暂行条例》的要求,制定本规程。

第二条 本规程适用于固定式的有机热载体气相炉(以下简称气相炉)和有机热载体液相炉(以下简称液相炉)。

本规程也适用于以电加热的有机热载体炉,但电器加热部分除外。

第三条 本规程规定了有机热载体炉的特殊要求。有机热载体炉的设计、制造、安装、使用、检验、修理、改造等环节应符合《锅炉压力容器安全监察暂行条例》和本规程的规定。此外,气相炉还应符合《蒸汽锅炉安全技术监察规程》有关要求;液相炉还应符合《热水锅炉安全技术监察规程》有关要求。

各级劳动行政主管部门负责监督本规程的执行。

第四条 生产有机热载体炉的单位,须持有有机热载体炉专用制造许可证。

第二章 结构与技术要求

第五条 有机热载体炉的强度应按照《水管锅炉受压元件强度计算》标准、《锅壳式锅炉受压元件强度计算》标准进行计算,其设计计算压力应为工作压力加0.3 MPa,且不低于0.59 MPa。

第六条 受压元件焊接与探伤应符合下列要求:

1. 管子与锅筒、集箱、管道应采用焊接连接。

2. 锅筒筒体的纵缝、环缝和封头拼接必须采用埋弧自动焊,当受工装限制时锅筒最后一道环缝的内侧允许采用手工电弧焊。

3. 有机热载体炉的受热面管的对接焊缝应采用气体保护焊。

4. 锅筒的纵环焊缝、封头的拼接缝应进行100%的射线探伤或100%超声波探伤加至少25%的射线探伤;受热面管的对接焊缝应进行射线探伤抽查,其数量为:辐射段不低于接头数的10%,对流段不低于5%。抽查不合格时,应以双倍数量进行复查。

5. 批量生产的气相炉的锅筒每10台做一块(不足10台也做一块)纵缝焊接检查试板;液相炉的锅筒及管子、管道对接接头可免做焊接检查试板。

有机热载体炉的焊接工艺评定按《蒸汽锅炉安全技术监察规程》的规定执行。

第七条 受压元件必须采用法兰连接时,应采用公称压力(PN)不小于1.6 MPa的榫槽式法兰或平焊钢法兰,其垫片应采用金属网缠绕石墨垫片或膨胀石墨复合垫片。

第八条 有机热载体炉的受压元件以及管道附件不得采用铸铁或有色金属制造。

第九条 为了防止液相炉中有机热载体过热分解与积碳,必须保证受热面管中有机热载体的流速,辐射受热面不低于 2 m/s,对流受热面不低于 1.5 m/s。对于卧式外燃液相炉的锅筒,应采取可靠措施,以防止锅筒过热和有机热载体过早老化。

第十条 带锅筒的气相炉宜采用水管式锅炉结构,其下降管截面之和与上升管截面之和的比值、引出管截面之和的比值均不低于 40%,否则应进行流体动力计算。

第十一条 有机热载体的供货单位应提供有机热载体可靠的物理数据和化学性能资料,如最高使用温度、黏度、闪点、残酸、酸值等。

第十二条 有机热载体炉设计和运行时,有机热载体炉出口处有机热载体的温度不得超过有机热载体最高使用温度。

第十三条 有机热载体炉及回流管线结构应保证有机热载体自由流动以及有利于有机热载体从锅炉中排出。

第十四条 在锅筒和管网最低处应装设排污装置,排污管应接到安全地点。

第十五条 整装出厂的有机热载体炉,在制造厂应按 1.5 倍工作压力进行水压试验。对于气相炉还应按工作压力或系统循环压力进行气密性试验,以检查有机热载体炉非焊接部位如法兰连接处、人孔、手孔、检查孔等部位密封情况。

水压试验后应将水分排净,气密试验以氮气为宜。

第三章　安全附件与仪表

第十六条 安全阀应符合下列要求:

1.每台气相炉至少应安装两只不带手柄的全启式弹簧式安全阀。安全阀与筒体连接的短管上串联一爆破片。

无论是采用注入式或抽吸式强制循环的液相炉,液相炉本体上可不装安全阀。

2.气相炉安全阀和爆破片爆破时的排放能力,应不小于气相炉额定蒸发量。

3.气相炉安全阀开启时排出的有机热载体汽化物应通过导管进入用水冷却的面式冷凝器,再接入单独的有机热载体储存罐,以便脱水净化。

4.安全阀至少每年一次从气相炉上拆下进行检验,检验定压后应进行铅封。检验结果应存入有机热载体炉技术档案。

5.爆破片与锅筒或集箱连接的短管上应安装一只截止阀,在气相炉运行时截止阀必须处于全开位置。

第十七条 压力表应符合下列要求:

1.气相炉的锅筒和出口集箱、液相炉进出口管道上应装压力表。

2.压力表至少每年校验一次,校验后应进行铅封。

3.压力表与锅筒、集箱、管道采用存液弯管连接,存液弯管存液上方应安装截止阀或针形阀。

第十八条 液面计应符合下列要求:

1.气相炉的锅筒上应安装两只彼此独立的液面计;液相炉的膨胀器应安装一只液面计。

2.有机热载体炉上不允许采用玻璃管式液面计,应采用板式液面计。

3.液面计的放液管必须接到储存罐上,放液管上应装有放液旋塞。有机热载体炉运行时,放液旋塞必须处于关闭状态。

第十九条 有机热载体炉出口的气相或液相有机热载体输送管道上,在截止阀前靠近有机热载体炉的地方应安装温度显示和记录仪表;有机热载体炉功率不超过2.8 MW时可只装温度显示仪表。在液相炉回路的入口处应装温度显示仪表。

第二十条 自动控制和自动保护装置应符合下列要求:

1.液相炉有机热载体的出口处,应装有超温报警和差压报警装置,气相炉有机热载体的出口处应装有超压报警装置。

2.采用液体或气体燃料的有机热载体炉,应有下列装置:

(1)根据有机热载体炉出口有机热载体温度和蒸发量变化而自动调节燃烧器燃烧负荷的装置。

(2)热功率≥2.8 MW时,必须装有点火程序控制器。

(3)炉膛熄火保护装置。

3.有机热载体炉应装有自动调节保护装置,并在下列情况时应能自动停炉。

(1)液位下降到低于极限位置时;

(2)有机热载体炉出口热载体温度超过允许值时;

(3)有机热载体炉出口热载体压力超过允许值时;

(4)循环泵停止运转时。

第四章 辅助装置和阀门

第二十一条 膨胀器应符合下列要求:

1.液相炉和管网系统应装有接收受热膨胀有机热载体的膨胀器。膨胀器可以是封闭式的或敞口式的。

2.膨胀器的调节容积应不小于液相炉和管网系统中有机热载体在工作温度下因受热膨胀而增加的容积的1.3倍。

3.封闭式的膨胀器上应装压力表和安全泄放装置。泄放物应通过泄放管导入储存罐。

膨胀器上应装有溢流管,溢流管应接到储存罐上。溢流管的直径与膨胀管直径一样,且溢流管上不准安装阀门。

4.膨胀器一般不得安装在有机热载体炉的正上方,以防因膨胀而喷出的有机热载体引起火灾。膨胀器的底部与有机热载体炉顶部的垂直距离应不小于1.5 m。

5.锅炉管网系统与膨胀器连接的膨胀管应符合下列要求。

(1)膨胀管需要转弯时,其弯曲角度不宜小于120°;

(2)膨胀管上不得安装阀门,且不得有缩颈部分;

(3)膨胀管的直径不小于下列数值:

额定热功率(MW)	0.7	1.4	2.8	5.6	11.2	22.4	33.6
公称直径 D_N(mm)	32	40	50	70	80	100	150

6.膨胀器和膨胀管不得采取保温措施,膨胀器内的有机热载体的温度不应超过70 ℃。

第二十二条　有机热载体储存罐应尽可能放在加热系统最低位置,以便放净锅炉中的有机热载体,储存罐与有机热载体炉之间应用隔墙隔开。储存罐应符合下列要求:

1. 储存罐的容积应不小于有机热载体炉中有机热载体总量的 1.2 倍。

2. 储存罐应装一只液面计,储存罐上部应装有排气管,排气管应接到安全地点,其直径应比膨胀管(按本规程第 21 条规定的系列)大一档次。

第二十三条　有机热载体炉的热载体进出口管道上均应安装截止阀,当泵与锅炉之间距离不超过 5 m 时,在锅炉进口处可不装截止阀。阀门连接处应选用不泄漏型的密封材料,不准采用石棉制品。

第二十四条　有机热载体炉及管网最高处应有必要数量的排气阀,以便有机热载体炉在运行中定期排放形成的气体产物。排气阀应符合下列要求:

1. 排气阀的开关位置应便于操作。

2. 排气阀的排气管应与固定容器相连,液相炉的排气管可直接与大气相通。固定容器、排气管口与明火热源的距离应不小于 5 m。

第二十五条　单机运行的气相炉,每台炉一般应安装两台供给泵,一台为工作泵,一台为备用泵。对于冷凝液可以自动回流的气相炉,可不装供给泵。

液相炉的循环系统至少安装两台电动循环泵,一台为工作泵,一台为备用泵。循环泵的流量与扬程的选取应保证有机热载体在有机热载体炉中必要的流速。

停电频繁的地区,锅炉房内应有备用电源或采取其他措施,以保证泵的正常运转。

在循环泵的入口处应装过滤器,且应定期清理过滤器。

第五章　使用管理

第二十六条　有机热载体炉的操作人员,应经过有机热载体炉方面知识的培训,并经当地锅炉安全监察机构考核发证。

第二十七条　有机热载体炉使用单位,必须制定有机热载体炉使用操作规程。操作规程应包括有机热载体炉启动,运行、停炉、紧急停炉等操作方法和注意事项。操作人员必须按操作规程进行操作。

第二十八条　有机热载体炉范围内的管道应采取保温措施,但法兰连接处不宜采用包覆措施。

第二十九条　有机热载体炉在点火升压过程中,应多次打开锅炉上的排气阀,以排净空气、水及有机热载体混合蒸汽。对于气相炉,当有机热载体的温度与压力符合对应关系后,应停止排气,进入正常运行。

第三十条　有机热载体必须经过脱水后方可使用。不同的有机热载体不宜混合使用。需要混合使用时,混用前应由有机热载体生产单位提供混用条件和要求。

第三十一条　使用中的有机热载体每年应对其残碳、酸值、黏度、闪点进行分析,当有两项分析不合格或热载体分解成分的含量超过 10% 时,应更换热载体或对热载体进行再生。

第三十二条　有机热载体炉受热面应定期进行检查和清洗,应将检查和清洗情况存入锅炉技术档案。

第三十三条 有机热载体炉安装或重大修理后,在投入运行前应由使用单位和安装或修理单位进行 1.5 倍工作压力的液压试验;对于气相炉应按第十五条进行气密性试验。合格后才能投入运行。液压试验与气密试验时,当地锅炉安全监察机构应派人参加。

第三十四条 锅炉房应有有效的防火和灭火措施。

第六章 附 则

第三十五条 有机热载体炉有关规则、规定低于本规程要求的,应以本规程为准。

第三十六条 本规程由劳动部负责解释。

第三十七条 本规程自 1994 年 5 月 1 日开始实施。

附录 7　工业锅炉水质

（GB1576—2001）

1　范围

本标准规定了工业锅炉运行时的水质要求。

本标准适用于额定出口蒸汽压力小于等于 2.5 MPa，以水为介质的固定式蒸汽锅炉和汽水两用锅炉，也适用于以水为介质的固定式承压热水锅炉和常压热水锅炉。

2　水质标准

2.1　蒸汽锅炉和汽水两用锅炉的给水一般应采用锅外化学处理，水质应符合表 1 规定。

2.2　额定蒸发量小于等于 2 t/h，且额定蒸汽压力小于等于 1.0 MPa 的蒸汽锅炉和汽水两用锅炉（如对汽、水品质无特殊要求）也可采用锅内加药处理。但必须对锅炉的结垢、腐蚀和水质加强监督，认真做好加药、排污和清洗工作，其水质应符合表 2 规定。

2.3　承压热水锅炉给水应进行锅外水处理，对于额定功率小于等于 4.2 MW 非管架式承压的热水锅炉和常压热水锅炉，可采用锅内加药处理。但必须对锅炉的结垢、腐蚀和水质加强监督，认真做好加药工作，其水质应符合表 3 的规定。

2.4　直流（贯流）锅炉给水应采用锅外化学水处理，其水质按表 1 中额定蒸汽压力大于 1.6 MPa、小于等于 2.5 MPa 的标准执行。

2.5　余热锅炉及电热锅炉的水质指标应符合同类型、同参数锅炉的要求。

2.6　水质检验方法应按《水质检验方法标准》执行。

表 1

项　目		给　水			锅　水		
额定蒸汽压力（MPa）		≤1.0	>1.0 ≤1.6	>1.6 ≤2.5	≤1.0	>1.0 ≤1.6	>1.6 ≤2.5
悬浮物（mg/L）		≤5	≤5	≤5	—	—	—
总硬度（mmol/L）①		≤0.03	≤0.03	≤0.03	—	—	—
总碱度（mmol/L）②	无过热器	—	—	—	6~26	6~24	6~16
	有过热器	—	—	—	—	≤14	≤12
pH 值（25 ℃时）		≥7	≥7	≥7	10~12	10~12	10~12
溶解氧（mg/L）③		≤0.1	≤0.1	≤0.05	—	—	—
溶解固形物（mg/L）④	无过热器	—	—	—	<4 000	<3 500	<3 000
	有过热器	—	—	—	—	<3 000	<2 500
SO_3^{2-}（mg/L）		—	—	—	—	10~30	10~30
PO_4^{3-}（mg/L）		—	—	—	—	10~30	10~30

项 目		给水			锅水	
相对碱度 游离 NaOH⑤ 溶解固形物		—	—	—	<0.2	<0.2
含油量(mg/L)		≤2	≤2	≤2		
含铁量(mg/L)⑥		≤0.3	≤0.3	≤0.3	—	—	—

说明:①硬度 mmol/L 的基本单元为 $c(1/2Ca^{2+}、1/2Mg^{2+})$,下同。
②碱度 mmol/L 的基本单元为 $c(OH^-、1/2CO_3^{2-}、HCO_3^-)$,下同。
　对蒸汽品质要求不高,且不带过热器的锅炉,使用单位在报当地锅炉压力容器安全监察机构同意后,碱度指标上限值可适当放宽。
③当锅炉额定蒸发量大于等于 6 t/h 时应除氧,额定蒸发量小于 6 t/h 的锅炉如发现局部腐蚀时,给水应采取除氧措施,对于供汽轮机用汽的锅炉给水含氧量应小于等于 0.05 mg/L。
④如测定溶解固形物有困难时,可采用测定电导率或氯离子(Cl^-)的方法来间接控制,但溶解固形物与电导率或氯离子(Cl^-)的比值关系应根据试验确定。并应定期复试和修正此比值关系。
⑤全焊接结构锅炉相对碱度可不控制。
⑥仅限燃油、燃气锅炉。

表 2

项目	给水	锅水
悬浮物(mg/L)	≤20	—
总硬度(mmol/L)	≤4	—
总碱度(mmol/L)	—	8~26
pH 值(25℃时)	≥7	10~12
溶解固形物(mg/L)	—	<5 000

表 3

项目	锅内加药处理		锅外化学处理	
	给水	锅水	给水	锅水
悬浮物(mg/L)	≤20	—	≤5	—
总硬度(mmol/L)	≤6	—	≤0.6	—
pH 值(25℃时)①	≥7	10~12	≥7	10~12
溶解氧(mg/L)②	—	—	≤0.1	—
含油量(mg/L)	≤2	—	≤2	—

说明:①通过补加药剂使锅水 pH 值控制在 10~12。
②额定功率大于等于 4.2 MW 的承压热水锅炉给水应除氧,额定功率小于 4.2 MW 的承压热水锅炉和常压热水锅炉给水应尽量除氧。

附录8　锅炉房安全管理规则

（劳人锅[1998]2号　1988年10月1日起执行）

第一章　总　则

第一条　提高锅炉房安全管理水平,确保锅炉安全运行,根据《锅炉压力容器安全监察暂行条例》,特制定本规则。

第二条　规则适用于设置下列锅炉的工业及生活用锅炉房:

(1)额定蒸发量≥1 t/h以水为介质的蒸汽锅炉;

(2)额定供热量≥240×10 000 Cal/h的热水锅炉。

设置额定蒸发量<1 t/h的蒸汽锅炉或供热量<240×10 000 Cal/h的热水锅炉的锅炉房,可参照本规则执行。

本规则不适用于电力系统的发电用锅炉。

第二章　基本要求

第三条　锅炉房的设计建造应符合《蒸汽锅炉安全技术监察规程》和《热水锅炉安全技术监察规程》的有关规定。锅炉房建造前使用单位须将锅炉房平面布置图送交当地锅炉压力容器安全监察机构审查同意,否则不准施工。

第四条　使用锅炉的单位必须按《锅炉使用登记办法》的规定办理登记手续,未取得锅炉使用登记证的锅炉,不准投入运行。

第五条　在用锅炉必须实行定期检验制度。未取得定期检验合格证的锅炉,不准投入运行。

第六条　使用锅炉的单位,必须做好锅炉设备的维修保养工作,保证锅炉本体和安全保护装置等处于完好状态。锅炉设备运行中发现有严重隐患危及安全时,应立即停止运行。

第七条　使用锅炉的单位应设专职或兼职管理人员负责锅炉安全技术管理工作,并报当地劳动部门备案。管理人员应具备锅炉安全技术知识和熟悉国家安全法规中的有关规定,其职责是:

1.对司炉工人、水质化验人员组织技术培训和进行安全教育。

2.参与制定锅炉房各项规章制度。

3.对锅炉各项规章制度的实施情况进行检查。

4.传达并贯彻主管部门和锅炉压力容器安全监察机构下达的锅炉安全指令。

5.督促检查锅炉及其附属设备的维护保养和定期检修计划的实施。

6.解决锅炉房有关人员提出的问题,如不能解决应及时向单位负责人报告。

7.向锅炉压力容器安全监察机构报告本单位锅炉使用管理情况。

第八条　锅炉是特种技术工种,使用锅炉的单位必须严格按照《锅炉司炉工人安全技术考核管理办法》的规定选调、培训司炉工人。司炉工人须经考试合格取得司炉操作证才准独立操作锅炉。严禁将不符合司炉工人基本条件的人员调入锅炉房从事司炉工作。

第九条　司炉工人在值班时须履行职责,遵守劳动纪律,严格按照操作规程操作锅炉。

第十条　锅炉房应有水处理措施,锅炉水质应符合《低压锅炉水质标准》的要求。锅炉使用单位应设专职或兼职的锅炉水质化验人员。水质化验人员应经培训、考核合格取得操作证后,才准独立操作。

第十一条　锅炉房应有下列制度:

1.岗位责任制:按锅炉房的人员配备,分别规定班组长、司炉工、维修工、水质化验人员等职责范围内的任务和要求。

2.锅炉及其辅机的操作规程,其内容应包括:

(1)设备投运前的检查与准备工作;

(2)启动与正常运行的操作方法;

(3)正常停运和紧急停运的操作方法;

(4)设备的维护保养。

3.巡回检查制度:明确定时检查的内容、路线及记录项目。

4.设备维修保养制度:规定锅炉本体、安全保护装置、仪表及辅机的维护保养周期、内容和要求。

5.交接班制度:应明确交接班的要求、检查内容和交接手续。

6.水质管理制度:应明确水质定时化验的项目和合格标准。

7.清洁卫生制度:应明确锅炉房设备及内外卫生区域的划分和清扫要求。

8.安全保卫制度。

第十二条　锅炉房应有下列记录:

1.锅炉及附属设备的运行记录。

2.交接班记录。

3.水处理设备运行及水质化验记录。

4.设备检修保养记录。

5.单位主管领导和锅炉房管理人员的检查记录。

6.事故记录。

以上各项记录应保存一年以上。

第三章　检查与监督

第十三条　使用锅炉的单位应对锅炉房安全工作实行定期检查。单位主管领导对锅炉房工作应每月作一次现场检查。锅炉房管理人员应每周作一次现场检查,并做好记录,以备劳动部门检查。

第十四条　使用锅炉单位的主管部门应对本系统内锅炉房每半年作一次安全检查。检查结果应向当地劳动部门报告。

第十五条　当地劳动部门应单独或会同有关部门对本地区的锅炉房每年组织一次评比检查。可参照本规则附表要求并结合本地情况而确定检查内容。根据检查结果评出先进锅炉房、合格锅炉房和不合格锅炉房。对先进锅炉房应予奖励。对不合格锅炉房应限期整顿,经整顿仍不合格者,应收回锅炉使用登记证并按第十六条规定给予经济处罚。

第四章　经济处罚

第十六条　违反本规则的单位和个人,有下列情况之一者,由当地劳动部门签发罚款通知书给予经济处罚:

1. 锅炉无使用登记证而运行,经批评教育后仍不停止使用者,处使用单位2 000元以下罚款,处单位主管领导100元以下罚款。

2. 委派无司炉操作证人员独立操作锅炉,处使用单位500元以下罚款,处直接责任者100元以下罚款。

3. 强令他人操作有严重隐患的锅炉或强令他人违章操作,处直接责任者100元以下罚款。

4. 锅炉定期检验逾期无故不检者,处使用单位1 000元以下罚款。

5. 锅炉有严重隐患,在接到劳动部门发出的《锅炉压力容器安全监察意见通知书》后,逾期不改继续使用者,应收回锅炉使用登记证并处以使用单位2 000元以下罚款。

6. 锅炉房无水处理措施或有措施而无效果,锅炉结垢严重者,处使用单位1 000元以下罚款。

7. 锅炉房管理混乱,无章可循或有章不循,经批评教育后仍无改进者,处使用单位1 000元以下罚款,处主管领导100元以下罚款。

8. 司炉工人、水质化验人员在值班期间严重违章违纪,经教育不改者,应收缴其操作证并处以50元以下罚款。

9. 单位主管领导和管理人员不认真履行本规则第十三条规定者,处100元以下罚款。

10. 锅炉发生重大事故,处使用单位5 000元以下罚款,处直接责任者100元以下罚款;锅炉发生爆炸事故造成人员伤亡者,处使用单位10 000元以下罚款,处直接责任者200元以下罚款。隐瞒上述两类事故者,应加倍罚款。

第十七条　被罚款项应按下列办法支付:

1. 企业应从留利或企业基金中支付,不得摊入成本。

2. 机关、事业单位和部队,从单位经费包干结余或预算外资金中支付。

3. 对个人罚款应由所在单位在本人工资中扣缴或采取其他方式追缴。

第十八条　受罚单位或个人在接到罚款通知书后,应在十五天内将罚款交到指定的当地人民银行支行。如对处罚决定不服,可向上一级劳动部门申诉。无故拒交者,可由处罚机关申请法院强行执行。

第十九条　上述各项罚款一律上交地方财政。

第五章　附　则

第二十条　各省、自治区、直辖市在执行本规则时,可制定适合本地情况的实施细则。

第二十一条　本规则解释权属劳动人事部。

第二十二条　本规则自1988年10月1日起施行。

附表 锅炉房检查表

项目	检查内容	标准得分	实际得分	备注
管理情况	1＊主管领导能定期检查指导锅炉房的安全管理工作	4		
	2＊配有专职或兼职管理人员,并能认真履行职责	4		
	3＊＊技术资料齐全,有锅炉使用登记证和定期检验合格证	5		
	4 规章制度齐全,并能认真执行,无违章违纪现象	3		
	5＊＊司炉工持证操作	5		
	6 配有必需的设备维修力量,设备能及时维修保养	2		
	7 本规则规定的六种记录齐全,填写认真,保存良好	2		
设备运行状况	8＊＊锅炉运行正常,无重大事故	5		
	9＊＊锅炉受压元件无危害安全的严重缺陷	5		
	10＊＊压力表符合规程要求,灵敏可靠,有定期校验记录	5		
	11＊＊安全阀符合规程要求,灵敏可靠,有定期校验记录	5		
	12＊＊水位表符合规程要求,无泄漏,指示清晰准确,有冲洗记录	5		
	13＊水位报警器符合规程要求,动作可靠,有定期校验记录(≥2 t/h的锅炉)	4		
	14 极限低水位连锁保护装置灵敏可靠,有定期校验记录(≥2 t/h的锅炉)	4		
	15 超压连锁保护装置灵敏可靠,有定期校验记录(≥6 t/h的锅炉)	2		
	16 熄火保护装置灵敏可靠,有定期校验记录(燃用煤粉、油或气体的锅炉)	2		
	17 水泵运行正常	2		
	18 鼓、引风机运行正常	2		
	19 排污阀、给水截止阀及其他管道、阀门无跑冒滴漏	2		
水处理	20＊＊有水处理措施能满足锅炉水质要求	4		
	21＊水质化验人员经培训,有证操作	3		
文明生产	22 锅炉房地面、门窗、设备及用具做到定人定时清扫,整齐清洁	3		
	23 锅炉房周围环境清洁,煤场、灰场堆放整齐	1		
	24 锅炉房照明、通风良好	1		
节能与环保	25＊燃料、蒸汽、水、电有计量,有考核,有记录,有成本核算	10		
	26＊消烟除尘设备运转正常,烟气排放符合要求	10		

注:(1)＊＊关键项,＊主要项。

(2)先进锅炉房总分应在90分以上,且＊＊项和＊项必须全部达到标准得分。总分在60分以下或有一项＊＊得0分,为不合格锅炉房。60分以上且无＊＊项得0分,为合格锅炉房。

(3)被查锅炉如没有表中所列13~16项要求时,则可将相应项的标准得分分配到其他＊＊项中,使本表总分值仍为100分。

附录 9 锅炉安装监督检验规则

（TSG G7001—2004 2004 年 9 月 23 日起执行）

第一章 总 则

第一条 为了加强锅炉安装过程的监督管理,规范锅炉安装监督检验工作,保证锅炉的安全性能,根据《特种设备安全监督条例》(以下简称《条例》)的有关规定,制定本规则。

第二条 凡是在中华人民共和国境内安装《条例》规定范围内的锅炉,其安装过程应当按照本规则的规定进行监督检验。

第三条 本规则规定的安装监督检验,是指锅炉安装过程中,在安装单位自检合格的基础上,由国家质量监督检验检疫总局(以下简称国家质检总局)核准的检验检测机构(以下简称监检机构)对安装过程进行的强制性、验证性的法定检验。

第四条 锅炉安装监督检验工作的依据是《蒸汽锅炉安全技术监察规程》、《热水锅炉安全技术监察规程》、《有机热载体炉安全技术监察规程》、《工业锅炉安装施工及验收规范》、《电力建设施工及验收技术规范(锅炉机组篇)》、《机械设备安装工程施工及验收规范》以及其他相关安全技术规范、国家标准和行业标准。

第五条 各级质量技术监督部门负责监督本规则的实施。

第二章 安装监督检验的程序、项目和要求

第六条 安装单位在从事安装施工前,应当按照《条例》和相关安全技术规范的规定,在向锅炉使用地的直辖市或者设区的市级质量技术监督部门书面告知后,向当地承担相应范围的检验机构申请监督检验,并附以下资料(或者复印件)各一份:

（一）特种设备安装改造维修告知书;

（二）施工合同;

（三）施工计划。

第七条 监检机构接到安装单位的申请后,应当根据设备的状况制定监督检验实施方案(以下简称监检方案),安排符合规定要求的检验人员从事监督检验(以下简称监检)工作,并将承担监检工作的监督检验人员(以下简称监检人员)、监检方案(包括监检项目和要求)告知安装单位。

第八条 安装单位应当在安装现场提供以下材料和条件,并设专人做好以下配合工作:

（一）施工计划;

（二）质量管理手册和相关的管理制度;

（三）质量管理人员、专业技术人员和专业技术工人名单和持证人员的相关证件;

（四）安装设备的出厂文件、施工工艺及相应的设计文件;

（五）施工过程的各种检查、验收资料;

（六）安装监督检验工作要求的其他相关资料;

(七)根据监督检验的情况,需要在现场设立固定办公场所的,准备必要的办公条件。

第九条　锅炉安装监检包括对安装过程中涉及安全性能的项目进行监检和对质量管理体系运转情况的监督检查,其监检项目和要求见《锅炉安装监督检验大纲》(见附件1,以下简称《监检大纲》)和《整装锅炉安装监督检验项目表》、《散装锅炉安装监督检验项目表》(见附件2,附件3,以下简称《监检项目表》)。

第十条　锅炉安装监督检验项目分A类和B类。在锅炉安装单位自检合格后,监检员应当根据《监检大纲》要求进行资料核查、现场监督或实物检查等监检工作,并在锅炉安装单位提供的见证文件(检查报告、记录表、卡等,下同)上签字确认。对A类项目,未经监检确认,不得流转至下一道工序。

对于A类监检项目,监检机构可以留一份安装单位提交的检查、试验的工作见证存档。

第十一条　《监检大纲》和《监检项目表》所列项目和要求,是对锅炉安装监检的通用要求。监检机构可以按照锅炉安装的实际情况,在制定监检方案时适当进行调整。

第十二条　在监督检验过程中,监检人员应当如实做好记录,并根据记录填写《监检项目表》。监检机构或者监检人员在监检中发现安装单位违反有关规定,一般问题应当向安装单位发出《特种设备监督检验工作联络单》(见附件4);严重问题应当向安装单位签发《特种设备监督检验意见通知书》(见附件5)。安装单位对监检员发出的《特种设备监督检验工作联络单》或监检机构发出的《特种设备监督检验意见通知书》应当在规定的期限内处理并书面回复。

第十三条　锅炉安装监督检验结束后,监检机构一般设备应当在10个工作日内,大型设备可以在30个工作日内出具《锅炉安装监督检验证书》(见附件6)及锅炉安装监督检验报告。锅炉安装监督检验报告至少应当包括以下内容:

(一)锅炉基本情况;

(二)安装单位及现场安装施工过程;

(三)监检工作的具体项目、内容、检查结果、监检结论(根据监检项目表);

(四)现场进行无损检测、光谱分析等内容的单项报告;

(五)监检过程中发现问题的处理情况(包括监检工作联络单、监检意见通知书等复印件)。

《锅炉安装监督检验证书》、锅炉安装监督检验报告各一式三份,一份送安装单位,一份由安装单位交使用(建设)单位,一份监检机构存档。

第三章　附　则

第十四条　组装锅炉的安装监检根据其安装项目,参照整装锅炉和散装锅炉安装监检的有关项目实施。

第十五条　监检机构应该根据有关规定收取相应费用。

第十六条　本规则由国家质检总局负责解释。

第十七条　本规则自2004年9月23日起实施。

锅炉安装监督检验大纲

一、监督检验工作见证的基本要求

(一)根据监督检验的工作方式,在安装单位提供的工作见证上签字确认有以下三种形式:

1. 根据提供的资料,对项目完成情况进行确认;

2. 在现场对安装活动进行监督,在有关工作见证上签字确认;

3. 对实物进行了检查(包括全面检查或者抽查),在有关工作见证上签字确认。

在工作见证上签字确认应当注明监检确认的方式(资料确认、现场监督、实物检查)和签字日期。

(二)监督检验情况必须作详细记录,包括监检确认方式和现场检查、抽查的项目以及监检结果;有具体数据要求,应当记录实际测量的数据的结果;进行无损检测的,应当按照有关规定出具无损检测报告。检验结果与安装单位提供的工作见证不一致时,必须将不一致情况在监检记录上做出详细记载。

监检记录表格由监检机构制定,在本机构正式颁发使用。

(三)《监检项目表》根据监检记录填写。

二、整装锅炉安装监督检验项目和方法

(一)出厂资料

1. 核查锅炉出厂资料和制造监督检验证书;

2. 核查安全附件、水处理设备的出厂资料;

3. 核查水处理设备制水能力与当地水质及锅炉给水量匹配情况;

4. 查验锅炉移装时的移装手续。

(二)安装资格证件

1. 核查安装许可证;

2. 核查安装告知书;

3. 核查现场安装人员中应当持证人员的证件。

(三)安装施工工艺文件

1. 核查现场安装施工组织方案;

2. 核查接管焊接工艺及相关焊接工艺评定资料;

3. 核查调试和试运行工艺。

(四)锅炉外观、外购材料

1. 检查锅炉的外观(主要检查是否在运输等过程中造成损坏、腐蚀);

2. 核查管件、管材、法兰等外购材料的材质牌号、合格证及验收证明,必要时与实物核对,检查其质量;。

(五)安装位置、尺寸

1. 现场核查锅炉房及锅炉安装位置;

2. 核查锅炉就位后,锅炉本体水平误差的检查记录;

3. 核查可分式省煤器的安装记录。

(六)主蒸汽管道及主出水管道焊接

1. 核查管道的焊缝质量检验记录,并对焊缝外观进行抽查;

2. 核查焊缝无损检测报告和射线底片(100%底片,检查底片的质量、缺陷评定的准确性、显示的焊缝质量)。

(七)锅炉水(液)压试验

1. 试验准备:

(1)核查水(液)压试验方案;

(2)现场核查试验用压力表的数量、量程、精度、计量标识、位置、安装等是否符合规定;

(3)核查试验用水质量报告、水温及其试验环境温度的测量记录。

2. 水(液)压试验过程:

(1)监督升压、降压速度;

(2)监督试验压力及保压时间;

(3)检查承压部件表面、焊缝、胀口、人孔、手孔等处试验过程中的状况(主要检查在试验过程中是否有渗漏、变形、异常声音,保压时压力表的指示是否平稳);

(4)检查泄压后的锅炉状况(主要检查是否存在残余变形);

(5)核查水(液)压试验记录和试验报告。

(八)安全附件、安全保护装置

1. 核查安全阀、压力表、水位计等安全附件的出厂质量证明、合格证、校验报告,检查其型式、数量、精度、计量标识、安装等是否符合有关规定;

2. 检查高、低水位报警装置,低水位连锁装置功能;

3. 检查超压报警、连锁装置功能(包括连锁压力值是否在低于安全阀起跳压力下动作);

4. 检查点火程序控制、熄火保护装置功能;

5. 必要时检查超温保护连锁装置功能;

6. 检查取样点及取样装置是否符合要求;

7. 检查定压装置、集汽装置是否符合要求。

(九)施工过程中质量管理体系运转情况

监督过程中可根据需要抽查安装单位的质量管理体系运转情况。

三、散装锅炉安装监督检验项目和方法

(一)出厂资料

1. 检查锅炉出厂资料和制造监督检验证书;

2. 核查安全附件、水处理设备的出厂资料;

3. 核查水处理设备制水能力与当地水质及锅炉给水量匹配情况。

(二)安装资格证件

1. 核查安装许可证;

2. 核查安装告知书;

3. 核查现场安装人员中应当持证人员的证件。

(三)施工工艺文件

1. 核查现场安装施工组织方案；

2. 核查接管焊接工艺及相关焊接工艺评定资料；

3. 核查焊后热处理工艺；

4. 核查胀接工艺(需要采用胀接时)；

5. 核查调试和试运行工艺。

(四)锅炉部件、外购材料

1. 检查锅炉部件外观(主要检查是否在运输等过程中造成损坏、腐蚀)；

2. 检查管件、管材、法兰等外购件质量证明、合格证,核查其选用、复验是否符合有关规定,必要时与实物核对；

3. 核查合金钢材料及焊口光谱分析记录,并对合金钢管材进行不少于5%的光谱分析抽查；

4. 核查焊接材料质量证明及复验材料；

5. 检查钢结构,核查其验收记录。

(五)锅炉房、锅炉基础、钢结构及悬吊的施工质量

1. 现场核查锅炉房及锅炉安装位置；

2. 核查锅炉基础沉降记录及验收报告；

3. 核查钢架组装质量、悬吊装置施工质量、高强度螺栓的检查记录或者报告；

4. 核查大板梁挠度及主要立柱垂直度检查记录、无损检测记录及报告,必要时进行实际抽查。

(六)锅筒、集箱(包括减温器)安装

1. 核查锅筒、集箱安装尺寸(如水平度等)记录,必要时进行实际抽查。

2. 核查锅筒、集箱支撑或者悬吊装置安装记录,必要时进行实际抽查。

3. 核查锅筒内部装置记录(内部装置在现场安装时),必要时进行实际抽查。

4. 核查锅筒、集箱膨胀指示器安装记录,进行实际抽查。

5. 核查支座预留膨胀间隙测量记录,进行实际抽查。

6. 焊接质量：

(1)核查集箱焊接接头(现场焊接时)的无损检测报告及底片(每个集箱抽查不少于20%的底片,重点是返修前后的底片,检查底片的质量、缺陷评定的准确性、显示的焊缝质量)；

(2)核查焊接接头的热处理记录(现场对焊接接头进行热处理时)；

(3)核查焊接接头热处理后的硬度检查记录,必要时进行实际抽查(现场对焊接接头进行热处理时)；

(4)对合金钢材料的焊接接头,核查光谱分析记录,并进行光谱分析抽查,对于额定蒸发量大于等于670 t/h的锅炉,抽查比例不少于1%,对于额定蒸发量小于670 t/h的锅炉,抽查比例不少于5%；

(5)核查合金钢材料焊接接头的力学性能检验报告及金相检验报告。

(七)受热面部件(包括水冷壁、对流管束、过热器、再热器、省煤器等)安装。

1. 焊接质量：

(1)抽查焊接接头坡口加工质量(现场加工时);

(2)核查焊接记录(包括焊接参数记录和焊接接头布置图,并与焊接工艺对照);

(3)核查焊接接头的外观质量;

(4)抽查现场焊接人员资格(对照焊接接头布置图、焊接记录抽查焊工资格证件);

(5)核查焊接接头无损检测报告及底片(每个部件抽查不少于20%的底片,重点是返修前后的底片,检查底片的质量、缺陷评定的准确性、显示的焊缝质量);

(6)对照射线布片图,对每种有合金钢焊接接头的部件进行无损检测抽查,现场随机抽查不少于1%的合金钢焊接接头;

(7)焊接接头割(代)样检查(必要时);

(8)核查焊接接头的焊后热处理记录;

(9)必要时,对热处理后的焊接接头及热影响区进行硬度抽查;

(10)对合金材料的焊接接头,核查光谱分析记录,并进行光谱分析抽查,对于额定蒸发量大于等于670 t/h的锅炉,抽查比例不少于1%,对于额定蒸发量小于670 t/h的锅炉,抽查比例不少于5%;

(11)核查合金材料的焊接接头的力学性能检验报告及金相检验报告。

2.管子的胀接质量:

(1)现场监督胀接试验;

(2)核查胀管记录(胀管率、管端伸出量、扳边角度等),并现场抽查胀接质量。

3.核查受热面部件的组合、安装误差记录。

4.抽查光管水冷壁相邻管间间隙。

5.核查膜式壁拼缝用材及质量检查记录,并现场进行抽查。

6.抽查防磨装置。

7.抽查受热面管排平整度和管子间距。

8.核查管子通球试验记录。

(八)锅炉管道的安装

锅炉管道包括主蒸汽管道、再热蒸汽冷(热)段管道、给水管道以及锅炉本体主要管道。锅炉本体主要管道包括集中下降管、分散下降管、给水分配 管、汽水连接管、饱和蒸汽连通管、过热蒸汽连接管、再热蒸汽连接管、减温水管等。

1.检查管材、管件、阀门等外购件质量证明、合格证,检查其选用、复验是否符合有关规定,必要时与实物核对。

2.焊接质量:

(1)核查合金材料部件的光谱分析报告,并对不少于1%的焊接接头进行光谱分析抽查;

(2)核查合金钢材料焊接接头的力学性能检验报告及金相检验报告;

(3)抽查焊接接头坡口加工质量(现场加工时);

(4)抽查焊接工艺、焊接记录,并核对所用的焊接材料;

(5)抽查焊接接头的外观质量;

(6)对照焊接接头布置图和焊接记录,抽查焊接人员钢印;

(7)核查焊接接头无损检测报告及底片(抽查不少于20%的底片,抽查时应当尽量覆盖

各种管道,重点是返修前后的底片,检查底片的质量、缺陷评定的准确性、显示的焊缝质量);

(8)必要时,对照射线布片图或超声波检测位置图,进行无损检测的抽查(每种管道抽查不少于1%的焊接接头);

(9)核查焊口的焊后热处理记录;

(10)必要时,对热处理后的焊接接头及热影响区进行硬度抽查。

3.抽查管道组合、安装记录。

4.抽查支吊装置质量。

5.核查膨胀指示器的安装记录、原始数据记录。

6.核查监察段管道及蠕变测点的安装质量记录和原始数据记录。

(九)安全附件及其他与锅炉本体连接的装置的安装

1.其他参与本体水压试验的管道(如排污、取样、加热和疏放水管道)的安装:

(1)抽查其结构的自由热补偿情况;

(2)核查合金管材、管件、阀门等的光谱分析报告;

(3)核查合金钢焊接接头光谱分析报告(要求100%进行光谱分析);

(4)核查焊接工艺、焊接质量检验相关记录,并对焊接外观质量进行抽查;

(5)抽查支吊架布置。

2.除灰系统的安装:

(1)抽查管道的安装是否考虑水冷壁的向下膨胀和热补偿;

(2)核查合金材料部件光谱分析报告(要求100%进行光谱分析);

(3)检查减压阀、安全阀的校验报告,并与实物对照,检查实物的铅封;

(4)抽查焊接工艺、焊接质量检验相关记录,并对焊接外观质量进行抽查;

(5)抽查支吊架的布置;

(6)核查系统的调试记录。

3.安全阀、水位计、压力表、温度计的安装:

(1)核查安全附件的产品质量证明、合格证、校验报告,检查其型式、数量、校验期、安装质量等是否符合有关规定;

(2)核查合金材料接管和焊缝的光谱分析报告;

(3)抽查焊接工艺的实施、焊接质量检验相关记录;

(4)核查焊缝焊后热处理记录;

(5)必要时,核查热处理后硬度测定报告;

(6)检查排汽疏水管的结构和走向。

4.其他装置的安装:

(1)核查防爆门的安装记录,并到现场进行抽查;

(2)核查炉门、密封部件的安装记录。

(十)水压试验

1.试验准备:

(1)核查水压试验方案;

(2)现场核查试验用压力表的数量、量程、精度、计量标识、位置、安装等是否符合规定;

(3)检查试验用水质量报告、水温及试验环境温度。

2．水压试验现场：

(1)监督升压、降压速度；

(2)监督试验压力及保压时间；

(3)检查承压部件表面、焊缝、胀口、人孔、手孔等处试验过程中的状况(主要检查在试验过程中是否有渗漏、变形、异常声音,保压时压力表的指示是否平稳)；

(4)检查泄压后的锅炉状况(主要检查是否存在残余变形)；

(5)检查水压试验记录和试验报告。

(十一)自动控制、报警装置

1．核查高、低水位报警装置和低水位连锁装置的出厂质量证明、合格证,并检查其功能；

2．核查超压报警、连锁装置的出厂质量证明、合格证,并检查其功能(包括连锁压力值是否在低于安全阀起跳压力下动作)；

3．检查点火程序控制、熄火保护装置的功能；

4．必要时检查超温报警及连锁保护装置的功能。

(十二)总体验收,调试、试运行

1．核查炉墙砌筑、保温、防腐记录,并抽查其质量；

2．核查烘炉、煮炉(锅炉化学清洗)记录；

3．核查管道的冲洗和吹洗记录；

4．现场监督安全阀整定并核查整定报告；

5．核查调试和试运行记录及阶段性验收报告。

(十三)施工过程中质量管理体系运转情况

1．查阅现场安装组织机构、质量管理机构和相关质量管理责任人的任命文件；

2．查阅质量管理手册及程序文件；

3．查阅相关作业指导书；

4．查阅相关责任人员到位履行相应的职责和特种设备作业人员持证上岗情况；

5．核查施工过程中发生设计变更时办理的审批手续；

6．核实施工用设备和检验检测设备仪器检定证书,必要时与实物对照；

7．检查受压件材料(包括焊接材料)的管理(包括验收、保管、发放、回收、标识及移植)；

8．检查施工过程中不符合项或不一致项的处理情况；

9．检查监检员提出问题的处理和反馈情况。

(其余附件略)

附录 10　锅炉定期检验规则

（锅发［1999］202 号　2000 年 1 月 1 日起执行）

第一章　总　则

第一条　为了保证在用锅炉定期检验工作质量,确保锅炉安全运行,防止事故发生,根据《锅炉压力容器安全监察暂行条例》和《蒸汽锅炉安全技术监察规程》、《热水锅炉安全技术监察规程》(以下简称《规程》),制定本规则。

第二条　本规则是在用蒸汽锅炉和热水锅炉的定期检验及检验管理的基本通则。

第三条　本规则适用于承压的以水为介质的固定式蒸汽锅炉和热水锅炉。

本规则不适用于原子能锅炉。

第四条　锅炉定期检验工作包括外部检验、内部检验和水压试验三种:

1.外部检验是指锅炉在运行状态下对锅炉安全状况进行的检验;

2.内部检验是指锅炉在停炉状态下对锅炉安全状况进行的检验;

3.水压试验是指锅炉以水为介质,以规定的试验压力对锅炉受压部件强度和严密性进行的检验。

第五条　锅炉的外部检验一般每年进行一次,内部检验一般每两年进行一次,水压试验一般每六年进行一次。

对于无法进行内部检验的锅炉,应每三年进行一次水压试验。

电站锅炉的内部检验和水压试验周期可按照电厂大修周期进行适当调整。

只有当内部检验、外部检验和水压试验均在合格有效期内,锅炉才能投入运行。

第六条　除进行正常的定期检验外,锅炉有下列情况之一时,还应进行下述的检验。

外部检验:

1.移装锅炉开始投运时;

2.锅炉停止运行一年以上恢复运行时;

3.锅炉的燃烧方式和安全自控系统有改动后。

内部检验:

1.新安装的锅炉在运行一年后;

2.移装锅炉投运前;

3.锅炉停止运行一年以上恢复运行前;

4.受压元件经重大修理或改造后及重新运行一年后;

5.根据上次内部检验结果和锅炉运行情况,对设备安全可靠性有怀疑时;

6.根据外部检验结果和锅炉运行情况,对设备安全可靠性有怀疑时。

水压试验:

1.移装锅炉投运前;

2.受压元件经重大修理或改造后。

第七条　当内部检验、外部检验和水压试验在同期进行时,应依次进行内部检验、水压试验和外部检验。

第八条　从事锅炉检验工作的单位和检验人员应按照国家锅炉压力容器安全监察机构的有关规定取得相应项目和级别的资格。

第九条　锅炉的使用单位、检验单位应认真执行本规则;锅炉压力容器安全监察机构负责监督本规则的执行。

第十条　锅炉使用单位应在规定的锅炉定期检验日期前向检验单位提交锅炉定期检验申请。检验单位综合各使用单位锅炉的检验日期制定出检验计划,并通知锅炉使用单位。

第二章　内部检验

第一节　工业锅炉内部检验

第十一条　工业锅炉是指以向工业生产或生活用途提供蒸汽、热水的锅炉,一般是指额定工作压力小于等于 2.5 MPa 的锅炉。

第十二条　检验前,锅炉使用单位应做好以下准备工作:

1.准备好有关技术资料,包括锅炉制造和安装的技术资料、锅炉技术登记资料、锅炉运行记录、水质化验记录、修理和改造记录、事故记录及历次检验资料等;

2.提前停炉,放净锅炉内的水,打开锅炉上的人孔、头孔、手孔、检查孔和灰门等一切门孔装置,使锅炉内部得到充分冷却,并通风换气;

3.采取可靠措施隔断受检锅炉与热力系统相连的蒸汽、给水、排污等管道及烟、风道并切断电源,对于燃油、燃气的锅炉还须可靠地隔断油、气来源并进行通风置换;

4.清理锅炉内的垢渣、炉渣、烟灰等污物;

5.拆除妨碍检查的汽水挡板、分离装置及给水、排污装置等锅筒内件,并准备好用于照明的安全电源;

6.对于需要登高检验作业(离地面或固定平面 3 m 以上)的部位,应搭脚手架。

第十三条　检验人员应首先对锅炉的技术资料进行查阅。对于首次检验的锅炉,应对技术资料做全面审查;对于非首次检验的锅炉,重点审核新增加和有变更的部分。

重点及要求如下:

1.应有完整的锅炉建档登记资料;

2.与锅炉安全有关的出厂、安装、修理和改造等技术资料应齐全,并与实物相符;

3.查阅锅炉运行记录和水质化验记录中是否有异常情况的记载;

4.查阅历次检验资料,特别是上次检验报告中提出的问题是否已解决或已有防范措施;

5.对现场的准备工作应进行检查确认。

第十四条　检验人员应根据待检锅炉的具体情况,确定检验项目和检验方法。对于额定蒸发量大于 20 t/h 的蒸汽锅炉或额定热功率大于 14 MW 的热水锅炉,检验人员还应制订检验方案。

第十五条　检验时,锅炉使用单位应派锅炉管理人员做好安全监护工作和配合工作,并按检验员的要求拆除保温或其他部件。

第十六条　内部检验的承压部件是:锅筒(壳)、封头、管板、炉胆、回燃室、水冷壁、烟管、对流管束、集箱、过热器、省煤器、外置式汽水分离器、导汽管、下降管、下脚圈、冲天管和锅炉范围内的管道等部件;分汽(水)缸原则上应跟随一台锅炉进行同周期的检验。

第十七条　内部检验主要是检验锅炉承压部件是否在运行中出现裂纹、起槽、过热、变形、泄漏、腐蚀、磨损、水垢等影响安全的缺陷。

第十八条　内部检验的重点:

1.历次检验有缺陷的部位,应采用同样的检验方法或增加相应的检验方法对存有缺陷或缺陷修复的部位进行重点复检复测;

2.锅筒(壳)、封头、管板、炉胆、回燃室和集箱:

(1)内、外表面和对接焊缝及热影响区有无裂纹等缺陷,必要时应采用表面探伤或其他探伤方法;

(2)拉撑件、人孔圈、手孔圈、下降管、立式锅炉的炉门圈、喉管、进水管等处的角焊缝是否有裂纹等缺陷,必要时应采用表面探伤;

(3)部件扳边区有无裂纹、沟槽,高温烟区管板有无泄漏和裂纹,必要时应采用表面探伤;

(4)是否有严重的腐蚀、磨损减薄和结垢,特别是锅筒底部、管孔区、水位线附近、进水管或排污管与锅筒集箱连接处、炉胆的内外表面、立式锅炉的下脚圈等部位,必要时应进行厚度测定;从锅筒内部检查水位表、压力表等的连通管是否有堵塞;

(5)受高温辐射和较大应力的部位是否有裂纹和严重的变形;

(6)胀接口是否严密,胀接管口和孔桥有无裂纹和苟性脆化,必要时应采用表面探伤方法或附加金相分析。

3.管子:

(1)是否有严重的腐蚀和磨损,重点是烟管、对流管束、沸腾炉埋管、吹灰口附近等受烟气高速冲刷部位和易受低温腐蚀的尾部烟道管束,必要时应进行厚度测定;

(2)是否有严重的变形,重点是高温部位,必要时应对变形量进行定量测量;

(3)管子表面是否有裂纹,必要时应进行表面探伤检查。

4.对于采用T形接头的焊缝,应检验其是否有变形和焊缝的表面裂纹,必要时应进行表面探伤和超声波探伤。

5.承受锅炉本身重量的主要支撑件是否有过热、过烧、变形等现象。

6.燃烧设备(如:燃烧器、炉排等)是否有烧损、变形;炉拱、保温是否有脱落;炉排是否有卡死;燃油、燃气锅炉是否有漏油、漏气现象。

7.成型件和阀体(如:水位示控装置、安全阀、排污阀、主蒸汽阀等)的外部是否有裂纹、泄漏等缺陷。

8.安全附件是否有明显缺陷。

第十九条　检验人员对在内部检验中发现的缺陷问题,可根据实际情况按下述原则进行处理:

1.对于上次的缺陷经检测有较严重的扩展,或在同一部位反复出现同一类缺陷,应查明产生缺陷的原因后再进行修理。

2.对于承压部件上发现的所有裂纹应进行消除,必要时进行补焊,但对于下述裂纹只能采用挖补或更换。

(1)炉胆或封头扳边圆弧的环向裂纹长度超过周长的 25%;

(2)多条裂纹聚集在一起的密集裂纹;

(3)管板上呈封闭状的裂纹;

(4)管孔向外呈辐射状的裂纹;

(5)连续穿过四个以上孔桥的裂纹;

(6)管板上连续穿过最外围两个以上孔桥的裂纹,或最外一排孔桥向外延伸的裂纹;

(7)立式锅炉喉管如有较深环向裂纹或纵向裂纹长度超过喉管长度的 50%;

(8)因苛性脆化产生的裂纹;

(9)因疲劳产生的裂纹。

3.承压部件的变形不超过下述规定时可予以保留监控,变形超过规定时一般应进行修理(复位、挖补、更换):

(1)筒体变形高度不超过原直径的 1.5%,且不大于 20 mm;

(2)管板变形高度不超过管板直径的 1.5%,且不大于 25 mm;

(3)炭钢管子直径胀粗量不超过原直径的 3.5%,合金钢管子直径胀粗量不超过原直径的 2.5%,且局部鼓包高度不大于 3 mm;

(4)水管管子直段弯曲变形量不超过其长度的 2%或管子直径;

(5)烟管管子直段弯曲变形量不超过其直径。

4.承压部件的材质发生过烧,应判定其范围,必要时进行挖补或更换。

5.承压部件内部拉撑件的裂纹和开裂应进行更换。

6.承压部件由于严重腐蚀或磨损减薄,应进行强度校核计算,若实测壁厚低于强度计算值,应进行修复(堆焊后磨平、挖补、更换)。

7.承压部件上的渗漏部位应修理。

8.锅炉内部的水垢,应根据水垢的情况按照《锅炉化学清洗规则》进行处理。

第二十条 对受压元件进行重大修理、改造后,检验人员应对修理、改造部位进行检验,确认修理结果是否符合要求。

第二节 电站锅炉内部检验

第二十一条 电站锅炉是指以发电或热、电联产为主要目的的锅炉,一般是指额定工作压力大于等于 3.8 MPa 的锅炉。

第二十二条 电站锅炉在进行内部检验之前,锅炉的使用单位应向检验单位提供锅炉定期检验计划、大修计划,并与检验单位协商有关检验的准备工作、辅助工作、检验条件、检验期限、安全保护措施等事宜。

第二十三条 检验人员应首先对锅炉的技术资料进行查阅。对于首次检验的锅炉,应对技术资料做全面审查;对于非首次检验的锅炉,重点审核新增加和有变更的部分;主要资料包括:

1.锅炉设计、制造质量资料:

(1)锅炉竣工图,包括总图、承压部件图、热膨胀图和基础荷重图等;

(2)承压部件强度计算书或汇总表;

(3)锅炉设计说明书和使用说明书;

(4)热力计算书或汇总表;

(5)过热器和再热器壁温计算书;

(6)安全阀排量计算书;

(7)锅炉质量证明书。

2.锅炉安装、调试资料。

3.修理、改造及变更的图纸和资料:

(1)修理、改造或变更方案及审批文件;

(2)设计图样、计算资料;

(3)质量检验和验收报告。

4.记录及档案资料:

(1)锅炉技术登录簿和使用登记证;

(2)历次定期检验计划及报告;

(3)运行记录,事故、故障记录,超温超压记录;

(4)承压部件损坏记录和缺陷处理记录;

(5)检修记录、质量验收卡、大修技术总结;

(6)金属监督、化学监督技术资料档案;

(7)安全阀校验及仪表、保护装置的整定、校验记录。

5.检验人员认为需要查阅的其他资料。

第二十四条 在对技术资料初步审核的基础上,检验人员应根据被检锅炉的实际情况和电厂提供的大修计划编制检验方案,并征求锅炉使用单位的意见。对于运行时间超过10万小时的锅炉,在确定检验方案时应增加检验项目,重点检查材质变化状况。

第二十五条 在进行锅炉内部检验之前,锅炉使用单位应做好下述准备工作:

1.设备的风、烟、水、汽、电和燃料系统必须可靠隔断;

2.根据检验需要搭设必要的脚手架;

3.检验部位的人孔门、手孔盖全部打开,并经通风换气冷却;

4.炉膛及后部受热面清理干净,露出金属表面;

5.拆除受检部位的保温材料和妨碍检验的锅内部件;

6.准备好安全照明和工作电源;

7.进入锅筒、炉膛、烟道等进行检验时,应有可靠通风和专人监护。

第二十六条 锅筒的检验重点:

1.检验内表面是否有裂纹、腐蚀等缺陷,必要时应进行测厚、无损探伤、腐蚀产物及垢样分析。

2.检查下降管孔、给水套管及管孔、加药管孔、再循环管孔、安全阀管座等有无裂纹、腐蚀、冲刷情况,必要时应进行探伤检查。

3.内部预埋件的焊缝有无裂纹,必要时进行表面探伤检查。

4.水位计的汽水连通管、压力表连通管、蒸汽加热管、汽水取样管、连续排污管等是否完好、畅通,加强型管座是否有裂纹,必要时应进行无损探伤检查。

5.锅筒与吊挂装置接触是否良好,90°内圆弧应吻合,吊杆装置牢固,受力均匀;支座的预留膨胀间隙足够,方向正确。

6.对于运行时间超过5万小时的锅炉锅筒还应增加以下的无损探伤检验:

(1)对内表面纵、环焊缝及热影响区应进行不少于25%的表面探伤(应包括所有的T形焊缝);

(2)对纵、环焊缝进行超声波探伤或射线探伤抽查,探伤比例一般为:纵缝25%,环缝10%(应包括所有的T形焊口);

(3)对集中下降管、给水管角焊缝进行100%超声波探伤检查;

(4)对安全阀、对空排气阀、引入管、引出管等管座角焊缝进行表面探伤抽查,发现裂纹时应进行超声波探伤复查。

第二十七条 水冷壁的检验重点:

1.应定点监测管壁厚度和胀粗情况;

2.热负荷较高或水循环流速较低区域水冷壁管是否有过热、变形、鼓包、磨损、高温腐蚀、胀粗、裂纹等缺陷,必要时应增加测厚、胀粗量、变形量、割管和金相检查;

3.燃烧器周围、各门孔两侧、水冷壁底部、沸腾炉的埋管、液态除渣炉的出渣口及炉底耐火混凝土与水冷壁管交界处等处是否有碰伤、砸扁、磨损、开裂、腐蚀等缺陷,必要时应增加测厚和变形量测量;

4.顶棚水冷壁管是否有过热、变形、胀粗等缺陷;

5.折焰角处水冷壁管是否有过热、变形、胀粗、磨损等缺陷;

6.防渣管是否有过热、胀粗、变形、鼓包和疲劳裂纹等缺陷,必要时应增加测厚或表面探伤检查;

7.吹灰器附近和炉膛出口窗的水冷壁管是否有磨损减薄,必要时应附加测厚检查;

8.膜式水冷壁是否有开裂和严重变形,固定件是否有损坏、脱落现象。

第二十八条 水冷壁上下集箱的检验重点:

1.抽查集箱内外表面有无严重腐蚀,必要时应测厚;

2.管座角焊缝有无超标缺陷、裂纹,必要时应进行表面探伤;

3.对于内部有挡板的集箱,应用内窥镜检查挡板是否完好、有无开裂,连通管是否被堵,水冷壁入口节流圈有无脱落、结垢、磨损;

4.集箱支座接触是否良好,吊耳与集箱焊缝有无裂纹,必要时应进行表面探伤;

5.对于已运行10万小时或调峰机组的锅炉,应对集箱封头焊缝、孔桥部位、管座角焊缝、环形集箱弯头对接焊缝进行表面探伤,探伤比例应不少于25%,必要时应进行超声波探伤。

第二十九条 省煤器的检验重点:

1.定点检测每组上部管排、弯头附近管子和烟气走廊管子的壁厚;

2.整体管排有无变形、磨损;支吊架、管卡、阻流板、防磨瓦等有无烧坏、脱落、磨损;

3.低温省煤器管排处有无严重积灰和低温腐蚀;

4. 膜式省煤器膜片焊缝两端有无裂纹；

5. 对于已运行 5 万小时的锅炉,应检查入口端管子内部的氧腐蚀情况,必要时应进行割管抽样检查。

第三十条 省煤器进出口集箱的检验重点:

1. 抽查集箱内部是否有腐蚀和水渣、泥垢;

2. 检查省煤器入口集箱内部的氧腐蚀情况;

3. 集箱短管角焊缝是否有裂纹,必要时应进行表面探伤;

4. 集箱支座接触是否良好,吊耳或吊挂管与集箱焊缝是否有裂纹,必要时应进行表面探伤;

5. 对于已运行 10 万小时的集箱,应对集箱封头焊缝进行表面探伤,探伤比例应不少于 25%。

第三十一条 过热器和再热器的检验重点:

1. 对高温出口段管子的外径和金相进行定点监测,并计算蠕胀值;

2. 过热器、再热器管是否有磨损、腐蚀、氧化、变形、鼓包等缺陷;

3. 过热器、再热器管排间距是否均匀,有无变形、移位;

4. 过热器、再热器管穿墙和烟气走廊部分以及包墙管过热器有无磨损;

5. 过热器、再热器管束的悬吊结构件、固定卡、管卡、阻流板、防磨板等是否有烧坏、脱落、变形、移位、磨损等情况;

6. 吹灰器附近的管子是否有严重磨损,必要时应进行测厚;

7. 抽查过热器、再热器管弯头是否有裂纹和蠕变;

8. 对运行时间已达 10 万小时的,与不锈钢连接的异种钢接头进行无损探伤抽查,必要时可进行割管检查。

第三十二条 过热器、再热器集箱和集汽集箱的检验重点:

1. 抽查表面有无严重氧化、腐蚀情况;

2. 环焊缝是否有裂纹等缺陷,必要时应进行无损探伤;

3. 吊耳、支座与集箱和管座角焊缝是否有裂纹,必要时应进行表面探伤;

4. 与集箱连接的大直径管等焊缝是否有裂纹等缺陷,必要时应进行无损探伤;

5. 集箱筒体是否能自由膨胀;

6. 对运行时间已达 5 万小时的,应对集箱外表面的主焊缝和角焊缝进行表面探伤检查,探伤比例应不少于 25%,必要时应进行超声波探伤或射线探伤;

7. 检查炉顶各集箱有无由于炉顶漏烟而产生集箱及板梁的永久变形;

8. 对出口集箱引入管孔桥部位宜进行超声波探伤检查,以确定是否有内部裂纹;

9. 对于使用时间超过 10 万小时的,应增加硬度和金相检查,同时应检查集汽集箱有无胀粗、变形情况,特别是孔桥部位。

第三十三条 减温器的检验重点:

1. 筒体表面有无严重氧化、腐蚀情况,必要时应进行测厚、硬度和金相检查。

2. 筒体环焊缝、封头焊缝是否有裂纹等缺陷,必要时应进行无损探伤。

3. 吊耳、支座与集箱和管座角焊缝是否有裂纹,必要时应进行表面探伤。

4.对于混合式减温器应用内窥镜检查内衬套及喷嘴,是否有裂纹;喷口是否有磨损;内壁是否有腐蚀、裂纹等缺陷。

5.对于面式减温器应进行抽芯抽查,内壁和管板是否有腐蚀、裂纹等缺陷;对于运行5万小时的,应对不少于50%的芯管进行不低于1.25倍工作压力的水压试验。

6.筒体是否能自由膨胀。

7.对运行时间已达5万小时的,应对筒体外表面的主焊缝和角焊缝进行表面探伤检查,探伤比例应不少于25%,必要时应进行超声波探伤或射线探伤。

第三十四条 外置式分离器、集中下降管及分配管的检验重点:

1.表面是否有腐蚀、裂纹、变形等缺陷,必要时应进行测厚和无损探伤;

2.固定装置是否完好。

第三十五条 锅炉范围内管道的检验重点:

1.导汽管、主蒸汽管、再热蒸气管、给水管、旁路管等是否有腐蚀、裂纹等缺陷,抽查弯头厚度;应用无损探伤检查是否有裂纹或其他缺陷;对于运行时间已达10万小时的主蒸汽管和再热蒸汽管,还应对弯曲部位等进行硬度、蠕变裂纹和金相检查;

2.其他承压管道是否有腐蚀、裂纹、变形等缺陷,必要时应进行测厚和无损探伤;

3.管道支吊装置是否完好牢固。

第三十六条 炉顶密封结构是否完好;炉墙保温有无开裂、凸鼓、漏烟现象;冷灰斗、后竖井炉墙密封是否完好,能否自由膨胀。

第三十七条 膨胀指示装置和主要承重部件检验重点:

1.对于首次进行检验的锅炉,检验所有膨胀指示装置是否安装指示正确;检验大板梁挠度,应不大于1/850,无明显变形;

2.检验大板梁焊缝,是否有裂纹等缺陷;

3.各承力柱及梁的表面是否有腐蚀,油漆是否完好;

4.吊杆是否有松动、过热氧化、腐蚀、裂纹等情况。

第三十八条 成型件和阀体(如:水位示控装置、安全阀、排污阀、主蒸汽阀等)的外部是否有裂纹、泄漏等缺陷。

第三十九条 对于高温承压部件金属监督的范围和技术要求应参照DL438《火力发电厂金属技术监督规程》进行。

第四十条 检验人员对在内部检验中发现的缺陷问题,应进行分析,必要时应增加相应的检验项目以对缺陷进行定性、定量分析,并根据实际情况进行处理。对于下列情况应进行更换:

1.管子减薄较大,应进行强度校核计算,对于已不能保证安全运行到下一次大修时的;

2.受热面炭钢管胀粗量超过公称直径的3.5%或合金钢管胀粗量超过公称直径的2.5%时;集箱、管道胀粗量超过公称直径的1%时;

3.集箱、管子腐蚀点深度大于壁厚的30%时;

4.炭钢、钼钢的石墨化程度参照《炭钢石墨化检验及评级标准》达四级以上时;

5.高温过热器管和高温再热器管表面氧化皮厚度超过0.6 mm,且晶界氧化裂纹深度超过3~5晶粒时;

6. 已产生蠕变裂纹或疲劳裂纹时。

第三节　检验结论

第四十一条　现场检验工作完成后,检验人员应根据实际检验情况出具检验报告,做出下述检验结论:

1. 允许运行;

2. 整改后运行:应注明须修理缺陷的性质、部位;

3. 限制条件运行:检验员提出缩短检验周期的应注明原因,对于需降压运行的应附加强度校核计算书;

4. 停止运行:应注明原因。

第四十二条　检验结论依据:

1. 允许运行:内部检验合格,未发现缺陷或只有轻度不影响安全的缺陷;

2. 整改后运行:发现影响锅炉安全运行的缺陷,必须对缺陷部位进行处理;

3. 限制条件运行:不能保证锅炉在原额定参数下安全运行,或需缩短检验周期;

4. 停止运行:锅炉损坏严重,不能保证锅炉安全运行。

第三章　外部检验

第四十三条　外部检验包括锅炉管理检查、锅炉本体检验、安全附件、自控调节及保护装置检验、辅机和附件检验、水质管理和水处理设备检验等方面;检验方法以宏观检验为主,并配合对一些安全装置、设备的功能确认,但不得因检验而出现不安全因素。

第四十四条　锅炉使用单位应做好检验的准备工作:

1. 锅炉外部的清理工作;

2. 准备好锅炉的技术档案资料;

3. 准备好司炉人员和水质化验人员的资格证件;

4. 检验时,锅炉使用单位的锅炉管理人员和司炉班长应到场配合,协助检验工作,并提供检验员需要的其他资料。

第四十五条　检验人员应首先全面了解被检锅炉的使用情况和管理情况,认真查阅锅炉的安全技术档案资料和管理资料。

第四十六条　锅炉管理方面的主要检查内容:

1. 上次检验报告中所提出的问题是否已解决;

2. 在岗司炉人员是否持证操作,其类别是否与所操作的设备相适应,人员数量和持证司炉人员总数是否满足设备运行需要;

3. 锅炉房管理制度是否符合要求,各种记录是否齐全、真实;

4. 对于电站锅炉还应查核金属监督制度的执行情况;

5. 锅炉周围的安全通道是否畅通;

6. 电站锅炉必要的系统图是否齐全、符合实际并醒目挂放;

7. 各种照明是否满足操作要求并是否完好;

8. 防火、防雷、防风、防雨、防冻、防腐等设施是否完好。

第四十七条 锅炉本体检验的主要内容：

1.从窥视孔、门孔等观察受压部件可见部位是否有变形、泄漏、结焦、积灰,耐火砌筑或卫燃带是否有破损、脱落;

2.管接头可见部位、阀门、法兰及人孔、手孔、头孔、检查孔、汽水取样孔周围是否有腐蚀、渗漏;

3.装有膨胀指示器的锅炉,膨胀指示器是否完好,其指示值是否在规定的范围之内;

4.炉顶、炉墙、保温是否密封良好,有无漏烟现象,是否有开裂、凸鼓、脱落等缺陷;

5.承重结构和支、吊架等是否有过热、变形、裂纹、腐蚀、卡死。

第四十八条 安全附件、自控调节及保护装置检验的主要内容:

1.安全阀:

(1)安全阀的安装、数量、规格是否符合《规程》要求;

(2)对安全阀进行自动排放试验对其进行校验,其整定压力、回座压力、密封性等检验结果应记入锅炉档案,并对安全阀加锁或铅封;若安全阀仍在校验有效期内(查看校验记录),可在不低于75%的工作压力下进行手动排放试验,检验安全阀阀芯是否锈死和密封性;

(3)对于控制式安全阀,除进行上述自动排放试验外,还应检验其控制源和控制回路等是否完好、可靠;

(4)检验阀体和法兰是否有泄漏,排汽、疏水是否畅通,排汽管、放水管是否引到安全地点。

2.压力表:

(1)压力表的数量、安装、表盘直径、量程、精度等是否符合《规程》要求;

(2)压力表是否在校验有效期内,有无铅封;

(3)蒸汽空间的压力表与锅筒或集箱之间是否有存水弯管,存水弯管与压力表之间有无三通阀门。吹洗压力表的连接管,检查压力表的连接管是否畅通;

(4)同一部件内各压力表的读数是否一致、正确。

3.水位表:

(1)水位表的数量、安装等是否满足《规程》要求;

(2)水位表上是否有最低、最高安全水位和正常水位的明显标志,水位是否清晰可见,玻璃管水位表是否有防护罩,照明是否良好,事故照明电源是否完好;

(3)两只水位表显示的水位是否一致;同一水位检测系统中,一次仪表与二次仪表显示的水位是否一致;

(4)在检验员的观察下,由司炉工冲洗水位表,检验汽、水连管是否畅通。

4.水位示控装置:检验锅炉水位示控装置的设置是否符合《规程》的要求,其功能(高、低水位报警,自动进水、低水位连锁保护)是否齐全;在检验员的指导下,由司炉工进行模拟功能试验,检验其是否灵敏、可靠;

5.温度仪表:温度仪表的安装位置、量程是否符合《规程》要求,温度仪表是否在经法定计量单位的校验有效期内;

6.超温报警和连锁装置:检验超温报警装置的设置是否符合《规程》的要求,在检验员的指导下,由司炉工进行功能试验,或查询有关超温报警记录,以证实报警装置灵敏、可靠;

7.超压报警和连锁装置:检验超压报警装置和联锁装置的设置是否符合《规程》的要求,在检验员的指导下,由司炉工进行功能试验,检查报警和连锁压力值是否正确;

8.点火程序、熄火保护装置:检查燃油、燃气、燃煤粉锅炉是否有点火程序及熄火保护装置;在检验员的指导下,由司炉工进行功能试验,检查其是否灵敏、可靠;

9.防爆门:对于有防爆门的锅炉,应检验防爆门是否完好。

第四十九条 辅机和附件检验的主要内容:

1.排污装置:排污阀与排污管道是否有渗漏;在检验员的指导下,由司炉工进行排污试验,检查排污管是否畅通,排污时是否有震动;

2.给水系统:给水设备、阀门是否能保证可靠地向锅炉供水;

3.循环泵:循环泵和备用循环泵是否完好、正常;

4.吹灰器:检查吹灰器的运转是否正常,冷却是否良好,吹嘴及角度是否正常;

5.燃烧系统:检查燃烧设备、燃料供应设备及管道、除渣机、鼓、引风机运转是否正常;

6.热水锅炉的附加检验:集、排气装置、除污器、定压和循环水的膨胀装置等是否符合《规程》要求。

第五十条 对分汽(水)缸和锅炉范围内的管道及支吊架应检查其是否有变形、泄漏、保温脱落等现象。

第五十一条 水质管理和水处理设备检验的主要内容:

1.水质化验员是否持证操作;

2.汽水取样装置及取样点设置是否符合规定,化验记录和化验项目是否齐全,汽水品质是否符合国家标准;

3.水处理设置是否满足制水量的需要;

4.水处理设备运转或实施情况是否正常;

5.对于电站锅炉还应查核化学监督制度的执行情况;

6.必要时可现场取汽水样分析。

第五十二条 现场检验工作完成后,检验人员应根据实际检验情况出具检验报告、做出下述检验结论:

1.允许运行;

2.监督运行:检验员应注明须解决的缺陷问题和期限;

3.停止运行:检验员应注明原因,并提出进行内部检验、进行修理或其他进一步的要求。

第五十三条 检验结论依据:

1.允许运行:未发现或只有轻度不影响安全的缺陷问题;

2.监督运行:发现一般缺陷问题,经使用单位采取措施后能保证锅炉安全运行;

3.停止运行:发现严重的缺陷问题,不能保证锅炉安全运行。

第四章 水压试验

第五十四条 水压试验前检验人员与锅炉使用单位应做好下列准备工作:

1.检验员应认真查阅锅炉的技术资料,尤其是本次内部检验或修理、改造后的检验记录和报告;

2.清除受压部件表面的烟灰和污物,对于需要重点进行检查的部位还应拆除炉墙和保温层,以利于观察;

3.对不参加水压试验的连通部件(如锅炉范围以外的管路、安全阀等)应采取可靠的隔断措施;

4.锅炉应装两只在校验合格期内的压力表,其量程应为试验压力的 1.5~3 倍,精度应不低于 1.5 级;

5.调试试压泵,使之能确保压力按照规定的速率缓慢上升;

6.水压试验时,周围的环境温度不应低于 5 ℃,否则应采取有效的防冻措施;

7.水压试验的用水应防止对锅炉材料有腐蚀,对奥氏体材料的受压部位,水中的氯离子浓度不得超过 25 mg/L,否则应有相应的措施;

8.水压试验的用水温度应不低于大气的露点温度,一般选取 20~70 ℃;对合金材料的受压部件,水温应高于所用钢种的脆性转变温度或按照锅炉制造厂规定的数据控制;

9.水压试验加压前,参加试验的各个部件内都应上满水,不得残留气体;

10.水压试验时,锅炉使用单位的管理人员应到场。

第五十五条 水压试验应在锅炉内部检验合格后进行;承压部件有较大减薄时应进行强度校核计算,保证试验时承压部件薄膜应力不超过材料在试验温度下屈服点的 90%。

第五十六条 水压试验的试验压力应符合下列规定:

锅筒(锅壳)工作压力 p	试验压力
<0.8 MPa	$1.5p$ 但不小于 0.2 MPa
0.8~1.6 MPa	$p+0.4$ MPa
>1.6 MPa	$1.25p$

1.再热器(再热器管道除外)的水压试验压力为 $1.5p_1$(p_1 为再热器的工作压力);

2.直流锅炉本体的水压试验压力为介质出口压力的 1.25 倍,且不小于省煤器进口压力的 1.1 倍。

第五十七条 当锅炉实际使用的最高工作压力低于额定工作压力时,试验压力也可以按实际经确定的最高工作压力计算;当使用单位若提高锅炉使用压力(但不得超过额定工作压力)时,应以提高后的工作压力为基础重新进行水压试验。

第五十八条 水压试验的过程至少应包括下列步骤:

1.缓慢升压至工作压力,升压速率应不超过每分钟 0.5 MPa;

2.暂停升压,检查是否有泄漏或异常现象;

3.继续升压至试验压力,升压速率应不超过每分钟 0.2 MPa,并注意防止超压;

4.在试验压力下至少保持 20 分钟,保压期间压降应满足:

(1)对于不能进行内部检验的锅炉,在保压期间不允许有压力下降现象;

(2)对于其他锅炉,在保压期间的压力下降值 Δp 一般应满足下述要求:

锅筒(壳)工作压力 p	允许压降 Δp
$p < 0.8$ MPa	$\Delta p \leqslant 0.05$ MPa
0.8 MPa $\leqslant p \leqslant 1.6$ MPa	$\Delta p \leqslant 0.1$ MPa
1.6 MPa $< p < 3.8$ MPa	$\Delta p \leqslant 0.15$ MPa
3.8 MPa $\leqslant p < 9.8$ MPa	$\Delta p \leqslant 0.3$ MPa
$p \geqslant 9.8$ MPa	$\Delta p \leqslant 0.5$ MPa

5. 缓慢降压至工作压力;

6. 在工作压力下,检查所有参加水压试验的承压部件表面、焊缝、胀口等处是否有渗漏、变形,以及管道、阀门、仪表等连接部位是否有渗漏;

7. 缓慢泄压;

8. 检查所有参加水压试验的承压部件是否有残余变形。

第五十九条　检查结果符合下列情况时判定为合格:

1. 在受压元件金属壁和焊缝上没有水珠和水雾;

2. 当降到工作压力后胀口处不滴水珠;

3. 铸铁锅炉锅片的密封处在降到额定出水压力后不滴水珠;

4. 水压试验后,没有明显残余变形。

第六十条　水压试验不合格的锅炉不得投入运行。

第五章　附　则

第六十一条　锅炉检验后,检验员应及时出具相应的检验报告(详见附录1、2、3、4)。检验报告应及时送给锅炉使用单位存入锅炉技术档案。

第六十二条　对于检验结论为停止运行的锅炉检验报告应上报当地锅炉压力容器安全监察机构。

第六十三条　有机热载体炉的定期检验可参照本规则的相应条款执行。

第六十四条　本规则由国家质量技术监督局负责解释。

第六十五条　本规则自 2000 年 1 月 1 日起施行。

(附录略)

附录11　国务院关于特大安全事故行政责任追究的规定

（国务院令第 302 号　2001 年 4 月 21 日起施行）

第一条　为了有效地防范特大安全事故的发生,严肃追究特大安全事故的行政责任,保障人民生命、财产安全,制定本规定。

第二条　地方人民政府主要领导人和政府有关部门正职负责人对下列特大安全事故的防范、发生,依照法律、行政法规和本规定的规定有失职、渎职情形或者负有领导责任的,依照本规定给予行政处分;构成玩忽职守罪或者其他罪的,依法追究刑事责任:

（一）特大火灾事故;

（二）特大交通安全事故;

（三）特大建筑质量安全事故;

（四）民用爆炸物品和化学危险品特大安全事故;

（五）煤矿和其他矿山特大安全事故;

（六）锅炉、压力容器中、压力管道和特种设备特大安全事故;

（七）其他特大安全事故。

地方人民政府和政府有关部门对特大安全事故的防范、发生直接负责的主管人员和其他直接责任人员,比照本规定给予行政处分;构成玩忽职守罪或者其他罪的,依法追究刑事责任。

特大安全事故肇事单位和个人的刑事处罚、行政处罚和民事责任,依照有关法律、法规和规章的规定执行。

第三条　特大安全事故的具体标准,按照国家有关规定执行。

第四条　地方各级人民政府及有关部门应当依照有关法律、法规和规章的规定,采取行政措施,对本地区实施安全监督管理,保障本地区人民群众生命、财产安全,对本地区或者职责范围内防范特大安全事故的发生,特大安全事故发生后的迅速和妥善处理负责。

第五条　地方各级人民政府应当每个季度至少召开一次防范特大安全事故工作会议,由政府主要领导人委托政府分管领导人召集有关部门正职负责人参加,分析、布置、督促、检查本地区防范特大安全事故的工作。会议应当做出决定并形成纪要,会议确定的各项防范措施必须严格实施。

第六条　市(地、州)、县(市、区)人民政府应当组织有关部门按照职责分工对本地区容易发生特大安全事故的单位、设施和场所安全事故的防范明确责任、采取措施,并组织有关部门对上述单位、设施和场所进行严格检查。

第七条　市(地、州)、县(市、区)人民政府必须制定本地区特大安全事故应急处理预案。本地区特大安全事故应急处理预案经政府主要领导人签署后报上一级人民政府备案。

第八条　市(地、州)、县(市、区)人民政府应当组织有关部门对本规定第二条所列各类特大安全事故的隐患进行查处;发现特大安全事故隐患的,责令立即排除;特大事故隐患排除前或者排除过程中,无法保证安全的,责令暂时停产、停业或者停止使用。法律、行政法规对查处机关另有规定的,依照其规定。

第九条　市(地、州)、县(市、区)人民政府及其有关部门对本地区存在的特大安全事故隐患,超出其管辖或者职责范围的,应当立即向有管辖权或者负有职责的上级人民政府或者政府有关部门报告;情况紧急的,可以采取包括责令暂时停产、停业在内的紧急措施,同时报告上级人民政府或者政府有关部门,上级人民政府或有关部门接到报告后,应当立即组织查处。

第十条　中小学校学生进行劳动技能教育以及组织学生参加公益劳动等社会实践活动,必须确保学生安全。严禁以任何形式、任何名义组织学生从事接触易燃、有毒有害等危险品的劳动或者其他危险性劳动。严禁将学校场地出租作为从事易燃、易爆、有毒、有害等危险品的生产、经营场所。

中小学校违反前款规定的,按照学校隶属关系,对市(地、州)、县(市、区)人民政府主要领导人和市(地、州)、县(市、区)人民政府教育行政部门正职负责人,根据情节轻重,给予记过、降级直至撤职的行政处分;构成玩忽职守或者其他罪的,依法追究刑事责任。

中小学校违反本条第一款规定的,对校长给予撤职的行政处分,对直接组织者给予开除公职的行政处分;构成非法制造爆炸物罪或者其他罪的,依法追究刑事责任。

第十一条　依法安全生产事项负责行政审批(包括批准、核准、许可、注册、颁发、竣工验收等,下同)的政府部门或者机构,必须严格依照法律、法规和规章规定的安全条件和程序进行审查;不符合法律、法规和规章规定的安全条件,弄虚作假的,骗取批准或者勾结串通行政审批工作人员取得批准的,负责行政审批的政府部门或者机构除必须立即撤销原批准外,应当对弄虚作假骗取批准或者勾结串通行政审批工作人员的当事人依法给予行政处罚;构成行贿罪或者其他罪的,依法追究刑事责任。

负责行政审批的政府部门或者机构违反前款规定,对不符合法律、法规和规章规定的安全条件予以批准的,与当事人勾结串通的,应当开除公职;构成受贿罪、玩忽职守罪或者其他罪的,依法追究刑事责任。

第十二条　对依照本规定第十一条第一款的规定取得批准的单位和个人,负责行政审批的政府部门或者机构必须对其实施严格监督检查;发现其不再具备安全条件的,必须立即撤销原批准。

负责行政审批的政府部门或者机构违反前款规定,不对取得批准的单位和个人实施严格监督检查,或者发现其不再具备安全条件而不立即撤销原批准的,对部门或者机构的正职负责人,根据情节轻重,给予降级或者撤职的行政处分;构成受贿罪、玩忽职守罪或者其他罪的,依法追究刑事责任。

第十三条　对未依法取得批准,擅自从事有关活动的,负责行政审批的政府部门或者机构发现或者接到举报后,应当立即予以查封、取缔,并依法给予行政处罚;属于经营单位的,由工商行政管理部门依法相应吊销营业执照。

负责行政审批部门或者机构违反前款规定,对发现或者举报的未依法取得批准而擅自从事有关活动的,不予查封、取缔,不依法给予行政处罚,工商管理部门不予吊销营业执照的,对部门或者机构的正职负责人,根据情节轻重,给予降级或者撤职的行政处分;构成受贿罪、玩忽职守罪或者其他罪的,依法追究刑事责任。

第十四条　市(地、州)、县(市、区)人民政府依照本规定应当履行职责而未履行,或者未按照规定的职责和程序履行,本地区发生特大安全事故的政府主要领导人,根据情节轻重,给予降级或者撤职的行政处分;构成玩忽职守罪的,依法追究刑事责任。

负责行政审批的政府部门或者机构、负责安全监督管理的政府有关部门,未依照本规定履行职责,发生特大安全事故的,对部门或者机构的正职负责人,根据情节轻重,给予撤职或者开除公职的行政处分;构成玩忽职守罪或者其他罪的,依法追究刑事责任。

第十五条　发生特大安全事故,对社会影响特别恶劣或者性质特别严重的,由国务院对负有领导责任的省长、自治区主席、直辖市市长和国务院有关部门正职负责人给予行政处分。

第十六条　特大安全事故发生后,有关县(市、区)、市(地、州)和省、自治区、直辖市人民政府及政府有关部门应当按照国家规定的程序和时限立即上报,不得隐瞒不报、谎报或者拖延报告,并应当配合、协助事故调查,不得以任何方式阻碍、干涉事故调查。

特大安全事故发生后,有关地方人民政府及政府有关部门违反前款规定的,对政府主要领导人和政府部门正职负责人给予降级的行政处分。

第十七条　特大安全事故发生后,有关地方人民政府应当迅速组织救助,有关部门应当服从指挥、调度,参加或者配合救助,将事故损失降到最低限度。

第十八条　特大安全事故发生后,省、自治区、直辖市人民政府应当按照国家有关规定迅速、如实发布事故消息。

第十九条　特大安全事故发生后,按照国家有关规定组织调查组对事故进行调查。事故调查工作应当自事故发生之日起60日内完成,并由调查组提出调查报告;遇有特殊情况的,经调查组提出并报安全生产监督管理机构批准后,可以适当延长时间。调查报告应当包括依照本规定对有关责任人员追究行政责任或者其他法律责任的意见。

省、自治区、直辖市人民政府应当自调查报告提交之日起30日内,对有关责任做出处理决定;必要时,国务院可以对特大安全事故的有关责任人员做出处理决定。

第二十条　地方人民政府或者政府部门阻挠、干涉对特大安全事故有关责任人员追究责任的,对地方人民政府主要领导人或者政府部门正职负责人,根据情节轻重,给予降级或者撤职的行政处分。

第二十一条　任何单位和个人均有权向有关地方人民政府或者政府部门报告特大安全事故隐患,有权向上级人民政府或者政府部门举报地方人民政府或者政府部门不履行安全监督管理职责或者不按照规定履行职责的情况。接到报告或者举报的有关人民政府或者政府部门,应当立即组织对事故隐患进行查处,或者对不履行、不按照规定履行安全监督管理职责的情况进行调查处理。

第二十二条　监察机关依照行政监察法的规定,对地方各级人民政府和政府部门及其工作人员履行安全监督管理职责实施监察。

第二十三条　对特大安全事故以外的其他安全事故的防范、发生追究行政责任的办法,由省、自治区、直辖市人民政府参照本规定制定。

第二十四条　本规定自公布之日起施行。

附录12 锅炉压力容器压力管道特种设备安全监察行政处罚规定

(国家质量监督检验检疫总局令第14号 2002年3月1日起施行)

第一条 为规范锅炉、压力容器、压力管道及电梯、起重机械、厂内机动车辆、客运索道、游乐设施等特种设备(以下简称设备)安全监察行政处罚行为,保障设备安全监察工作的有效实施,依据质量监督与安全监察有关法律、法规,制定本规定。

第二条 国家质量监督检验检疫总局和各地质量技术监督部门对设备设计、制造、安装、充装、检验、修理、改造、维修保养、化学清洗等违法行为实施行政处罚,应当遵守本规定。

第三条 应当取得设备设计、制造、安装、充装、检验、修理、改造、维修保养、化学清洗许可,而未取得相应许可擅自从事有关活动的,责令其停止违法行为;属非经营性活动的,处一千元以下罚款;属经营性活动,有违法所得的,处一万元以下罚款。

实行生产许可证管理的设备未取得生产许可证的,按照《工业产品质量责任条例》等有关条款,吊销相应的资格证件。

第四条 没有按照规定履行设计文件审批手续的,或者没有按照规定进行型式试验就投入制造的,责令改正,处责任者一千元以下罚款;情节严重的,处一万元以上三万元以下罚款,吊销相应的资格证件。

第五条 应当履行设备制造、安装、修理、改造安全质量监督检验程序而未按照规定履行的,责令改正;属非经营性活动的,处一千元以下罚款;属经营性活动,有违法所得的,处违法所得一倍以上三倍以下,最高不超过三万元罚款,没有违法所得的,处一万元以下罚款。

第六条 制造、销售不符合有关法规、标准的设备,致使设备不能投入使用的,按照《中华人民共和国产品质量法》的有关规定处罚。

安装不符合安全质量的设备,或安装、修理、改造质量不符合安全质量要求,致使设备不能投入使用的,处安装、修理、改造费用一倍以上三倍以下,最高不超过三万元的罚款;情节严重的,吊销相应许可证。

第七条 使用设备有下列违法行为之一的,责令改正,属非经营性使用行为的,处一千元以下罚款;属经营性使用行为的,处一万元以下罚款:

(一)未取得设备制造(组焊)许可证的;

(二)委托没有取得相应许可的单位或个人进行安装、修理、改造、维护保养、化学清洗、检验的;

(三)未经批准自行进行安装、修理、改造、检验的;

(四)未办理使用(托管)注册登记手续的;

(五)超过检验有效期检验不合格的;

(六)气瓶及其他移动式压力容器不按规定进行充装的;

(七)未按规定进行维修保养的;

(八)未按规定办理停用、报废手续的;

(九)已经报废或者非承压设备当承压设备的。

第八条 检验、检测及有关从事审查、型式试验等机构伪造检验数据或者出具虚假证明的,按《中华人民共和国产品质量法》的有关规定进行处罚。

第九条 使用无相应有效证件的人员进行设备操作、检验等活动的,责令改正,并处一万元以下罚款。

第十条 转让资格许可证书,或给无许可资格的单位出具虚假证明的,吊销相应的许可资格,并处一万元以上三万元以下的罚款。

第十一条 制造、销售、使用等环节违反规定,责令其对设备进行必要的技术处理;设备存在事故隐患,无修理、改造价值的,予以判废、监督销毁。

第十二条 违反设备设计、制造、安装、使用、检验、修理、改造等有关法律、法规规定,造成事故的,依据有关规定进行处理;构成犯罪的,依法追究刑事责任。

第十三条 设备安全监察机构及有关执法部门的工作人员滥用职权、玩忽职守、营私舞弊,构成犯罪的,依法追究刑事责任;尚不构成犯罪的,依法给予行政处分。

第十四条 对违法行为责令改正的,由国家质量监督检验检疫总局或地方质量技术监督部门的设备安全监察机构发出《安全监察意见通知书》,其他处罚由国家质量监督检验检疫地方质量技术监督部门按有关规定进行。

第十五条 设备安全监察机构的安全监察人员进行执法,应当出示安全监察员证;其他执法人员进行执法,应当出示相关证件。不出示证件的,被检查者有权拒绝检查。

第十六条 被检查者对行政处罚不服的,可以依法提请行政复议或者行政诉讼。

第十七条 本规定由国家质量监督检验检疫总局负责解释。

第十八条 本规定自 2002 年 3 月 1 日起施行。

附录 13 锅炉压力容器压力管道特种设备
事故处理规定

(国家质量监督检验检疫总局令第 2 号　2001 年 11 月 15 日起执行)

第一章　总　则

第一条　为了规范锅炉、压力容器、压力管道、特种设备的事故报告、调查和处理工作,根据《锅炉压力容器安全监察暂行条例》《国务院关于特大安全事故行政责任追究的规定》,以及国务院关于特别重大事故调查处理的有关规定和国务院赋予国家质量监督检验检疫总局的职能,制定本规定。

第二条　本规定适用锅炉、压力容器、压力管道、特种设备发生事故的报告、调查、处理以及事故的统计、分析。

第三条　锅炉、压力容器、压力管道、特种设备发生事故时,事故发生单位或者业主,除按规定报告外,必须严格保护事故现场,妥善保存现场物件及重要痕迹等各种物证,并采取措施抢救人员和防止事故扩大。

为防止事故扩大、抢救人员或者疏通通道等,需要移动现场物件、设施时,必须做出标志,绘制现场简图并写出书面记录,见证人员应签字,必要时应当对事故现场和伤亡情况录像或者拍照。

第四条　锅炉、压力容器、压力管道、特种设备发生事故时,按照所造成的人员伤亡和破坏程度,分为特别重大事故、特大事故、重大事故、严重事故和一般事故。

特别重大事故,是指造成死亡 30 人(含 30 人)以上,或者受伤(包括急性中毒,下同)100 人(含 100 人)以上,或者直接经济损失 1 000 万元(含 1 000 万元)以上的设备事故。

特大事故,是指造成死亡 10~29 人,或者受伤 50~99 人,或者直接经济损失 500 万元(含 500 万元)以上 1 000 万元以下的设备事故。

重大事故,是指造成死亡 3~9 人,或者受伤 20~49 人,或者直接经济损失 100 万元(含 100 万元)以上 500 万元以下的设备事故。

严重事故,是指造成死亡 1~2 人,或者受伤 19 人(含 19 人)以下,或者直接经济损失 50 万元(含 50 万元)以上 100 万元以下,以及无人员伤亡的设备爆炸事故。

一般事故,是指无人员伤亡,设备损坏不能正常运行,且直接经济损失 50 万元以下的设备事故。

第五条　国家质量监督检验检疫总局设立锅炉压力容器压力管道特种设备事故调查中心(以下简称国家质检总局事故调查处理中心),其主要职责是:

(一)在国家质量监督检验检疫总局锅炉压力容器安全监察局的指导下,组织对锅炉、压力容器、压力管道、特种设备特大事故的调查,参与特别重大事故的调查;

(二)指导并督办各地对事故的调查、处理和批复工作;

(三)对事故进行统计、分析;

(四)负责收集有关事故资料,建立事故数据库;

(五)研究并提出事故预防措施;

(六)参与起草事故调查、处理方面的规章制度。

省级质量行政部门设立本辖区事故调查处理办事机构。

第二章　事故报告

第六条　发生特别重大事故、特大事故、重大事故和严重事故后,事故发生单位或者业主必须立即报告主管部门和当地质量技术监督行政部门。当地质量技术监督行政部门在接到事故报告后应当立即逐级上报,直到国家质量监督检验检疫总局。发生特别重大事故或者特大事故后,事故发生单位或者业主还应当直接报告国家质量监督检验检疫总局。

发生一般事故后,事故发生单位或者业主应当立即向设备使用注册登记机构报告。

移动式压力容器、特种设备异地发生事故后,业主或者聘用人员应当立即报告当地质量技术监督行政部门,并同时报告设备使用注册登记的质量技术监督行政部门。当地质量技术监督行政部门在接到事故报告后立即逐级上报。

第七条　事故报告应当包括以下内容:

(一)事故发生单位(或者业主)名称、联系人、联系电话;

(二)事故发生地点;

(三)事故发生时间(年、月、日);

(四)事故设备名称;

(五)事故类别;

(六)人员伤亡、经济损失以及事故概况。

第八条　省级质量技术监督行政部门应当于每季度的第 1 个月 15 日之前将所辖区上季度事故汇总表报国家质量监督检验检疫总局,每年 1 月 15 日之前将所辖区上年度事故汇总表报国家质量监督检验检疫总局(季度事故汇总表见附件 1,年度事故汇总表见附件 2)。

第九条　各级质量技术监督行政部门设立事故举报电话并向社会公布,及时受理有关事故的情况、意见和建议。

第三章　事故调查

第十条　事故调查工作必须坚持实事求是、尊重科学的原则。

第十一条　特别重大事故按照国务院的有关规定,由国务院或者国务院授权的部门组织成立特别重大事故调查组,国家质量监督检验检疫总局参加。

特大事故由国家质量监督检验检疫总局会同事故发生地的省级人民政府及有关部门组织成立特大事故调查组,省级质量技术监督行政部门参加。

重大事故由省级质量技术监督行政部门会同事故发生地的市(地、州)人民政府及有关部门组织成立重大事故调查组,市(地、州)质量技术监督行政部门参加。

严重事故由市(地、州)质量技术监督行政部门会同事故发生地的县(市、区)人民政府及有关部门组织成立严重事故调查组,县(市、区)质量技术监督行政部门参加。

一般事故由事故发生单位组织成立事故调查组。

上一级质量技术监督行政部门认为有必要时,可以会同有关部门直接组织成立事故调查组。移动式压力容器、特种设备异地发生的事故,由事故发生地有关部门按照本条规定组织成立事故调查组,并通知办理使用注册登记的质量技术监督行政部门参加。办理使用注册登记的质量技术监督行政部门应当协助调取设备档案等资料,配合做好事故调查工作。

第十二条 组织成立事故调查组需要聘请有关专家时,参加事故调查的专家应当符合下列条件:

(一)具有事故调查所需要的相关专业知识;

(二)与事故发生单位及相关人员不存在任何利益或者利害关系。

第十三条 事故调查组应当履行下列职责:

(一)调查事故发生前设备的状况;

(二)查明人员伤亡、设备损坏、现场破坏以及经济损失情况(包括直接和间接经济损失);

(三)分析事故原因(必要时应当进行技术鉴定);

(四)查明事故的性质和相关人员的责任;

(五)提出对事故有关责任人员的处理建议;

(六)提出防止类似事故重复发生的措施;

(七)写出事故调查报告书(见附件3)。

第十四条 事故调查组有权向事故发生单位、有关部门及有关人员了解事故的有关情况、查阅有关资料并收集有关证据。

事故发生单位及有关人员,必须实事求是地向事故调查组提供有关设备及事故情况,如实回答事故调查组的询问,并对所提供情况的真实性负责。

第十五条 事故调查过程中,事故调查组可以根据需要委托有能力的单位,进行技术检验或者技术鉴定。

接受委托的单位完成技术检验或者技术鉴定工作后,应当出具技术检验或者技术鉴定报告书,并对其负责。

第十六条 事故调查应当根据事故性质和当事人的行为,确定当事人应当承担的责任,并在事故报告书中,提出事故处理意见。当事人应当承担的责任分为:全部责任、主要责任、同等责任、次要责任。

当事人故意破坏、伪造事故现场、毁灭证据、未及时报告事故等致使事故责任无法认定的,当事人应当承担全部责任。

第十七条 事故调查组应当将事故调查报告书报送组织该起事故调查的行政部门,并由其进行批复。

第十八条 事故调查报告书的批复应当在事故发生之日起60日内完成。特殊情况,经上一级质量技术监督行政部门批准,批复期限可以延长,但不得超过180日。

第四章 事故处理

第十九条 事故批复后,组织该起事故调查的行政部门应当将事故调查报告书归档备查,并将事故调查报告副本送达国家质检总局事故调查处理中心、当地人民政府和有关主管部门。

第二十条 事故发生单位及主管部门和当地人民政府应当按照国家有关规定对事故责任人员做出行政处分或者行政处罚的决定;构成犯罪的,由司法机关追究刑事责任,行政处分或者行政处罚的决定应当在接到事故调查报告书之日起 30 日内完成,并告知组织该起事故调查的行政部门。

第五章 事故统计分析

第二十一条 国家质检总局事故调查处理中心负责全国事故的统计、分析,并提出事故预防的措施和建议。

第二十二条 国家质检总局负责发布年度事故统计、分析报告。

第六章 罚 则

第二十三条 有关人员在事故报告、调查、处理以及统计、分析、技术检验、技术鉴定、档案资料保管等过程中,因主观故意违反法律、法规和规章的规定,违反法定程序、适用法律不当、认定事实错误造成行政执法过错的,或者行政部门公务员不履行职责的,依据国家有关规定追究其责任;构成犯罪的,依法追究刑事责任。

第二十四条 违反本规定,有下列行为之一者,由主管部门或者当地人民政府对责任人进行行政处分;构成犯罪的,依法追究刑事责任:

(一)对所发生的设备事故隐瞒不报、谎报或者故意拖延报告的;

(二)故意破坏事故现场的;

(三)私自转移、隐匿、毁弃设备事故证据或者设备设计、制造、销售、安装、充装、使用、检验、修理、改造等证件、记录、技术资料、档案的;

(四)干涉事故调查工作正常进行的;

(五)无正当理由拒绝接受事故调查,拒绝提供与设备事故有关的情况和资料的;

(六)提供伪证或者指使他人提供伪证的;

(七)对事故调查和处理工作不负责任,致使调查或者处理工作有重大疏漏的;

(八)行贿、受贿、包庇事故责任者或者借机打击报复他人的。

第二十五条 对事故责任单位,除依法追究民事责任或者刑事责任外,由组织该起事故调查处理的质量技术监督行政部门按照以下规定进行处罚:

(一)事故发生单位违反本规定第三条,设备发生事故后不采取紧急救援措施,在人力能及的情况下未能有效防止事故灾害扩大的,予以警告,并处 5 000 元以上 25 000 元以下的罚款。

(二)事故发生单位违反本规定第六条、第七条,发生事故未按照规定执行或者隐瞒不报的,处以 25 000 元以下罚款。

（三）销售、安装、充装、使用无许可证设备发生事故，予以警告，并处以 5 000 元以上 25 000 元以下罚款。

（四）违反法律、法规、规章、强制性国家标准，进行产品设计、制造、销售、安装、充装、使用、检验、修理、改造，造成事故的，予以警告，暂停相应资格或取消相应资格，并处 10 000元以上 30 000 元以下罚款。

（五）强令违章作业、管理混乱、对职工不进行安全教育，无证上岗、违章操作或对事故隐患不进行处理造成事故的，予以警告，并处10 000元以上 30 000 元以下罚款。

第七章　附　则

第二十六条　省级质量技术监督局可以结合本地区的实际情况，依据本规定制定实施细则，报国家质量监督检验检疫总局备案后实施。

第二十七条　本规定自 2001 年 11 月 15 日起施行，1997 年 7 月 18 日原劳动部发布的第 8 号令《锅炉压力容器压力管道设备事故处理规定》同时废止。

第二十八条　本规定由国家质量监督检验检疫总局负责解释。

（附件略）

附录14　锅炉压力容器事故预防、应急措施及救援预案

1　目的

建立科学有效的事故预防和应急处理机制,以预防为主,发生事故时,可以快速应对,将损失降低到最低。

2　范围

单位各部门。

3　预防措施

3.1　特种设备操作人员必须持证上岗,并参与制定有关安全生产方面的规章制度;安全领导小组负责督促检查,不得指使或同意特种设备操作人员违章操作,并有权对违章行为进行制止;确保锅炉压力容器安全经济运行,满足生产需求,做好环境保护和成本核算工作。

3.2　贯彻落实政府主管部门对锅炉压力容器的安全检查以及下达的有关锅炉压力容器方面的安全监察指令。

3.3　制定和实施锅炉压力容器定期检查、检修及购置各种备件计划。

3.4　定期组织特种设备操作人员进行技术培训和安全教育。

3.5　定期收集、整理锅炉压力容器有关记录并组织相关人员总结前段时间锅炉压力容器运行中的经验教训并制定改进措施。

3.6　每月对锅炉压力容器使用情况进行一次现场检查,并做好记录,及时报告锅炉压力容器的使用情况及需要解决的问题。

3.7　制定和实施锅炉压力容器及附属设备的维修保养计划,配合有关部门进行锅炉压力容器检修后的验收工作。

3.8　发生事故要及时组织调查处理并写出事故报告书。

3.9　积极改善锅炉压力容器工作区域的劳动条件,关心特种设备操作人员的思想工作、生活与技术培训,做到安全文明生产。

3.10　安全领导小组每年底应对全公司安全工作进行总结,并提出下一年的工作计划,年度工作总结报告呈报经理和上级主管部门。

4　应急措施及救援预案

4.1　紧急事故发生后安全领导小组分为三个部分进行对应:A. 消防组;B. 疏散组;C. 救援组。

4.1.1　消防组:由安全领导小组下属的义务消防队员应在第一时间赶到事故现场,使用消防水枪或其他灭火器材扑灭可能扑灭的火险,如火势蔓延则立刻报警(火警电话:119)。

4.1.2　疏散组:负责所有消防通道的畅通,并切断电源,关闭所有机器设备,指挥员工安全有序地撤离。

4.1.3　救援组:负责对受伤人员的应急处理;负责对消防、医疗急救中心的联络工作(医疗急救中心电话:120),做好消防、急救车辆的引导工作。

4.2 警报的解除

4.2.1 由安全领导小组负责警报的解除及警报解除后的生产恢复组织工作。

4.2.2 如发生火灾或爆炸，由政府主管部门作出决定。

4.3 记录在案：凡发生安全隐患或大小事故，由相关人员填写《安全隐患整改通知书》以及《事故调查报告》，并逐级上报，记录在案，必要时向政府主管部门报告，并配合其进行调查核实。

4.4 注意事项

4.4.1 各岗位负责人应指定岗位代理人，以防不测。

4.4.2 厂区内出现任何险情应第一时间通知门卫。

4.4.3 车间和仓库人员应从标有安全标识的消防通道撤离。

4.5 附件

4.5.1 安全领导小组成员名单。

4.5.2 消防器材配置及安全应急疏散路线图。

4.5.3 《安全隐患整改通知书》、《事故调查报告》。

4.5.4 事故应急联络方式图。

4.5.5 义务消防队组织结构图。

【范例1】

××市特大特种设备安全事故应急救援预案

为了积极应对可能发生的特大特种设备安全事故，高效、有序地组织开展事故抢险、救灾工作，最大限度减少人员伤亡和财产损失，维护社会的安定和正常秩序，按照《中华人民共和国安全生产法》、《国务院关于特大安全事故行政责任追究的规定》、国务院《特种设备安全监察条例》、《××省特种设备安全监察条例》和《××省特大特种设备安全事故应急救援预案》等法律法规和文件的要求，结合我市实际，制定本应急救援预案（以下简称《方案》）。

一、《方案》的适用范围

（一）本市行政区域内发生一次死亡 10 人以上（含 10 人）或者一次急性中毒 50 人以上（含 50 人）或经济损失 1 000 万元以上（含 1 000 万元）特大特种设备安全事故；

（二）本市行政区域内发生性质特别恶劣、影响特别重大的特种设备安全事故。

上述两项，任何一项的发生，都立即启动本方案，进行应急救援。

二、制定特大特种设备安全事故应急救援预案的对象

（一）锅炉

额定工作压力 3.82 MPa 以上的锅炉。

（二）压力容器

1. 液化石油气和溶解乙炔气瓶充装；

2. 介质为易燃易爆的球罐区；

3.极度、高度危害介质的压力容器；

4.易燃、易爆或毒性程度为中度危害介质以上的汽车罐车、铁路罐车、罐式集装箱、长管拖车。

(三)压力管道

介质为极度、高度危害或火灾危险程度为甲类的压力管道。

(四)客运索道

(五)起重机械

起吊能力为100吨以上的起重机械。

三、特大特种设备安全事故应急救援指挥系统

××市特大特种设备安全事故应急救援在市级总指挥部的统一领导和组织下,施救组由市质量技术监督局、市安监局、市公安局、市环保局、市卫生局、市消防支队和事故发生地的地方人民政府负责人组成,市质量技术监督局局长或者指挥部指定的人员担任组长,市质量技术监督局分管局长和相关局、支队领导担任副组长。施救组内设办公室、技术处理小组、抢险救灾小组(施救组组织结构图见附件1)。

施救组组成部门应保证人员、交通、通讯和施救装备等资源及时到位。

(一)办公室:市质量技术监督局锅炉处处长兼任办公室主任,相关局、部门的处长和市质监局计划财务处长及办公室主任和事故发生地政府指派的人员担任副主任,辖市(区)质量技术监督局分管局长为成员。其主要职责是:

制定并实施特大特种设备安全事故安全防范措施,负责对外联络、对内协调,采取有效措施确保紧急救援方案的实施,定期组织预案的演练,根据情况的变化,及时对预案进行调整、修订和补充,组织协调应急救援的人员、交通、通讯和施救装备等救援资源的调配,承办指挥部负责人交办的其他工作。

(二)技术处理小组:市特种设备检验机构负责人担任小组长,专家库中相关专业技术人员为成员(专家库名单见附件2)。其主要职责是:

迅速查明特大特种设备安全事故的性质、类别、影响范围及可能继续造成的后果,确定合理的技术处理方案、制定抢险救援方案,报指挥部审定,尽可能防止事故的扩大,确定警戒范围。

(三)抢险救灾小组:事故发生地质量技术监督局局长担任小组长,特种设备安全监察机构负责人和有关部门的职能机构负责人为成员。其主要职责是:

根据特大特种设备安全事故的性质、类别、影响范围及可能造成的后果,组织有关人员实施经指挥部审定后的抢险救援方案,现场组织、协调抢险救灾、伤员救治及转送行动。

四、应急救援资源

(一)人力资源

市质监局建立技术处理小组专家库,专家库由机关、事业单位、企业和高校等专家组成。

(二)装备资源

1.市和辖市(区)质监局设立事故应急救援专用联系电话;

2.市施救组需配备施救专用车,每辆车配备以下装备:

(1)可燃气体浓度检测仪 2 台；

(2)自给式空气呼吸器 6 台；

(3)隔热服 4 套；

(4)防化服 4 套；

(5)防毒面具 10 套；

(6)防静电服、防静电鞋各 10 套；

(7)安全帽 20 顶；

(8)数码相机 1 部；

(9)摄像机 1 部；

(10)防爆对讲机 3 部；

(11)照明、警报装置 1 套。

五、应急救援方案启动程度

(一)接报

特大特种设备安全事故发生,事故发生地的质监局在接到发生事故的报告后,应立即记录接报的时间、报告人单位、姓名、联系电话和事故基本情况(辖市区质监局接报后应立即上报市质监局和当地人民政府)。

(二)上报

市质监局接报后,应立即向市政府值班室及市应急施救指挥部报告,同时上报省质监局,报告可采用电话或传真。报告内容:事故发生的地点、时间、事故性质、规模、现状、报告人、联络方法等。

(三)启动

根据市应急施救指挥部指令或市级人民政府指示,立即启动相应的应急救援方案。

六、应急救援的初期处理措施

特大特种设备安全事故发生后,市质量技术监督局在接到事故报告后,应按照××市人民政府颁发的《××市特大生产安全事故应急救援预案》的有关程序迅速组织处理,并在第一时间迅速赶到第一现场,在市政府成立的特大生产安全事故应急施救指挥部统一组织、协调下,迅速组织救援工作,防止事故的进一步扩大,最大限度地减少人员伤亡和经济损失。

七、常用通讯联络

市质监局单位地址、事故应急救援、各救护医院和急救中心地址、电话号码(见附件3)向社会公布。

八、特大特种设备安全事故的分项应急救援预案

(一)××市锅炉特大安全事故应急救援预案(见附件4);

(二)××市气瓶充装特大安全事故应急救援预案(见附件5);

(三)××市球罐特大安全事故应急救援预案(见附件6);

(四)××市压力容器特大安全事故应急预案(见附件7);

(五)××市汽车罐车、罐式集装箱、长管拖车特大安全事故应急救援预案(见附件8);

（六）××市压力管道特大安全事故应急救援预案（见附件9）；

（七）××市客运索道特大安全事故应急救援预案（见附件10）；

（八）××市起重机械特大安全事故应急救援预案（见附件11）。

（附件略）

××省××质量技术监督局

××年×月×日

【范例2】

××市特大特种设备事故应急救援预案

为做好特大特种设备事故的预防和应急救援，确保国家和人民生命财产安全，根据《中华人民共和国安全生产法》、《特种设备安全监察条例》（国务院373号令），特制定本预案。

一、适用范围

本预案适用于××市行政区域内危及到死亡10人以上（含10人），或者受伤（包括急性中毒）50人以上（含50人），或者直接经济损失500万元以上（含500万元）的特种设备事故的应急救援工作。

二、组织机构与职责

成立××市特大特种设备事故应急救援指挥部，指挥部内设综合协调组、现场警戒组、专家救援排险组、医疗救援组等四个组和应急救援办公室。

（一）应急救援指挥部组成与职责

1.组成

总　指　挥：（略）

副总指挥：（略）

成　员：（略）

2.职责

提出修订××市特大特种设备事故应急救援预案，定期召开例会，组织指挥演练，对发生事故启动应急救援预案进行决策，调动各应急救援力量和物资，及时掌握事故现场的态势，全面指挥应急救援工作。

（二）综合协调组组成与职责

1.组成

市质量技术监督局有关人员。

2.职责

(1)负责向各个组传达指挥部负责人指令；

(2)负责联系和督促各组工作；

(3)报告各组救援工作中重大问题；

(4)负责专家人员的技术信息；

· 253 ·

(5)负责联系驻军救援工作；

(6)负责向国家、省特种设备应急救援办公室报告事故情况及请求救助。

(三)现场警戒组组成与职责

1.组成

由市公安局、交通局、气象局组成,公安局负责人任组长。

2.职责

(1)负责风向、风级、温度、阴晴雨等气象预报；

(2)负责划定现场警戒区并组织警戒维护现场治安和交通秩序；

(3)负责疏散事故区域内的无关人员；

(4)负责救援运输车辆的畅通。

(四)救援排险组组成与职责

1.组成

市质量技术监督局、市公安局、市卫生局、市市政局、市环保局、市交通局。

2.职责

(1)由特种设备引起的火灾由公安局任组长；

(2)由特种设备引起的中毒类事故,由卫生局任组长；

(3)由特种设备引起道路运输类事故,由交通局任组长；

(4)其他类的特种设备事故由质量技术监督局担任组长,职责是制订最佳排险方案,并组织实施。

(五)医疗救援组组成与职责

由市卫生局负责并组织医疗救护工作。

(六)应急救援办公室组成与职责

1.应急救援办公室设在市质量技术监督局,负责日常管理工作。

2.职责

(1)接到事故报告后,迅速报告总指挥、副总指挥,通知各有关单位迅速到达事故现场,并按照指挥部要求,处理应急救援事务；

(2)监督并管理特种设备事故专业应急救援队伍的建立、人员培训和装备物资的配备；

(3)监督有关部门和特种设备使用单位制定特种设备事故应急救援预案和定期演练；

(4)完成指挥部交办的其他事项。

三、危险目标的确定

根据特种设备的结构、功能及使用场所,可能发生群死群伤的重大特种设备事故呈现以下特点:

(一)按设备种类,锅炉、压力容器、压力管道等承压特种设备在使用过程中,或者进行压力试验时受压部件如发生破坏,易发生各类爆炸事故,或因易燃、易爆、有毒化学物质泄漏而引起火灾、人员中毒等重大事故；乘客电梯、客运索道、大型游乐设施等机电类特种设备由于承载人员多、高速运行,一旦设备重要部件断裂、倒塌或出现故障,极易造成坠落、机械伤害、物体打击和触电等事故。

根据我市实际,易发生特大事故的特种设备主要有:大型电站锅炉、化工企业盛装易燃易爆有毒介质的压力容器和压力管道、液化石油气充装站的储罐、液化石油气(液氨、液氯等)汽车罐车、天然气管道、客运索道、大型游乐设施、客运电梯等。

(二)按照特种设备使用场所,在学校、幼儿园以及车站、商场、宾馆、体育场馆、展览馆、风景名胜区、游乐园等公众聚集场所的特种设备,一旦发生事故,易造成群死群伤,并造成严重的社会后果。

四、事故报告

为及时掌握特种设备事故情况,传递信息,下达指挥部的指令,发生特种设备事故的单位必须将事故单位、时间、地点、事故原因、损失程度及抢险情况迅速与以下单位电话联系。

(一)事故情况报告

1.市政府值班室电话:×××

2.市质量技术监督局电话:×××

(二)事故救援排险与医疗抢救报告

1.××市火灾报警电话:119

2.××市公安局报警电话:110

3.××市急救中心电话:120

上述单位接到事故报告后,立即转报市政府值班室和市质量技术监督局,市质量技术监督局接到报告后立即报国家、省质量技术监督行政部门。

五、应急响应

(一)处置方案

为普及特种设备事故应急处理知识,防止一旦发生事故造成人们惊惶失措,并有效排除事故和控制事故蔓延,分别列出可预见的各类特种设备事故类型、应急处置方案。

1.锅炉发生事故时的处置措施

(1)切断锅炉电源,熄灭炉膛内燃烧的燃料;

(2)拨打"110"、"120"对受伤人员进行救护;

(3)将锅炉内压力降至大气压力;

(4)组织人员保护事故现场,严禁向锅炉内进水及排水。

2.压力容器、压力管道发生事故时的处置措施

(1)压力容器、压力管道事故引起易燃、易爆、有毒化学物质泄漏的处置措施

①进入泄漏现场进行处理时,应注意安全防护,进入现场救援人员必须配备必要的个人防护器具。

②如泄漏物是易燃易爆的,事故涉及的区域应严禁火种,切断电源,禁止车辆进入,立即在边界设置警戒线。根据事故情况和事态发展,确定事故涉及区人员的撤离。

③如果泄漏物是有毒的,应使用专用防护服、隔绝式安全面具。为了在现场能正确使用和适应,平时应进行严格的适应性训练。立即在事故边界设置警戒线。根据事故情况和事故发展,确定事故涉及区人员撤离。

④应急处理时严禁单独行动,要有监护人,必要时用水枪、水炮掩护。

⑤对压力容器、压力管道进行关闭阀门、停止作业或改变工艺流程、物料走向、局部停车、减负荷运行等。

⑥对压力容器、压力管道进行堵漏。采用合适的材料和技术手段堵住泄漏处。

⑦对泄漏物进行处理。对有毒物质可进行中和处理,如碱性物质,可用酸性物质进行中和,反之亦可,对于可燃物,可以在现场施放大量的氮气,破坏燃烧条件;也可利用风向,加速气体向空中扩散。

(2)压力容器、压力管道发生事故引起火灾的处置措施

①扑救气体火灾切忌盲目灭火,即使在扑救周围火势以及冷却过程中不小心把泄漏处的火焰扑灭了,在没有采取堵漏措施的情况下,也必须立即用点火棒将火点燃,使其恢复稳定燃烧。否则,大量可燃气体泄漏出来与空气混合,连着火源就会发生爆炸,后果将不堪设想。

②首先应扑灭外围被火源引燃的可燃物火势,切断火势蔓延途径,控制燃烧范围,并积极抢救受伤和被困人员。

③如果火势中有其他压力容器或受到火焰辐射热威胁的压力容器,能疏散的应尽量在水枪的掩护下疏散到安全地带,不能疏散的应部署足够的水枪进行冷却保护。为防止压力容器爆裂伤人,进行冷却的人员应尽量采用低姿射水和利用现场坚实的掩蔽体防护。对于卧式储罐,冷却人员应选择储罐四侧角作为射水阵地。

④如果是输气管道泄漏着火,应首先设法找到气源阀门。灭掉火的同时将阀门关闭。

⑤储罐或管道泄漏关阀无效时,应根据火势大小判断气体压力和泄漏口的大小及其形状,准备好相应的堵漏材料(如软塞、高压专用夹具等)。

⑥堵漏工作准备就绪后,即可用水扑救火势,也可用干粉、二氧化碳灭火,但仍需用水冷却烧烫的储罐或管壁。火扑灭后,应立即用堵漏材料堵漏,同时用雾状水稀释和驱散泄漏出来的气体。

⑦一般情况下完成了堵漏也就完成了灭火工作,但有时一次堵漏不一定成功,如果一次堵漏失败,再次堵漏需一定时间,应立即用长点火棒将泄漏处点燃,使其恢复稳定燃烧,以防止较长时间泄漏出来的大量可燃气体与空气混合后形成爆炸性混合物,并准备再次灭火堵漏。

⑧如果确认泄漏口很大,根本无法堵漏,只需冷却着火容器及其周围容器和可燃物品,控制着火范围,一直到燃气燃尽,火势自动熄灭。

⑨现场指挥应密切注意各种危险征兆,遇到火势无法控制或压力容器、压力管道再次可能爆炸时,指挥员必须适时做出准确判断,及时下达撤退命令。现场人员看到或听到事先规定的撤退信号后,应迅速撤退至安全地带。

⑩气体储罐或管道阀门处泄漏着火时,在特殊情况下,只要判断阀门还有效,也可违反常规,先扑灭火势,再关闭阀门。一旦发现关阀已无效,一时又无法堵漏时,应迅即点燃,恢复稳定燃烧。

3.客运索道故障应急处置

发生故障时,救援人员立即利用广播或喊话器通知乘客镇静,不要惊慌,不要下跳、攀爬或打开吊舱门。

（1）停电或机械电气故障

①立即启动备用电源，暂时恢复运行将乘客卸下。

②如电气或机械故障，立即由电气和机械维修人员排查，如10分钟之内未修复，即由登高救援人员，携相关救援器材到离乘客吊舱最近的支架爬上顶部，滑至吊舱将乘客救出。

（2）缆索断裂或抱索器、吊挂件断裂

救援人员立即赴吊舱下落或下垂的地点，将人员救出。

4.大型游乐设施故障应急处置

发生故障时，通过喊话通知乘客镇静，不要惊慌，不要攀爬或下跳。

（1）观光缆车故障处置

①发生停电故障时，启动备用发电机，暂时恢复运行，将乘客卸下。

②发生机械或电气故障时，松开四轮顶簧，用人力转动轮盘，缓缓将人放下，如机械故障卡死，则由登高救援人员携救援器材攀至吊舱将人逐个救出。

（2）过山车故障处置

过山车在运行中途突然卡死时，救援人员广播通知乘客镇静，不要惊慌，耐心等候救援；救援人员携救援器材沿滑梯上去，将安全带牢固地挂在支承件上，将乘客逐一救出绑缚于安全带上，救至步梯上带下。

5.电梯故障处置

（1）电梯停电故障处置

①启用备用电源将电梯轿厢运行至就近楼层，利用专门工具打开厅门、轿门将乘客救出。

②如无备用电源或电气故障，救援人员到机房切断电源，将手动盘车轮安装至曳引机末端传动轴上，利用专用开闸扳手缓缓松开制动器，手动盘车将轿厢移至就近楼层，用专用工具将厅门、轿门打开放出乘客。

（2）电梯发生断绳墩底事故处置

救援人员到基层，用专用工具将厅门、轿门打开，将乘客放出。

6.起重机械故障处置

发生支腿、大梁倒塌事故时，救援人员利用流动式汽车起重机将大梁支腿和笨重物件逐一移开，将人员救出，必要时可切割上述构件。

（二）处置程序

各成员单位、有关单位和重点目标单位都必须按照有关规定，结合实际制定相应的预案，作为本预案的补充。一旦发生特大事故，有关单位按规定迅速上报指挥部，指挥部研究决定启动本预案后，各成员单位、各专业组及救援队在总指挥的统一指挥下，按照已制定的各种预案实施应急救援。

六、保障措施

（一）通讯与信息保障

市质量技术监督局24小时值班室电话：×××

市质量技术监督局特种设备安全监察处电话：×××

保证应急救援指挥部组成人员的手机24小时常开,一旦事故等异常现象发生,能够及时了解沟通信息,迅速赶赴现场,指挥并组织应急救援工作,必要时增派应急救援通讯车保证通讯与信息的畅通。

(二)应急队伍保障

1.市质量技术监督局设立特种设备应急救援办公室

主　　任:×××市质量技术监督局局长

副主任:×××　市质量技术监督局副局长

成　　员:×××市质监局特种设备安全监察处处长

　　　　　×××市质监局特种设备安全监察处副处长

　　　　　×××市质监局特种设备安全监察处副处长

　　　　　×××省锅炉压力容器检验研究所所长

　　　　　×××省特种设备检测检验研究所所长

　　　　　×××市锅炉压力容器检验所所长

　　　　　×××市特种设备检测检验所所长

2.分别成立由××市锅炉压力容器检验所和××市特种设备检测检验所专业技术人员组成的承压类和机电类特种设备专业应急救援队伍,负责特大事故的现场救援。

(三)交通运输保障

特种设备应急救援办公室、承压类和机电类特种设备专业应急救援队分别配备一部车辆为特种设备应急救援专用车辆。发生特大事故需要交通管制时,由公安交警部门负责执行。

(四)医疗卫生保障

由卫生部门负责,联系电话"120"。

(五)治安保障

由公安部门负责,联系电话"110"。

(六)物资保障

有关特种设备使用单位应根据本单位特种设备运行和使用的实际情况,配备必要的救援用物资和设备。承压类和机电类专业救援队应配备所需的救援物资和设备(见附表2)。各设备使用单位的救援物资应在急需时,无偿受应急救援办公室的调遣。

(七)经费保障

市质量技术监督局设立特种设备事故应急救援专项资金。资金来源是政府拨款和自筹,每年需要20万元,用于预案维护、演习、物资设备更新等支出。

(八)技术储备保障

市质量技术监督局成立特种设备专家组(见附件1)。

七、培训、演习、预案维护

(一)对重点场所特种设备使用单位的管理和操作人员加强设备使用、管理、维护、操作及事故案例等方面的培训教育,提高有关人员的使用管理和操作水平,尽可能地有效地防止事故的发生。

(二)对救援人员加强设备机构原理、故障排除和现场急救等方面的培训,每年至少组织一次有代表性的救援演练,提高救援人员的应急救援水平,确保把发生的事故危害降低到最低限度。

(三)实际情况发生变化时,应及时对已定预案进行修改、补充和完善。

八、附则

(一)工作要求

1.各县(市)、区人民政府,市直各有关部门,有关特种设备使用单位,要根据救援预案要求和应急救援工作需要,建立专业应急救援机构,配备必要的应急救援物资设备,组织和培训专业应急救援队伍,不定期进行演练,不断提高特种设备事故应急救援的实战能力和救援水平。

2.本《预案》于××年×月×日开始实施。

(二)联系表

指挥部成员、专家联系表、专业救援队伍及装备表(附后)。

(附件、附表略)

附录 15 特种设备作业人员监督管理办法

（国家质量监督检验检疫总局令70号 2005年7月1日起施行）

第一章 总 则

第一条 为了加强特种设备作业人员监督管理工作,规范作业人员考核发证程序,保障特种设备安全运行,根据《中华人民共和国行政许可法》、《特种设备安全监察条例》和《国务院对确需保留的行政审批项目设定行政许可的决定》,制定本办法。

第二条 锅炉、压力容器(含气瓶)、压力管道、电梯、起重机械、客运索道、大型游乐设施、场(厂)内机动车辆等特种设备的作业人员及其相关管理人员统称特种设备作业人员。特种设备作业人员作业种类与项目目录见本办法附件。

从事特种设备作业的人员应当按照本办法的规定,经考核合格取得《特种设备作业人员证》,方可从事相应的作业或者管理工作。

第三条 国家质量监督检验检疫总局(以下简称国家质检总局)负责全国特种设备作业人员的监督管理,县以上质量技术监督部门负责本辖区内的特种设备作业人员的监督管理。

第四条 申请《特种设备作业人员证》的人员,应当首先向发证部门指定的特种设备作业人员考试机构(以下简称考试机构)报名参加考试;经考试合格,凭考试结果和相关材料向发证部门申请审核、发证。

第五条 特种设备生产、使用单位(以下统称用人单位)应当聘(雇)用取得《特种设备作业人员证》的人员从事相关管理和作业工作,并对作业人员进行严格管理。

特种设备作业人员应当持证上岗,按章操作,发现隐患及时处置或者报告。

第二章 考试和审核发证程序

第六条 特种设备作业人员考核发证工作由县以上质量技术监督部门分级负责,具体分级范围由省级质量技术监督部门决定,并在本省范围内公布。

对于数量较少的压力容器和压力管道带压密封、氧舱维护、长输管道安全管理、客运索道作业及管理、大型游乐设施安装作业及管理等作业人员的考核发证工作,由国家质检总局确定考试机构,统一组织考试,由设备所在地质量技术监督部门审核、发证。

第七条 特种设备作业人员考试机构应当具备相应的场所、设备、师资、监考人员以及健全的考试管理制度等必备条件和能力,经发证部门批准,方可承担考试工作。

发证部门应当对考试机构进行监督,发现问题及时处理。

第八条 特种设备作业人员考试和审核发证程序包括:考试报名、考试、领证申请、受理、审核、发证。

第九条 发证部门和考试机构应当在办公处所公布本办法、考试和审核发证程序、考试作业人员种类、报考具体条件、收费依据和标准、考试机构名称及地点、考试计划等事项。其中,考试报名时间、考试科目、考试地点、考试时间等具体考试计划事项,应当在举行考试之日 2 个月前公布。

有条件的应当在有关网站、新闻媒体上公布。

第十条 申请《特种设备作业人员证》的人员应当符合下列条件:

(一)年龄在 18 周岁以上;

(二)身体健康并满足申请从事的作业种类对身体的特殊要求;

(三)有与申请作业种类相适应的文化程度;

(四)有与申请作业种类相适应的工作经历;

(五)具有相应的安全技术知识与技能;

(六)符合安全技术规范规定的其他要求。

作业人员的具体条件应当按照相关安全技术规范的规定执行。

第十一条 用人单位应当加强作业人员安全教育和培训,保证特种设备作业人员具备必要的特种设备安全作业知识、作业技能和及时进行知识更新。没有培训能力的,可以委托发证部门组织进行培训。

作业人员培训的内容按照国家质检总局制定的相关作业人员培训考核大纲等安全技术规范执行。

第十二条 符合条件的申请人员应当向考试机构提交有关证明材料,报名参加考试。

第十三条 考试机构应当制定和认真落实特种设备作业人员的考试组织工作的各项规章制度,严格按照公开、公正、公平的原则,组织实施特种设备作业人员的考试,确保考试工作质量。

第十四条 考试结束后,考试机构应当在 20 个工作日内将考试结果告知申请人,并公布考试成绩。

第十五条 考试合格的人员,凭考试结果通知单和其他相关证明材料,向发证部门申请办理《特种设备作业人员证》。

第十六条 发证部门应当在 5 个工作日内对报送材料进行审查,或者告知申请人补正申请材料,并作出是否受理的决定。能够当场审查的,应当当场办理。

第十七条 对同意受理的申请,发证部门应当在 20 个工作日内完成审核批准手续。准予发证的,在 10 个工作日内向申请人颁发《特种设备作业人员证》;不予发证的,应当书面说明理由。

第十八条 特种设备作业人员考核发证工作遵循便民、公开、高效的原则。为方便申请人办理考核发证事项,发证部门可以将受理和发放证书的地点设在考试报名地点,并在报名考试时委托考试机构对申请人是否符合报考条件进行审查,考试合格后发证部门可以直接办理受理手续和审核、发证事项。

第三章 证书使用及监督管理

第十九条 持有《特种设备作业人员证》的人员,必须经用人单位的法定代表人(负责人)或者其授权人雇(聘)用后,方可在许可的项目范围内作业。

第二十条　用人单位应当加强对特种设备作业现场和作业人员的管理,履行下列义务:

(一)制定特种设备操作规程和有关安全管理制度;

(二)聘用持证作业人员,并建立特种设备作业人员管理档案;

(三)对作业人员进行安全教育和培训;

(四)确保持证上岗和按章操作;

(五)提供必要的安全作业条件;

(六)其他规定的义务。

第二十一条　特种设备作业人员应当遵守以下规定:

(一)作业时随身携带证件,并自觉接受用人单位的安全管理和质量技术监督部门的监督检查;

(二)积极参加特种设备安全教育和安全技术培训;

(三)严格执行特种设备操作规程和有关安全规章制度;

(四)拒绝违章指挥;

(五)发现事故隐患或者不安全因素应当立即向现场管理人员和单位有关负责人报告;

(六)其他有关规定。

第二十二条　《特种设备作业人员证》每2年复审一次。持证人员应当在复审期满3个月前,向发证部门提出复审申请。复审合格的,由发证部门在证书正本上签章。对在2年内无违规、违法等不良记录,并按时参加安全培训的,应当按照有关安全技术规范的规定延长复审期限。

复审不合格的应当重新参加考试。逾期未申请复审或考试不合格的,其《特种设备作业人员证》予以注销。

跨地区从业的特种设备作业人员,可以向从业所在地的发证部门申请复审。

第二十三条　《特种设备作业人员证》遗失或者损毁的,持证人应当及时报告发证部门,并在当地媒体予以公告。查证属实的,由发证部门补办证书。

第二十四条　任何单位和个人不得非法印制、伪造、涂改、倒卖、出租或者出借《特种设备作业人员证》。

第二十五条　各级质量技术监督部门应当对特种设备作业活动进行监督检查,查处违法作业行为。

第二十六条　发证部门应当加强对考试机构的监督管理,及时纠正违规行为,必要时应当派人现场监督考试的有关活动。

第二十七条　发证部门要建立特种设备作业人员监督管理档案,记录考核发证、复审和监督检查的情况。发证、复审及监督检查情况要定期向社会公布。

第二十八条　特种设备作业人员考试报名、考试、领证申请、受理、审核、发证等环节的具体规定,以及考试机构的设立、《特种设备作业人员证》的注销和复审等事项,按照国家质检总局制定的特种设备作业人员考核规则等安全技术规范执行。

第四章　罚　则

第二十九条　申请人隐瞒有关情况或者提供虚假材料申请《特种设备作业人员证》的,不予受理或者不予批准发证,并在1年内不得再次申请《特种设备作业人员证》。

第三十条　有下列情形之一的,应当吊销《特种设备作业人员证》:

(一)持证作业人员以考试作弊或者以其他欺骗方式取得《特种设备作业人员证》的;

(二)持证作业人员违章操作或者管理造成特种设备事故的;

(三)持证作业人员发现事故隐患或者其他不安全因素未立即报告造成特种设备事故的;

(四)持证作业人员逾期不申请复审或者复审不合格且不参加考试的;

(五)考试机构或者发证部门工作人员滥用职权、玩忽职守、违反法定程序或者超越发证范围考核发证的。

违反前款第(一)、(二)、(三)、(四)项规定的,持证人3年内不得再次申请《特种设备作业人员证》;违反前款第(二)、(三)项规定,造成特大事故的,终身不得申请《特种设备作业人员证》。

第三十一条　有下列情形之一的,责令用人单位改正,并处1 000元以上3万元以下罚款:

(一)违章指挥特种设备作业的;

(二)作业人员违反特种设备的操作规程和有关的安全规章制度操作,或者在作业过程中发现事故隐患或者其他不安全因素未立即向现场管理人员和单位有关负责人报告,用人单位未给予批评教育或者处分的。

第三十二条　非法印制、伪造、涂改、倒卖、出租、出借《特种设备作业人员证》,或者使用非法印制、伪造、涂改、倒卖、出租、出借《特种设备作业人员证》的,处1 000元以下罚款;构成犯罪的,依法追究刑事责任。

第三十三条　发证部门未按规定程序组织考试和审核发证,或者发证部门未对考试机构严格监督管理影响特种设备作业人员考试质量的,由上一级发证部门责令整改;情节严重的,其负责的特种设备作业人员的考核工作由上一级发证部门组织实施。

第三十四条　考试机构未按规定程序组织考试工作,责令整改;情节严重的,暂停或者撤销其批准。

第三十五条　发证部门或者考试机构工作人员滥用职权、玩忽职守、以权谋私的,应当依法给予行政处分;构成犯罪的,依法追究刑事责任。

第三十六条　作业人员未取得《特种设备作业人员证》上岗作业,或者用人单位未对特种设备作业人员进行安全教育和培训的,按照《特种设备安全监察条例》第七十七条的规定对用人单位予以处罚。

第五章　附　则

第三十七条　《特种设备作业人员证》的格式、印制等事项由国家质检总局统一规定。

第三十八条　考核收费按照国家有关规定执行。

第三十九条 本办法不适用于从事房屋建筑工地和市政工程工地起重机械作业及其相关管理的人员。

第四十条 本办法由国家质检总局负责解释。

第四十一条 本办法自 2005 年 7 月 1 日起施行。原有规定与本办法要求不一致的，以本办法为准。

特种设备作业人员作业种类与项目目录

序号	作业种类	项　　目	备　　注
01	锅炉作业	锅炉操作	注明设备类别和作业级别
		水处理作业	注明设备类别和作业级别
02	压力容器作业	压力容器操作(含带压密封、罐车充装)	注明设备类别和作业级别
		气瓶充装	注明气体种类和作业级别
		氧舱维护	注明设备类别和作业级别
03	压力管道作业	压力管道操作(含带压密封)	注明设备类别和作业级别
04	电梯作业	机械安装维修	注明设备类别和作业级别
		电气安装	注明设备类别和作业级别
		电气维修	注明设备类别和作业级别
		电梯司机	注明设备类别和作业级别
05	起重机械作业	机械安装维修	注明设备类别和作业级别
		电气安装	注明设备类别和作业级别
		电气维修	注明设备类别和作业级别
		司索	注明设备类别和作业级别
		指挥	注明设备类别和作业级别
		司机	注明设备类别和作业级别
06	客运索道作业	安装	注明设备类别和作业级别
		维修	注明设备类别和作业级别
		司机	注明设备类别和作业级别
		编索	注明设备类别和作业级别
07	大型游乐设施作业	安装	注明设备类别和作业级别
		维修	注明设备类别和作业级别
		操作	注明设备类别和作业级别
08	场(厂)内机动车辆作业	司机	注明设备类别和作业级别
		维修	注明设备类别和作业级别

序号	作业种类	项目	备注
09	特种设备焊接作业	承压焊	注明作业级别
		结构焊	注明作业级别
10	安全附件维修作业	安全阀维修	注明作业级别
11	特种设备管理	锅炉安全管理	注明作业级别
		压力容器安全管理	注明作业级别
		气瓶充装安全管理	注明作业级别
		压力管道安全管理	注明作业级别
		电梯安全管理	注明作业级别
		起重机械安全管理	注明作业级别
		客运索道安全管理	注明作业级别
		大型游乐设施安全管理	注明作业级别

参 考 文 献

[1] 张兆杰,等. 锅炉操作安全技术. 郑州:黄河水利出版社,2002
[2] 张兆杰,等. 压力容器安全技术. 郑州:黄河水利出版社,2001
[3] 国家质量监督检验检疫总局令 22 号　锅炉压力容器制造监督管理办法
[4] 国质检锅[2003]194 号　锅炉压力容器制造许可条件,锅炉压力容器制造许可工作程序,锅炉压力容器产品安全性能监督检验规则
[5] 国质检特[2005]220 号　特种设备行政许可鉴定评审管理与监督规则
[6] 国质检锅[2003]249 号　特种设备检验检测机构管理规定
[7] 国质检锅[2001]202 号　特种设备作业人员培训考核管理规则